CW00358177

Paul & Patrick Deville, le clown blanc et l'enfant - DR

Patrick Deville

TABA-TABA

ROMAN

Éditions du Seuil

Citations :
© Actes Sud, 2004, Journal d'un lecteur d'Alberto Manguel, traduit de l'anglais par Christine Le Bœuf. – © Belfond, 1991, Journaux de Stefan Zweig, traduit de l'allemand par Jacques Legrand. – © Miriam Cendrars, 2015, Le Panamá ou les Aventures de mes sept oncles de Blaise Cendrars. – © Éditions du Cerf, 2004, Le Bout du monde de Jean Mistler. – © Éditions Denoël, 1946, 1960, 2002, La Main coupée de Blaise Cendrars, extrait tiré du volume 6 de « Tout autour d'aujourd'hui », nouvelle édition des œuvres complètes de Blaise Cendrars dirigée par Claude Leroy, et 1984, Ultramarine de Malcolm Lowry, pour la traduction française. – © Éditions Gallimard, 2004, Œuvres d'Antonin Artaud ; 1956, Éducation européenne de Romain Gary ; 1966, Les Poésies d'A.O. Barnabooth de Valery Larbaud ; 1976, Le Miroir des limbes d'André Malraux ; 1961, Autres rivages de Vladimir Nabokov, traduit de l'anglais par Yvonne Davet. – © Les Éditions de Minuit, 1990, Roberto Zucco, suivi de Tabataba-Coco de Bernard-Marie Koltès. – © Éditions Tallandier, 2009-2010, Mémoires de guerre, t. 1 (1919-1941) ; t. 2 (1941-1945) de Winston Churchill, traduit de l'anglais par François Kersaudy, et 2003, 2006 (rééd. « Points »), La Vie à en mourir : lettres de fusillés (1941-1944) de Guy Krivopissko. – © Grasset & Fasquelle, 1926, Moravagine de Blaise Cendrars, et 2015, Et si on aimait la France de Bernard Maris. – © Ouest-France, 30 juillet 1953, « Inauguration et bénédiction d'un vaste bâtiment à la Maison départementale de Mindin à Saint-Brévin », « Pornic : un fou dangereux », « "Persian-Gulf" a été lancé », « Sur mon écran ». – © Plon, 1970, Mémoires de guerre et Mémoires d'espoir de Charles de Gaulle. – © Présent, 4 novembre 2014, « Vu à Toulouse ». – © Presses de l'Université de Toulouse 1, 2001, Sorèze, l'intelligence et la mémoire d'un lieu de Jean Le Pottier, Marie-Odile Munier (dir.). – © Le Tout sur le tout, 1989, Cinq sorties de Paris d'Henri Calet. – © Vents d'ailleurs, 2007, Madagascar 1947 de Raharimanana. – © MEET, 2009, Méditations de Saint-Nazaire de Reinaldo Arenas, traduit de l'espagnol par Liliane Hasson.

TEXTE INTÉGRAL

ISBN 978-2-7578-7149-2
(ISBN 978-2-02-124746-6, 1re publication)

© Éditions du Seuil, 2017

Le Code de la propriété intellectuelle interdit les copies ou reproductions destinées à une utilisation collective. Toute représentation ou reproduction intégrale ou partielle faite par quelque procédé que ce soit, sans le consentement de l'auteur ou de ses ayant cause, est illicite et constitue une contrefaçon sanctionnée par les articles L 335-2 et suivants du Code de la propriété intellectuelle.

La seule chose qui ne change pas est qu'il semble chaque fois qu'il y ait « quelque chose de changé en France ».

PROUST, *À l'ombre des jeunes filles en fleurs*

channel,
fairway

dead pan
grey mullet
young fish

une porte monumentale

À la toute extrémité de l'estuaire de la Loire, au centre des terres émergées de l'hémisphère Nord, une porte en pierre dresse au-dessus du fleuve son arc de triomphe modeste et sa grille à deux vantaux. De monumentale elle n'a que le nom. Il fallait qu'il y eût au Lazaret un monument et ce serait elle, n'ouvrant sur rien, visible de loin par les navires à l'entrée du chenal, du même gris-vert que les eaux douces et salées qui se mêlent devant elle.

Ses barreaux métalliques ménagent un espace où je me glisse tous les matins de profil pour descendre sur la plage et m'accroupir comme un géant aux bords des trous d'eau qu'abandonne la marée au creux des rochers. Entre mes sandalettes, chacune de ces flaques est une réduction de mer intérieure avec ses falaises, ses végétations d'algues flottantes qu'il faut écarter comme une chevelure pour débusquer les crabes pince-sans-rire, suivre la panique des crevettes transparentes et parfois des civelles ou des alevins de mulets. J'abandonnai ces histoires naturelles en 1965, lorsqu'il fut décidé que c'était assez, huit ans à l'intérieur d'un hôpital psychiatrique, même avec cette possibilité que m'offraient mes épaules d'hirondelle de me faufiler si vite hors de la cage.

Jamais jusqu'alors je n'avais employé le mot fou ni le mot estuaire. J'ignorais encore que lazaret pouvait s'écrire sans majuscule et qu'il était un nom commun. Ils vivent au Lazaret, disaient les gamins de Mindin, fils des marins pêcheurs, en roulant des mécaniques. Chez les fous. Je haussais les épaules et n'essayais pas d'expliquer plus avant le bonheur de vivre au Lazaret vers lequel je rentrais à tire-d'aile. À l'intérieur, pour désigner le millier d'insanes qui nous entourait, nous utilisions le mot Pensionnaires.

Ainsi le monde, cette quinzaine d'hectares le long du fleuve, inaccessible, isolé par un chemin de ronde et une clôture ininterrompue sur son pourtour, se partageait-il entre les Pensionnaires et le Personnel, catégories plus poreuses qu'on ne pourrait le supposer, car nombre des malades les moins atteints, simples d'esprit ou idiots de village déposés là par l'exode rural, travaillaient alors au Jardin ou à la Menuiserie, à la Peinture ou à la Buanderie, à la Cuisine, car le Lazaret était empli de majuscules : ceux-là touchaient à la fin du mois un pécule, qu'il leur était loisible de claquer à la Cafétéria en tournées triomphales de sodas Pschitt orange ou Vérigoud citron, en achat de peignes en Celluloïd, ou de cartes postales jamais envoyées.

Si je ne faisais qu'apercevoir certains psychopathes agités, ceux dont le visage blême, la bouche ouverte, le regard révulsé vers le centre de leur cerveau et leur propre énigme étaient coiffés de casques de cuir brun, les autres déambulaient sur le sable des allées sous les pins, vêtus de drap bleu, avec des allures songeuses de philosophes antiques ou de traîne-savates, s'asseyaient sur les bancs pour deviser, se rendaient visite de pavillon à pavillon en fin d'après-midi. Parmi ceux-là se recrutaient mes grands camarades.

L'un d'eux surtout, un solitaire ténébreux connu sous le seul nom de Taba-Taba, pouvait attendre, si le temps le permettait, plusieurs heures assis sur les marches de la porte monumentale, balançant lentement le torse d'avant en arrière devant les eaux grises et vertes, et psalmodiant Taba-Taba-Taba/Taba-Taba-Taba, avec une coupure parfaite au milieu de l'alexandrin, le torse atteignant sa position basse à la fin du premier hémistiche, se relevant en prononçant le second sans même paraître en panne de clopes. C'était plus de quarante ans avant que la Poste ne gommât le mégot de Malraux sur ses timbres. L'administration hospitalière, encore peu sensible au tabagisme en général et confrontée ici à des problèmes d'une autre acuité, faisait distribuer aux pensionnaires des paquets de Gauloises Troupes, lesquels étaient prélevés sur les lots de tabac de deuxième catégorie que la Seita produisait alors pour les soldats de deuxième classe au casse-pipe en Algérie. On en trouvait aussi à la Cafétéria.

Mais Taba-Taba semblait invoquer autre chose, de plus grand et de plus mystérieux, confusément mais obstinément, les cheveux au vent, assis sur les marches de la porte monumentale, dressant sa belle gueule de poète ou de prophète déjanté au-dessus du fleuve.

un bassin de quarantaine

Aucun des fous que je côtoyai pendant ces huit années – mais huit années de l'enfance c'est tout un siècle – ne se prenait ni pour le Christ ni pour Napoléon, dont le neveu était pourtant le fondateur de notre Lazaret, signant ce décret impérial le 21 mai 1862 :

> Napoléon, par la grâce de Dieu et la volonté nationale, Empereur des Français,
> À tous présents et à venir, Salut.
> Sur le rapport de notre Ministre Secrétaire d'État au département de l'Agriculture, du Commerce et des Travaux publics ;
> Vu le rapport collectif du docteur Mélier, Inspecteur général des services sanitaires, et du sieur Isabelle, architecte du gouvernement, sur les travaux de construction à exécuter pour la construction d'un lazaret à la pointe de Mindin, rive gauche de la Loire…

La mission préparatoire avait entamé ses travaux en 1860, l'année où Louis Pasteur réfutait la thèse de la génération spontanée et inventait la bactériologie. Un an plus tard, une épidémie de fièvre jaune ravageait les rives de l'estuaire. Un bassin de quarantaine fut ainsi creusé au milieu des prés salés, destiné à accueillir les navires infestés ou suspectés de l'être avant leur accostage dans les ports de Paimbœuf et de Nantes. Ce bassin devait être assez profond pour permettre le mouillage des trois-mâts retour des Caraïbes chargés de noix de coco, de coquillages et de perruches sans doute et de canne à sucre, offrir assez de dégagement pour y débarquer les équipages et les passagers qu'on imagine en costume blanc et chapeau de soleil, les mains agitées de tremblements, un mouchoir sur les lèvres, assis à l'écart sur des tonneaux de rhum culbutés. Le lieu était aussi destiné au corps expéditionnaire du général Bazaine, qui allait installer Maximilien et sa femme Charlotte sur le trône du Mexique.

Selon les plans originaux dont je dispose, à l'ouest du bassin se dressaient l'infirmerie et le service de désinfection, puis un vaste espace libre pour le campement des marins, la maison du capitaine, une buanderie, un réfectoire et, plus à l'ouest encore, au milieu d'un périmètre ceint de murs, le lazaret proprement dit, le lazaret du Lazaret, quelque chose comme le mitard de la prison, le tabernacle de l'autel ou le cabanon de l'hôpital psychiatrique : là devaient être enfermés les contagieux doublement enfermés donc, puisque l'établissement dans son ensemble, ses huit hectares à l'origine, se protégeait déjà d'un haut mur doublé d'un chemin de ronde aveugle sur ses trois côtés terrestres. Les seuls accès étaient au nord : en amont et face au bassin de quarantaine le canal pour l'entrée des navires, en aval la porte monumentale donnant sur quelques mètres de sable à marée haute, quelques dizaines de mètres de vase à marée basse, et dont il était prévu qu'elle ne s'ouvrirait que pour évacuer sur des barges les cadavres contaminés, qu'on irait enfouir sur l'île de Saint-Nicolas-des-Défunts au milieu du fleuve. Cet arc de triomphe ne verrait défiler que des vaincus à l'horizontale.

L'étymologie de lazaret – contrairement à ce que prétendait peut-être quelque médecin facétieux, fermant sur vous la porte à double tour – est étrangère à la résurrection de Lazare. Le mot résulte d'une contamination vénitienne de Lazaretto et Nazaretto dans le premier établissement de confinement des pestiférés sur l'îlot Santa Maria di Nazareth au milieu de la lagune. Elle est étrangère encore à ce Nazarius, citoyen romain canonisé dont Grégoire de Tours écrivait au sixième siècle qu'on voyait « des reliques de saint Nazaire dans le diocèse de Nantes en un bourg sur la rivière de Loire ». Pourtant, au moment même où se creusait sur ordre de l'empereur le bassin de quarantaine de Mindin sur la rive gauche de l'estuaire, se creusait en face le bassin à flot de Penhouët sur sa rive nord, et saint Nazaire ressuscitait : l'Écossais John Scott y installait son chantier naval à l'invitation des frères Pereire et des saint-simoniens, lançait la construction de navires à coque en fer. La main-d'œuvre affluait. De cette ruée vers l'Ouest, *La Revue des Deux Mondes* rendait compte dès 1858 :

> Si l'on veut avoir une idée de la façon incohérente et saccadée dont s'élève en quelques mois une ville californienne, on peut aller chercher ce spectacle à Saint-Nazaire. À l'heure qu'il est, Saint-Nazaire est une agglomération d'émigrants grossissant à vue d'œil. D'immenses rues y sont tracées, et partout comme au hasard s'y élèvent des constructions de toutes sortes, depuis la maison parisienne à porte cochère jusqu'à la taverne des matelots. Du reste, pas de voierie organisée, pas de fontaine, pas de police.

Il y a deux ans, Saint-Nazaire était un village, aujourd'hui c'est une ville.

Cette année 1858 naît au Caire une petite Eugénie-Joséphine sans laquelle je n'aurais pas connu le Lazaret. À l'âge de quatre ans, cette gamine en robe blanche et dentelles voit les hautes vagues émeraude arrondies devant le soleil, translucides, jaune d'or en leur cœur vitreux et barbelées d'écume. Le navire fait route vers le port de Marseille. Sept jours avec escale à Malte. Elle quitte à jamais son Égypte natale et l'ignore, toute à l'allégresse de son voyage, insoucieuse des batailles, glisse au-dessus des squelettes et des noyés à reculons.

En cette année 1862 de son arrivée en France et de la fondation du Lazaret était mis sur cale à Penhouët l'*Impératrice-Eugénie*, premier paquebot transatlantique construit en France. Saint-Nazaire devint le port d'embarquement de la ligne régulière pour Cuba et le Mexique. On y déchargeait la houille importée de Cardiff et la cause fut entendue : la rive nord du fleuve serait maritime et industrieuse, la rive sud balnéaire et fainéante. Tout séparait les deux berges. L'estuaire est une frontière dont les eaux tourmentées écument à chaque marée.

Au sud, par une de ces plaisanteries que le vieil océan se plaît à faire aux géographes, Saint-Brévin avait reçu en un siècle plusieurs centaines d'hectares de lais de mer, augmentant par ce dépôt sablonneux le territoire national, que des disciples de Brémontier, le créateur de la forêt des Landes, avaient entrepris dès 1860 de fixer par une pinède, afin que les vagues et les courants marins ne viennent pas reprendre ce qu'ils avaient oublié. Des villas d'architecture basque et normande s'y édifièrent, des parcs, des jardins, bientôt un casino, on y cultiva l'orchidée, planta le mimosa, boutura le rosier. La station balnéaire de L'Océan fut créée en 1882 et Saint-Brévin obtint de l'État en 1900 de signer Saint-Brévin-les-Pins. L'année précédente, faute de bacilles, de virus tropicaux en quantité suffisante, le lazaret pour marins infestés fermait boutique. Adrien Proust, le père, présidait alors en France à la lutte contre la peste et le choléra. Il concentrait les efforts de son cordon sanitaire sur la côte méditerranéenne davantage menacée.

Transformé pendant la Grande Guerre en hôpital pour les Poilus, l'ancien lazaret accueillit après l'Armistice « des enfants des deux sexes auxquels l'air marin mitigé est recommandé de préférence au climat marin trop vif ». Il fut rebaptisé Maison départementale de convalescence et de repos de Mindin, dénomination trop longue pour les Brévinois qui, plusieurs dizaines d'années plus tard, et l'établissement devenu un asile d'aliénés, continuaient logiquement d'appeler le Lazaret le Lazaret puisque ç'avait été un lazaret.

De cet engouement de l'entre-deux-guerres pour les bains de mer, le soleil et la santé des enfants après toute cette boue, ces barbelés et ses poumons brûlés, le docteur Dardelin, médecin-chef du Lazaret, se faisait le chantre dans un opuscule publié en 1931 aux éditions La Vague à Pornic. On y lit des textes persuasifs sur la Climatothérapie, la Thalassothérapie et l'Héliothérapie, à quoi se mêlent de plus vastes considérations géopolitiques et natalistes :

> On vient de nous dire qu'il fallait changer l'ancienne devise : *Si vis pacem para bellum*, contre la nouvelle : *Si vis pacem para pacem*. Ce n'est qu'un mot jeté contre un

autre. Il aurait fallu nous expliquer comment : *Generando pueros*. En face d'une Allemagne haineuse, auprès d'une Italie agressive, les femmes de Saint-Brévin doivent savoir que le seul moyen de ne pas venir pleurer au pied d'un Nouveau Monument aux Morts de la Guerre est celui-ci : Faire des enfants.

Ce latiniste sans enfants avait réponse à tout : 47°15' de latitude nord, la même que Terre-Neuve et le Saint-Laurent, n'est-ce pas un peu septentrional pour la balnéothérapie ? Non, tranche-t-il, car 2°10' de longitude ouest, c'est justement le point d'arrivée du Courant du Golfe :

Les eaux douces et chaudes du bassin équatorial amazonien, après s'être jetées dans l'océan au sud des Guyanes, remontent vers le nord-ouest le long des côtes guyanaises. Elles atteignent leur plus grande chaleur dans la véritable chaudière tropicale du Golfe du Mexique et traversent ensuite l'Atlantique en se dirigeant vers le nord-est. Ce gigantesque fleuve d'eau chaude est encore à 26° au niveau du 40° de latitude nord, là où souvent la température de l'air est de 0°. C'est au Courant du Golfe qu'est due la douceur caractéristique de la température sur les plages de l'océan. Il y détermine une ligne isotherme de +7° en janvier, parallèle aux côtes. Saint-Brévin se trouve sur cette ligne.

Ajoutant aux isothermes ses notations sur l'atmosphère – « Outre l'ozone marin, Saint-Brévin possède en surabondance celui qui provient de l'oxydation des térébenthines de ses bois de pins » –, le docteur Dardelin en déduisait ses Indications thérapeutiques :

Les enfants tireront les plus grands bienfaits de leur séjour à Saint-Brévin. S'ils sont sains et en bonne santé, ils augmenteront encore leurs capacités de défense contre la maladie. S'ils sont débiles ou convalescents, ils récupéreront bientôt une santé normale. En particulier, les adénoïdiens, s'ils pratiquent bien leur gymnastique respiratoire, verront leurs narines se dilater et leur bouche ne plus s'ouvrir que pour manger, parler ou crier. La toux due aux ganglions trachéo-bronchiques disparaîtra. Jusqu'à quatre ans, le squelette des jeunes rachitiques se redressera sans appareils. Les grosses amygdales diminueront. L'hypotonie musculaire se changera en vigueur, la pâleur en couleurs vives…

Je n'ai pas connu ce docteur Dardelin. Il manqua au volant de son automobile l'embarquement du bac du Pellerin et se noya dans la Loire en 1943. Et j'imagine le regard suspicieux que sa veuve, infirmière en chef du Lazaret, pouvait porter sur moi lorsqu'elle croisait au hasard des allées mon teint d'aspirine et ma musculature de crevette. Cette femme acariâtre, qui avait conservé depuis la Libération son uniforme de la Croix-Rouge, bandeau blanc serré sur le front et longue cape bleu marine, pensait peut-être alors à son défunt mari en hochant la tête, et se demandait ce qui pouvait bien clocher dans les calculs des lignes isothermes et de l'oxydation des térébenthines pour qu'un enfant pas même hospitalisé, habitant depuis sa naissance le logement de fonction de la porte monumentale du Lazaret, pût ainsi demeurer insensible aux effets hypertoniques et dardeliniens de la géographie marine. Elle ignorait que j'étais au-dedans le Chevalier noir.

C'était après que le Lazaret, bombardé, évacué, transformé en camp de prisonniers de guerre allemands puis renvoyé au début des années cinquante à sa destination médicale, avait abandonné son rêve de phalanstère de la puériculture pour la psychiatrie lourde. Au lieu des enfants sains aux joues rouges, effectuant leur gymnastique dans l'odeur balsamique des pins maritimes et la pulvérulence du sable blond des dunes, le Lazaret recueillait alors tous les malades mentaux dont les cas semblaient ailleurs désespérés, ici davantage encore, psychoses à épisodes aigus, encéphalopathies, séquelles de la maladie de West.

Cependant, parmi ce millier d'arriérés profonds, seul l'amnésique Taba-Taba allait être en partie responsable, des années plus tard, de mon départ du Lazaret, et des progrès que j'accomplissais en sa compagnie, assis une marche au-dessus de lui sur l'escalier de la porte monumentale, synchronisant au sien le balancement du buste d'avant en arrière et la récitation de notre litanie, Taba-Taba-Taba / Taba-Taba-Taba. Je partais en exil à L'Océan.

Les archives du Lazaret ont disparu. Je ne saurai jamais le nom de Taba-Taba. J'aurais aimé connaître aussi le témoignage des premiers contagieux qui me précédèrent en ces lieux, prisonniers auxquels même l'accès à la porte monumentale était interdit, et qui ne purent apercevoir sur l'autre rive la mise sur cale de l'*Impératrice-Eugénie*, en cette année 1862 où une petite fille en blanc au double prénom d'impératrice, Eugénie-Joséphine, quittait l'Égypte et arrivait en France.

Leur offrait-on, à ces reclus, les dernières nouveautés de la librairie ? Victor Hugo publiait alors depuis son exil *Les Misérables*, Gustave Flaubert *Salammbô* et Jules Verne *Cinq semaines en ballon*. On traduisait pour la première fois *L'Origine des espèces* de Charles

Darwin. Et ce sieur Isabelle, architecte du gouvernement du Second Empire, était-il venu assister à l'inauguration de son lazaret, et de cette porte monumentale qu'il avait décidé de flanquer de deux ailes comme deux longs couloirs destinés à loger un corps de garde, et qui ne pouvait imaginer qu'un enfant grandirait moins d'un siècle plus tard dans l'une de ces deux ailes, celle de gauche vue du fleuve, que même il y serait enfermé, immobile à longueur de jours et de nuits, allongé sur le dos, les jambes au grand écart et les bigorneaux à l'air.

un théâtre à l'italienne

Car elle avait l'œil, la dame Dardelin, veuve du médecin-chef noyé dans l'estuaire. Cet enfant va de traviole. Canard boiteux. Sourcils froncés sous le bandeau blanc, elle l'observe chaque matin : l'enfant de trois ans claudique dans les allées du Lazaret. Quasimodo miniature alors qu'au-dedans il est le Chevalier noir. On lui répond le sable, ce sol souple qui se dérobe. Elle insiste. Cet enfant boite.

On finit par interroger le docteur Cholet, successeur de Dardelin. Tout le monde est jeune, optimiste. La veuve Dardelin est déjà vieille. Elle insiste. Radote. Canard boiteux. Va de traviole. On se résout aux radiographies. Luxation congénitale d'une hanche avec malformation du bassin. L'infirmière en chef exulte. Diagnostic exact. Le père, selon elle, n'est responsable de rien. Il est né en 1925 à Saint-Quentin dans le département de l'Aisne, ville où était né, en 1872, son feu mari Henri Dardelin, lequel n'aurait pas manqué, si la maladie avait sévi dans l'Aisne, d'y consacrer un opuscule. On se renseigne. La malédiction est bretonne. La jeune mère éplorée porte sur ses épaules fragiles la dissymétrie des guiboles de l'enfant.

Le premier spécialiste nantais consulté est catégorique : rien à faire, il boitera voilà tout. On a vu pire. Ça n'est pas à vous, qui vivez au milieu des anormaux incurables, que je l'apprendrai. Les parents sont livides et l'enfant roule comme un idiot aux quatre coins du cabinet. Le praticien l'observe, et pontifie. Les voies du Seigneur sont impénétrables. Il les aime peut-être encore plus que nous, ces untermenschen qu'Il a laissés vivre.

Des dizaines d'années plus tard, penché sur la correspondance d'Alexandre Yersin aux archives de l'Institut Pasteur, je recopierai ce fragment d'une lettre envoyée à sa mère par le jeune étudiant en médecine depuis Berlin en 1885. Il lui dit avoir assisté à « une opération extrêmement intéressante sur un de (s)es petits amis. Il avait une luxation pathologique du fémur, c'est-à-dire qu'une de ses jambes est plus courte que l'autre parce que le fémur est sorti de son articulation à la hanche. On a ouvert la hanche, taillé avec marteau et ciseau la tête du fémur puis écarté la jambe du corps plus qu'à angle droit (cela a fait craquer tous les os), enfin on a ramené la jambe dans sa position normale et elle était de la même grandeur que l'autre ».

Les techniques chirurgicales ont alors un peu progressé : Bretonnière, un jeune chirurgien ambitieux, veut bien se lancer dans l'aventure. On lui signe toutes les décharges en cas d'échec, capture au lasso l'enfant qui s'enfuyait en crabe dans les allées du Lazaret, l'enfourne dans une Simca Aronde rouge et blanche modèle ambulance. Au bloc on l'anesthésie, scie le bassin et pratique une greffe en butée avec un bout de ses propres petits os, l'immobilise les jambes écartées dans une coquille en plâtre : on démoulera tout ça dans un an, le voilà sur le dos. Tortue ventre à l'air.

Au centre exact du monde, à l'endroit de l'ancien lazaret du Lazaret, un peu en retrait de la porte monumentale, se dresse alors un théâtre récemment bâti. Il est équipé de loges, d'une réserve de décors et de costumes, d'une machinerie et de cintres, de fauteuils de velours rouge, d'un bar en sous-sol ouvert à l'entracte, d'une échelle sous la scène pour atteindre le trou du souffleur et d'une fosse d'orchestre. Le jeune père de l'enfant immobile est un chanteur baryton. Il dirige la troupe soutenue par l'Académie Ansaldi, Œuvre Nationale du Théâtre à l'Hôpital. On y monte des comédies, des opérettes et des opéras-comiques, *Les Mousquetaires au couvent* de Jules Prével, *Le Bossu* adapté du roman de Paul Féval, *L'Arlésienne* de Bizet, *Les Cloches de Corneville* de Louis Clairville, dont le metteur en scène chantera toute sa vie le grand air du baryton :

> J'ai fait trois fois le tour du monde
> Et les dangers font mon bonheur
> J'aime le ciel quand le ciel gronde
> La mer quand elle est en fureur

L'auteur et Alphonse Allais avaient eu l'idée de cette couillonnade dans un hôtel en Normandie un jour de goguette. Voilà une France qui s'amuse, batifole, fredonne ces musiques allègres et la gaieté d'Offenbach, champagnisée, loin de la mélancolie du Romantisme, retrouve la naïveté de l'avant-guerre regretté, les Années folles. Les fous internés furent-ils sensibles à cette légèreté française ? Au corps médical, ces spectacles semblaient préférables à des concerts wagnériens. Nietzsche en était venu lui-même à louer la clarté méditerranéenne de Bizet et de *La Mascotte* d'Audran contre les noirceurs du wagnérisme.

Telle la custode qui entoure l'hostie et la protège, le théâtre conservait ainsi sous cloche au milieu du Lazaret un peu d'esprit, de musique et de poésie dans ce village de deux mille habitants coupé du monde, mille soignants et mille soignés, isolé dans son parc planté de pins maritimes et de chênes verts, de mimosas et d'un peu de palmiers choisis par le docteur Dardelin pour la qualité de leurs térébenthines. L'asile est protégé par de hauts murs de pierres où somnolent des lézards et vit en autarcie, dans un communisme primitif ou un délire fouriériste. Un jardin pour les fleurs et les légumes, un élevage de volailles et de cochons. L'argent n'existe pas. On ne choisit pas ce qu'on mange. Chaque midi nous est livrée la Caisse dans laquelle la Cuisine a déposé les repas. Dans l'après-midi, un gros cheval blanc et gris attelé à un tombereau passera enlever les ordures.

Tous les corps de métiers sont représentés : le nom des chefs de service évoque un générique des seconds rôles du cinéma français de l'époque, Bouteau à la Peinture, Chadeigne à la Coiffure, Mauclair à la Buanderie, Pasquereau à la Cuisine, Blanchard à la Menuiserie. Celui-là est aussi le régisseur et décorateur en chef du théâtre. Comme des rois mages tous défilent au chevet du Chevalier noir débile et horizontal. La Menuiserie confectionne une carriole pour lui permettre de prendre l'air et d'aller au théâtre. Au Garage on équipe l'engin de pneus et de suspensions. La Maçonnerie regrette qu'on ait sous-traité à l'extérieur la confection de la coquille en plâtre.

Mais à longueur de jour on me laisse seul avec le Chevalier noir au-dedans, les yeux au plafond, à ourdir de concert les plus sombres projets, parfois à l'encontre de la petite Redon assise à sa fenêtre en face et toujours à me lorgner les bigorneaux : un jour j'enfilerai mon short trop grand sur mes guiboles en flûtes et m'enfuirai. Je lis l'atlas, y promène l'index, prépare mes expéditions. Je traverserai à pied le désert du Tassili de l'Algérie vers la Libye, arpenterai les wadi à sec du Rub al-Khali, traverserai les jungles de l'Afrique, remonterai le fleuve Niger puis le Mékong. Je suis le Chevalier noir. Quiconque s'oppose à ma progression sera taillé en pièces. J'étranglerai à mains nues un crocodile, m'en ferai des pompes et un ceinturon. Je combattrai au canif seul contre dix. On m'encerclera dans quelque contrée lointaine. Des Indiens criards me cloueront au poteau. Je naviguerai sur les océans et danserai sur le fil de l'équateur. Puis je reviendrai. Mes parents n'auront pas vieilli. Nous habiterons toujours la porte monumentale du Lazaret. Je saluerai Taba-Taba assis sur les marches. Je porterai encore mon short trop grand mais des pompes en croco. Je prendrai ma place à la table de la cuisine et fredonnerai :

J'ai fait trois fois le tour du monde
Et les dangers font mon bonheur.

un tapis magique

Personne n'aurait su me convaincre alors, assis à mon chevet sur une chaise auprès de ma carriole, que tout le malheur des hommes est de ne savoir pas demeurer en repos dans une chambre. Je voulais sortir. On me l'interdisait. Je rageais. On eut la curieuse idée, pour me faire patienter, de m'offrir *Le Tapis volant* dont je possède toujours l'exemplaire, livre pour enfants écrit par Mary Zimmerman en anglais à New York, édité en version française à Amsterdam sans mention du traducteur :

> Chaque soir, la maman de Michel faisait la lecture à son fils. Une des histoires préférées était celle d'un prince qui possédait un tapis magique. Il suffisait de dire ABRA-CADABRA pour que le tapis s'élevât dans les airs et le conduisît où il le désirait… Mais tout cela se passait loin de là, en Perse, où il y avait des califes, des mosquées, et de hautes tours appelées minarets.

Parce qu'on manquait parfois de lecteurs disponibles, et puisque je n'avais rien d'autre à faire que rêvasser pendant des heures en regardant le plafond, la sœur du baryton, Simonne dite Monne, institutrice, m'avait appris à le lire seul. On se souvient souvent du premier livre déchiffré. Il est amusant que *Jeannot Lapin* apparaisse dans des œuvres aussi éloignées dans l'espace et le temps qu'*Au-dessous du volcan* de Malcolm Lowry et les *Mémoires d'outre-tombe* de Chateaubriand. Parfois je jetais le livre au sol. Madame Payen, une pensionnaire qui veillait à mon côté, interrompait son tricot, le reposait sur ma carriole. Je le jetais de nouveau.

C'est pourtant attendrissant, un petit enfant. J'étais un tyran. Prisonnier du plâtre et du Lazaret. Parfois des comédiens de la troupe ou des musiciens de l'orchestre venaient répéter devant le prince rachitique. La troupe travaillait l'adaptation d'un texte dont le titre semblait évoquer nos voisins les marins pêcheurs de Mindin.

Admis aux répétitions, pauvre petit monstre atteint de mégalomanie délirante et précoce, j'avais aussitôt regretté qu'une si belle histoire demeurât si confidentielle et éphémère, existât le temps de quelques représentations, et cette histoire, que j'imaginais inventée par l'un des adultes de la troupe, peut-être même par l'un des pensionnaires du Lazaret dont les propos si curieux confinaient parfois à l'art dramatique, j'avais entrepris de la porter à la connaissance d'un plus vaste public en l'écrivant sur des feuilles pliées en deux, puis en fabriquant un livre en carton bleu cousu de fil rouge, ouvrage que je n'avais pas hésité à signer, puisque j'en étais après tout le rédacteur et le façonnier, et que personne sans doute ne savait qui était cet auteur insoucieux qui aurait mieux fait d'écrire cette histoire au lieu de la réserver à l'auditoire des détraqués souvent peu attentifs, voire exagérément exubérants, de notre hôpital psychiatrique.

Les livres sont des rapaces qui survolent les siècles, changent parfois en chemin de langue et de plumage et fondent sur le crâne des enfants éblouis. Des années encore et je lirai cette phrase du *Journal d'un lecteur* d'Alberto Manguel : « Pour Machado de Assis, de même que pour Diderot et Borges, la page-titre d'un livre devrait comporter les deux noms de l'auteur et du lecteur, puisque tous deux en partagent la paternité » : j'aurais dû cosigner *Les Travailleurs de la mer* avec Victor Hugo.

une petite bibliothèque

> La vie c'est le crime, le vol, la jalousie, la faim, le mensonge, le foutre, la bêtise, les maladies, les éruptions volcaniques, les tremblements de terre, des monceaux de cadavres. Tu n'y peux rien, mon pauvre vieux, tu ne vas pas te mettre à pondre des livres, hein ?
>
> CENDRARS, *Moravagine*

Dans ce lieu de relative inculture, le baryton passait plus ou moins pour un érudit. On voyait dans sa petite bibliothèque quelques poètes et du théâtre. Ses trois héros, Verne et Kipling et Cendrars. Symboles paternels honnis aussi bien que le Fleuret et le Piolet tous deux rouillés déjà et remisés au Caveau, conservés telles les reliques d'une autre vie, pré-lazarétale. Dès la première fois qu'il me l'a récité, j'ai détesté « If », le poème de Kipling, « Tu seras un homme, mon fils ». Même si j'ignorais alors, comme lui sans doute, que ce poème avait coûté la vie au fils de Kipling, je le supposais déjà. La colère ne parvint pas cependant à me retenir de lire les deux tomes du *Livre de la jungle*, lequel semblait une suite au *Tapis volant* dont je connaissais de mémoire de longs passages car l'immobilité favorise l'hypermnésie :

> Par un après-midi d'hiver, Michel découvrit, par hasard, le merveilleux pouvoir de ce tapis. Il était assis sur sa petite chaise, juste sur l'État de Floride, et pensait au prince de l'histoire que lui racontait sa maman. Soudain, Michel eut une idée. Il ferma les yeux et dit ABRACADABRA, tapis vole ! Quand Michel rouvrit les yeux, il se trouvait en Floride, en pleine forêt vierge. Il descendait une rivière dans un canot indien. Des alligators nageaient dans l'eau verte. De la mousse épaisse pendait aux arbres le long du rivage.

Après que la Menuiserie avait confectionné une table inclinée posée sur le lit, je m'évertuais à trouver d'autres syllabes sur la grande scansion de Taba-Taba, l'alexandrin magnifique et martelé et sa coupure au beau milieu. Taba-Taba-Taba / Taba-Taba-Taba. Les douze anneaux bien hauts / sur la tringle à rideau. Je menais l'existence d'un petit vieillard reclus. Peut-être allais-je vivre à reculons. Le Chevalier noir voulait du romanesque mais le choisir lui-même, refusait les conseils : à quoi pouvait-il bien penser, le baryton, lorsqu'il me recommandait le *Moravagine* de Cendrars ?

Dès la lecture de l'introduction, signée « Blaise Cendrars, La Mimoseraie, avril-novembre 1925 », il n'avait pu lui échapper qu'il était né au milieu exact de l'écriture du roman, en août 1925. Cendrars prétend que les documents cités dans *Moravagine*, qu'il a trouvés dans une malle, sont signés R., et il conclut ainsi son avant-propos : « Et maintenant, comme il faut tout de même un nom pour la bonne intelligence de ce livre, mettons que R. c'est… c'est… mettons que c'est RAYMOND LA SCIENCE. »

Raymond la Science et les anarchistes de la bande à Bonnot s'étaient cachés un moment ici, dans une villa de la station balnéaire de Saint-Brévin-l'Océan, avenue de la Hautière. Ils venaient s'y reposer mais le baryton l'ignorait. « Tous ces cafés se ressemblaient, c'était partout la même chose. Ils étaient tous en effervescence. On ne parlait que de l'affaire Bonnot. »

Ce qu'il ne pouvait en revanche manquer dans le roman, c'est la critique de la psychiatrie et de l'internement, le rejet des institutions comme notre Lazaret où « se sentait partout la discipline tragique, le dur horaire qui régit la journée des détraqués et des fous comme une géométrie… J'aurais voulu ouvrir toutes les cages, toutes les ménageries, toutes les prisons, les hospices de fous, voir les grands fauves libres, étudier le développement d'une vie humaine inattendue ». Moravagine est le premier à effectuer un tour du monde en avion qui rappelle à la fois le ballon de Verne et le tour du monde de Phileas Fogg et encore la scie des *Cloches de Corneville*, « j'ai fait trois fois le tour du monde ». Ce qui ne pouvait non plus lui échapper, c'est que le fou Moravagine a la jambe droite tordue et boite horriblement.

à Managua

C'est au milieu de 1965 que j'avais quitté le Lazaret, quelques mois avant l'élection présidentielle de décembre, laquelle verrait la réélection du général de Gaulle. J'avais découpé aux ciseaux les photographies et les professions de foi des sept candidats, les avais collées dans le cahier où je rédigeais mon encyclopédie. Puis j'avais mis fin à ma carrière politique.

Cinquante ans plus tard, en ce mois de mai 2015, j'étais enfermé dans une chambre à nouveau mais avec méthode et de mon plein gré, après avoir assemblé là de quoi manger et fumer en quantité suffisante, voire exagérée, du vin blanc frais, le petit écriteau en carton suspendu à la poignée pour avoir la paix.

Il est ainsi possible de jouer sur l'emmêlement des fuseaux horaires et le flou des deux dates chaque jour en usage sur la planète, de s'éclipser du monde, de demeurer suspendu dans les limbes, les mains rassemblées derrière la nuque. Je m'éveillais parfois au milieu de la nuit ou dans l'après-midi à quelques notes lointaines d'une chanson, une manière de corrido très doux à la guitare, retrouvais la psalmodie d'un rémouleur marocain et vendeur ambulant d'eau de Javel vingt-cinq ans plus tôt route de la Targa à la sortie du Guéliz, « couteaux, ciseaux, javiiiille… », les alexandrins de Taba-Taba sur les marches du Lazaret, toute chronologie abolie, dans ce demi-sommeil qui est notre existence véritable, que nous ne devrions quitter que de loin en loin, pour aller chasser du gibier ou acheter un sandwich et des cigarettes, peut-être perpétuer l'espèce, puis, allongé à nouveau, reprendre le fil analogique des rêveries.

Les plus anciens souvenirs sont chimiquement les plus stables. Concrétions de protéines au fond de l'hippocampe. Dès que je fermais les yeux, une gymnastique associait un son à une couleur ou une odeur et je visitais le Lazaret. La porte monumentale et l'aile humide en enfilade. La fenêtre de la cuisine sur l'estuaire où passaient les navires. La cour pavée et les marches où s'asseyait dès le matin Taba-Taba. Tout autour le chemin de ronde où marchait le cheval attelé au tombereau. J'ignorais ce que ces lieux avaient pu devenir depuis cinquante ans. Puis Monne, l'institutrice, était morte, deux ans plus tôt, en mars 2013, dans ce Lazaret où elle m'avait appris à lire *Le Tapis volant*. Quelques semaines auparavant, à plus de quatre-vingt-dix ans, elle avait été amenée dans ces lieux qu'elle non plus n'avait pas revus depuis des dizaines d'années.

Monne laissait derrière elle tout un fourbi, trois pièces à l'arrière de sa maison de Mindin non loin du Lazaret, emplies du sol au plafond, d'où j'avais extrait puis conservé, sans les compulser, trois mètres cubes d'archives accumulées comme une injonction, et même, je m'en apercevrais, comme une malédiction de Toutankhamon, lorsque j'y découvrirais éparpillées d'assez nombreuses munitions de guerre non percutées, qui auraient pu déchiqueter quiconque se serait avisé de jeter tout cela au feu.

des petites traces

En cet après-midi de mai 2015 au Nicaragua, allongé dans cette chambre de l'hôtel Barceló, j'imaginais consacrer les mois qui allaient suivre à lire les archives de Monne, à parcourir au volant les régions de France que j'y verrais évoquées. Afin de préparer ce projet encore assez vague, assis sur ce lit devant un agenda, tout à fait éveillé à présent, et avant d'en venir aux pages encore blanches, je tournais celles que j'avais déjà noircies au stylo. Je revoyais des visages croisés depuis janvier.

Au prétexte de chercher des histoires lointaines, j'avais souvent rencontré un peu partout des petites traces françaises auxquelles je portais depuis quatre mois une attention grandissante. Depuis l'assassinat de plusieurs journalistes et dessinateurs français à Paris par deux jeunes Français se réclamant de la guerre sainte islamique. La nouvelle de la tuerie dans les locaux de *Charlie Hebdo* m'était parvenue au chalet de la famille Yersin dans le Valais. Après être revenu quelques jours à Paris puis à Saint-Nazaire, j'avais passé février en Équateur. Une amie me confiait un appartement à Quito au-dessus de Guápulo. Dès mon arrivée j'avais lu, écrite en français, en grandes lettres à la peinture blanche sur le mur ocre d'une rue pentue : « Je ne suis pas Charlie », sans que je parvienne à trouver d'indices ni sur l'auteur de cette phrase ni sur sa présence dans cette rue.

J'avais mentionné cette énigme pendant notre voyage par la route vers le nord avec Edwin Madrid le long des volcans de la Cordillère. Je reprenais mes recherches sur la mission de La Condamine envoyée jusqu'ici par Louis XVI pour mesurer l'équateur, dont le pays avait finalement pris le nom. Puis j'avais enquêté sur l'idée farfelue du président Gabriel García Moreno de faire de l'Équateur une colonie française, proposition déclinée en 1862 par Napoléon III, déjà embarqué dans l'aventure mexicaine et la construction du Lazaret de Mindin.

Les souvenirs récents sont plus fragiles, que l'hippocampe n'a pas encore gobés. Chaque fois j'avais noté dans l'agenda le nom d'un hôtel suivi d'un numéro de téléphone et d'une adresse : j'étais descendu au Finch Bay de Puerto Ayora dans les Galápagos que García Moreno souhaitait aussi offrir à la France, puis au Ramada, Malecón Simón-Bolívar de Guayaquil, sur les traces du général San Martín, qui mourut à Boulogne-sur-Mer. Fin février j'étais reparti en Suisse à Fribourg, hôtel de la Rose, puis à Lyon, et à nouveau au chalet dans le Valais puis dans un autre à Chamonix, avant de gagner l'hôtel Bauer de Venise pour rendre hommage à l'œuvre de Daniele Del Giudice. Daniele était de notre expédition londonienne avec les petites bandes de *Charlie Hebdo* et du *Canard enchaîné* à la fin des années quatre-vingt. J'aurais volontiers évoqué avec lui nos soirées au pub du Front Page. Mais depuis longtemps Daniele, amnésique, vivait retiré dans une clinique de la Giudecca au-dessus de la lagune, de l'autre côté du Grand Canal. Avec Véronique Yersin, assis dans le canot automobile de Roberto Ferrucci et de son cousin Giorgio, nous étions passés lentement devant cette fenêtre, que fixait depuis sa chambre celui qui ne savait plus qu'il avait écrit des livres.

J'avais rejoint à la mi-mars Santiago du Chili et le Grand Hyatt de l'avenue Kennedy. La France suscite souvent un intérêt plus grand à l'étranger qu'aux terrasses des cafés de Paris. Lors d'un déjeuner avec Jorge Edwards, qui venait de quitter son poste d'ambassadeur en France, j'avais pu mesurer l'inquiétude suscitée ici par les attentats et la crainte de ce qui allait advenir. À mon retour, j'avais passé quelques jours à Madrid dans la villa mauresque de la Résidence de France au milieu de son parc, tout cela acheté par Philippe Pétain en 1941, et une semaine plus tard, fin avril, j'étais à Boston Massachusetts au Botolph Club de la Commonwealth Avenue où les arbres déjà fleurissaient au sortir de l'hiver, pendant qu'éclataient non loin des émeutes raciales à Baltimore, et que plusieurs écrivains des États-Unis s'élevaient dans les journaux contre l'attribution, à Washington, d'un prix de la liberté d'expression à *Charlie Hebdo*, articles dans lesquels on pouvait lire des accusations portées contre la France et sa laïcité exacerbée – accusations que Pétain portait déjà à l'encontre de la République –, écrivains auxquels Salman Rushdie avait tout de même rabaissé le caquet.

En ce mois de mai 2015, après un nouveau passage en Suisse à Berne hôtel National et la visite d'une collection Gauguin à Bâle, j'avais dormi quelques jours à l'hôtel Victoria de Varsovie où, parmi tous ces indices d'une histoire française disposés au hasard depuis quatre mois sur mon chemin comme des cailloux blancs, de Louis XVI à Pétain, j'avais vu pour la première fois cette haute statue dressée depuis 2005 au croisement de Nowy Swiat à la gloire du général de Gaulle, ou davantage encore du capitaine de Gaulle, lequel avait conseillé, au début des années vingt, l'armée polonaise en guerre contre l'Armée rouge de Trotsky. Mais c'est toujours le nom de Bonaparte qu'on entend chanté dans l'hymne national de la Pologne.

Allongé sur ce lit, refermant l'agenda, il ne m'échappait pas qu'au-delà des archives de Monne c'était aussi tout autour du monde que j'allais collecter ces petites traces françaises depuis le Second Empire, qui fut l'époque de la petite fille en blanc venue du Caire et de la création du Lazaret.

un canal historique

Parmi les inventions humaines pour lesquelles je nourrissais un goût immodéré depuis le temps du Lazaret figuraient les statues équestres et les grandes voies d'eau artificielles : le canal de Suez percé par Ferdinand de Lesseps en Égypte, celui du Panamá dont le chantier lui fut retiré, ainsi que celui du Nicaragua, dont jamais un mètre ne fut creusé.

S'agissant de ce dernier, il y avait du nouveau et j'avais quitté Varsovie pour San José du Costa Rica, étais parti marcher sous la pluie. J'avais invité le soir, au bar de l'hôtel Balmoral de l'Avenida Central, Carlos Cortés et Rodrigo Soto qui m'avaient aidé vingt ans plus tôt à reconstituer la vie de William Walker et son triple projet de rétablir l'esclavage, d'imposer la langue anglaise au lieu de l'espagnole, et de creuser au Nicaragua un canal entre l'Atlantique et le Pacifique. Un siècle et demi plus tard, des Chinois venaient de s'emparer du projet.

J'avais retrouvé Sergio Ramírez et Antoine Joly à Managua. Le premier avait été vice-président de la République sandiniste après la révolution de 1979. Il venait de faire paraître un pamphlet, *Un cuento chino*, raillant ce projet absurde. Le second était alors notre ambassadeur à Managua et venait d'envoyer un long article à la presse, *Un sueño frances*, rappelant l'histoire de ce canal depuis le Second Empire.

Après qu'on avait fusillé William Walker en 1860, au moment où Lesseps bouclait le projet de son canal en Égypte, Napoléon III avait signé avec le nouveau gouvernement du Nicaragua un contrat pour le percement de ce canal interocéanique. Les États-Unis et l'Angleterre avaient menacé d'une guerre. L'empereur avait jeté l'éponge et résolu plus tard d'attaquer le Mexique. C'est pour des raisons politiques et contrevenant à la géologie que Lesseps avait installé à Panamá son chantier, sur lequel Paul Gauguin s'était engagé comme terrassier.

En cette année 2015, Daniel Ortega, à nouveau président de la République, venait de signer un contrat d'une durée de cent ans avec la « Hong Kong Nicaragua Canal Development Investment Co. Ltd ». Il entreprenait d'exproprier les paysans de la zone, lesquels se révoltaient, et la liste s'allongeait des morts provoquées depuis un siècle et demi par ce canal fantôme. Même si les Chinois pouvaient se prévaloir de l'antériorité de leur savoir-faire, qui avaient creusé depuis mille ans le Grand Canal de Hangzhou à Pékin sur près de deux mille kilomètres, le projet semblait couvrir un impérialisme d'un genre nouveau. La HKND prévoyait de créer deux ports, Brito sur le Pacifique et Aguila côté Caraïbe, mais surtout s'emparait d'immenses zones de terres agricoles sans aucune obligation de creuser le canal avant cent ans.

L'Amérique centrale était un bon endroit pour prendre à nouveau mon élan et fondre sur la France de 1860.

Je me souvenais de cette année-là comme si je l'avais vécue. Chaque matin, j'attendais alors le journal, dans lequel j'apprenais la découverte des temples d'Angkor au Cambodge par Henri Mouhot. Ou bien, fantôme du futur appelé par les tables tournantes, je me tenais invisible dans le bureau de Victor Hugo à Guernesey, six ans avant que nous ne composions ensemble *Les Travailleurs de la mer*, lisais par-dessus son épaule la lettre qu'il écrivait en mai pour apporter son soutien à Garibaldi dans l'expédition des Mille en Italie. Passant le buvard, il prenait une nouvelle feuille pour fustiger le sac du palais d'Été à Pékin en octobre par les armées française et anglaise pour une fois coalisées : « L'un des deux bandits s'appellera la France, l'autre s'appellera l'Angleterre. » Et le grand nom de Hugo est toujours vénéré partout en Asie comme il l'est au Mexique pour s'être opposé à l'entreprise coloniale du Second Empire, « odieuse voie de fait contre un peuple libre ».

vers chez les Français

Qu'est-ce qu'un roi près d'un Français ?

SAINT-JUST

La vie des peuples comme celle des hommes n'est pas chronologique, parfois dans leur demi-sommeil ils se voient à nouveau jeunes et fougueux, s'attristent à leur réveil de se découvrir si vieux aux yeux des autres, et des événements qu'on croyait oubliés sous la poussière des siècles d'un coup agissent sur le présent et bouleversent l'avenir.

Même si m'avait effleuré l'idée de suivre cette histoire du canal et de demeurer au Nicaragua, je me savais embarqué depuis quelques jours dans ce projet « monnesque », et, retrouvant de mémoire le télégramme envoyé après la Libération par de Gaulle à Bernanos encore au Brésil, « Votre place est parmi nous », je sentais que ma présence y était absolument requise, que je ne pouvais me dérober à l'appel de mes compatriotes impatients, sur le point de s'assembler sur l'esplanade du Trocadéro, de se diriger en foule vers le Quai d'Orsay pour exiger mon retour et me placer à la tête d'un Comité de salut public.

Le temps me semblait donc venu de sortir de cette chambre du Barceló, de rejoindre l'aéroport Augusto-César-Sandino de Managua, de retrouver dans les archives de Monne un siècle et demi de confettis français et les fantômes de l'enfance, Taba-Taba dans son uniforme de drap bleu réglementaire du Lazaret et la petite fille en robe blanche et dentelles qui descendait à Marseille du paquebot blanc des Messageries impériales avec ses parents, prenait en gare Saint-Charles un train pour Paris, et le petit-fils de celle-ci, qui fut baryton mais aussi motocycliste avant d'être clown.

sur le chemin de ronde

Elle pourrait constituer le point de départ de l'enquête : c'est une photographie en noir et blanc de 1956 comme on les tirait à l'époque, entourée d'une marge blanche sur les quatre côtés. La motocyclette de faible cylindrée est équipée d'un tan-sad légèrement surélevé pour le passager. Elle est à l'arrêt sur le sable du Lazaret, non loin de la porte monumentale où est assis Taba-Taba. Au premier plan, les deux mains gantées posées sur les poignées du guidon, l'homme porte une veste sombre boutonnée, une culotte d'équitation. La mèche des cheveux noirs est balayée en arrière, le regard sérieux, le buste raide.

Ce n'est pas la postérité qu'il fixe par-delà ce demi-siècle mais sa sœur Monne qui le photographie. Sa mère et sa sœur continuent de l'appeler Loulou et ça l'agace un peu. Il est âgé de trente et un ans, Monne de trente-quatre. Tous les deux sont célibataires. Quant à lui, plus pour très longtemps, il l'espère. C'est pour ça qu'il attend de donner un coup de talon sur le kick-starter, de s'en aller retrouver sa fiancée à une centaine de kilomètres plus au nord, non loin de Rennes. Monne prend plaisir à le retarder. Il coiffe son casque, ajuste la jugulaire. Sa vie jusqu'à présent comme celle des garçons de son âge fut assez mouvementée, tout emplie d'histoires de camps de réfugiés, de camps de prisonniers, de fuites à pied sur les routes. Il a étudié le violon et l'escrime, s'est engagé dans les maquis, à dix-neuf ans défilait au milieu des vainqueurs dans la ville de Cahors libérée : il aimerait maintenant mener si possible une vie paisible.

Il sait bien que la France depuis la Libération n'a pas cessé pour autant d'être en guerre. Les combats en Indochine se sont achevés deux ans plus tôt à Diên Biên Phu en mai 1954, et quelques mois plus tard, à la Toussaint rouge, commençait la guerre d'Algérie. En cette année 1956 c'est l'opération Mousquetaire. La France et l'Angleterre à nouveau coalisées envoient des troupes en Égypte pour s'opposer à la nationalisation du canal de Suez par le président Gamal Abdel Nasser. Ça n'est pas que la situation internationale lui soit indifférente, il lit les journaux, mais là il trépigne. Ça n'est pas le moment. Mettons fin à son impatience, laissons-le démarrer sa moto d'un coup de talon. Passons de la photographie au cinéma, regardons-le s'éloigner sur le chemin de ronde et quitter le Lazaret pour aller retrouver sa fiancée. Dans un an ils se marieront. De là à enfanter un boiteux il n'y a qu'un pas.

à Zamalek

Mais c'est un siècle plus tôt, en 1858, de l'autre côté de la Méditerranée, que tout cela pourrait aussi bien commencer, dans le sillage de la très éphémère République française d'Égypte de Bonaparte dont le souvenir s'estompe. Le sieur Eugène Lorion dessine des jardins au Caire et à Alexandrie pour le prince Moustapha Bey pendant que Ferdinand de Lesseps, consul général, entreprend avec les saint-simoniens de tracer le projet du canal.

Dans le but de retrouver l'histoire à son principe, j'étais descendu à l'hôtel Longchamps de la rue Ismaïl-Mohammed, dans le quartier de Zamalek, sur l'île de Gezira. À l'époque de la petite fille en blanc, l'île était encore sauvage et souvent inondée par les crues. Après drainage s'y étaient installés les beaux quartiers et des ambassades. Les Anglais y avaient planté leurs neems ou margousiers apportés depuis les Indes et les Français comme partout des platanes. De cette munificence végétale et architecturale un peu tombée dans la décrépitude, le Longchamps conserve l'élégance discrète, une petite terrasse envahie de plantes en pots, le long des couloirs de sombres bibliothèques et des photographies en noir et blanc dans leur cadre d'acajou. On peut d'ici rejoindre à pied la place Tahrir par le pont aux Lions, pont aujourd'hui Qasr al-Nil, où trônent encore les quatre grands fauves sculptés par Henri-Alfred Jacquemart, pont par lequel des dizaines de milliers de manifestants étaient arrivés fin janvier 2011 pour exiger le départ du président Hosni Moubarak et l'avaient obtenu.

Depuis le café Riche non loin de la place, j'avais retrouvé à quelques rues l'ancien consulat de France où le père Schehadé, dominicain de l'École de Sorèze, était venu en 1946 retirer un duplicata du certificat de naissance de la petite fille en blanc. Avant cela, dans la seconde moitié du dix-neuvième siècle, nos archives étaient conservées à Alexandrie, jusqu'à ce que les Anglais en 1882 bombardent le consulat de France.

En compagnie de Mahmoud Tawfik, romancier égyptien avec qui j'avais dîné à Saint-Nazaire quelques jours après les attentats de *Charlie Hebdo*, j'avais un peu marché dans la vieille ville autour de la mosquée Al-Azhar et dans les ruelles jusqu'au café Naguib Mahfouz, puis nous étions partis déjeuner au Mena House par cette route rectiligne de Gizeh où de temps à autre des islamistes, depuis qu'ils avaient été chassés du pouvoir en 2013, mitraillaient les rares autocars de touristes afin de ruiner le pays et de mettre en difficulté le nouveau président Abdel Fattah al-Sissi.

Nous étions en effet ce jour-là les deux seuls clients de l'immense salle aux boiseries vernies. Une dizaine de serveurs inoccupés et de maîtres d'hôtel empressés, dans une scène de comédie du cinéma burlesque, nous avaient offert la meilleure table, celle devant laquelle se dresse en majesté la Grande Pyramide où glissent les feux du dieu des pharaons par-delà les houppes des palmiers, et le mur de pisé qui masque les boutiques de pouilleries et soustrait aux yeux des éventuels clients du palace les écuries des calèches au chômage. Nous avions repris nos conversations nazairiennes devant une bouteille de vin blanc frais et des harengs pommes à l'huile, évoqué la situation du monde musulman dans son ensemble et plus particulièrement au Caire et à Paris.

À mon retour dans le centre, j'avais déposé sur le bureau de la chambre n° 3 du Longchamps ce document, lequel avait quitté Le Caire dans la valise d'un père dominicain libanais et que je venais de rapporter dans mes bagages :

> Consulat de France au Caire, extrait de naissance, acte n° 120, du 13 janvier 1858 :
> est né au Caire, Égypte, un enfant de sexe féminin qui a reçu les prénoms de Eugénie Joséphine, et dont le père est le Sieur Lorion Eugène, jardinier au service de Son Altesse le Prince Moustapha Bey, demeurant au Caire, et la mère la Dame Joséphine Thirion, demeurant au Caire certifié le présent extrait conforme aux indications portées au registre, au Caire, le huit août mil neuf cent quarante-six, le Consul de France au Caire.

En cette année 1858 de la naissance de la petite fille en blanc, l'égyptologue français Auguste Mariette, disciple de Champollion, crée le musée du Caire. Plus au sud, les explorateurs anglais Speke et Burton sont les premiers Européens à voir le lac Tanganyika. Et quatre ans plus tard – le prince Moustapha est-il las des jardins à la française et les veut-il maintenant à l'anglaise, par souci botanique ou géopolitique ? – le père décide de quitter l'Égypte avec femme et enfant, d'aller investir son petit magot dans les terres fertiles de la Beauce au cœur de la France. Jamais plus, de leur vie peut-être, ils ne verront un dattier ni un bananier ni un arbre du voyageur.

C'est par les journaux qu'ils apprendront, quelques mois après leur départ, l'entrée des eaux de la Méditerranée dans le lac Timsah le 18 novembre 1862. Mais le canal de Suez ne sera ouvert à la navigation que sept ans plus tard, inauguration à laquelle assisteront ensemble l'impératrice Eugénie et l'émir algérien Abd el-Kader, sous un joli pavillon de verre et de poutrelles de fonte spécialement construit en France, et que l'empereur décidera, le canal ouvert et la voie libre vers l'Asie, d'envoyer en présent au roi Norodom du Cambodge, lequel le fera installer dans son palais au centre de Phnom Penh où il est toujours.

Le parcours des objets des petites gens est souvent plus énigmatique, toutes ces bricoles nimbées de tristesse des maisons vidées qu'on voit aux Puces implorer d'entrer dans une nouvelle histoire. Monne avait conservé tout ce qu'elle avait trouvé de ses arrière-grands-parents. D'un voyage à Jérusalem, dont je ne peux savoir s'il fut entrepris pour des raisons pieuses ou afin d'y chercher un contrat de paysagiste, Eugène Lorion avait rapporté un petit chameau en bois d'olivier aujourd'hui posé devant moi, chameau à genoux, baraqué selon le terme adéquat, dont la selle à charnière est un encrier dans lequel sans doute elle plongea sa plume Sergent-Major, la gamine en blanc qui, à son corps défendant, fut finalement responsable de mon enfance au Lazaret.

une machine à remonter le temps

On a toujours un peu l'air con, en clown, c'est inévitable : parce que le théâtre du Lazaret en avait l'obligation ou bien par goût, le metteur en scène avait créé le duo Rog & Géo dont il composait les numéros. Il jouait le clown blanc au visage triste et son comparse Royer l'auguste multicolore qui fait l'andouille. Le fils du clown blanc les rejoignit plus tard : après un an dans la première coquille en plâtre, j'avais encore passé six mois dans une autre puis réappris à marcher : ce devait donc être en 1962, un siècle après l'arrivée en France de la petite fille en blanc, l'année de l'indépendance de l'Algérie et de la crise des missiles nucléaires à Cuba, que j'avais fait mes débuts sur les planches, dans un sketch de machine à remonter le temps qui se détraquait, une cabine posée sur le trou du souffleur, d'où je sortais vêtu d'un frac et coiffé d'un haut-de-forme me tombant sur les yeux, une canne bien trop haute à la main, après qu'on avait essayé de rajeunir un peu un vieillard qui se voulait à nouveau jeune homme. Le public bon enfant riait. Nous partions au démaquillage. Le clown blanc redevenait le chef taciturne que doit être tout metteur en scène et enfilait un autre costume.

Choisissant les pièces, il s'adjugeait souvent les premiers rôles, affectionnait ceux des héros camouflés dévoilant au dernier moment leur identité de prince charmant. Le baron Henri de Corneville revient incognito dans son château. Un mousquetaire, entré au couvent sous les hardes d'un abbé, dégaine son épée et déjoue le complot contre le cardinal Richelieu. Lagardère dissimulé sous les traits d'un infirme envoie rouler sa bosse et venge la mort du duc de Nevers. L'acteur doublement déguisé utilisait pour les scènes de duel son propre fleuret non moucheté. Peut-être devenait-il à nouveau le Chevalier blanc qu'il avait été en secret dans son enfance. Plus tard on joue au théâtre et on monte sur scène comme une grande personne. Nous faisons toujours semblant d'être des adultes, découvrons un jour que toutes les grandes personnes sont comme nous des enfants imposteurs.

Rêvait-il qu'en réglant sur « 14 ans » le compteur de la cabine, il allait faire vieillir son fils d'un seul coup, que je serais celui qu'il fut à cet âge fuyant sur les routes, connaîtrais comme lui la peur sous les bombes, l'écroulement du monde des adultes, la disparition de son père ? Que pouvaient penser les psychiatres assis dans la salle de son numéro de clown, de cette folie de faire entrer son fils dans la machine à remonter le temps, de le faire vieillir et rajeunir à l'envi en tournant la molette ? L'attendaient-ils dans les coulisses pour lui passer la camisole ? Ou bien, haussant les épaules, ils se disaient qu'après tout la planète, en ce moment crucial de la Guerre froide, si Brejnev et Kennedy ne parvenaient pas à un accord, pouvait partir en fumée dans la semaine.

Ç'aurait été ballot.

vers la Beauce

Comme s'ils étaient tous des Lazare que je contraignais à sortir du tombeau, à se relever, à rejouer leur vie mais en papier, avec l'immense prétention du Chevalier noir ou de Shakespeare lui-même – You still shall live / Such virtue hath my pen –, j'avais entrepris de relier à nouveau 1860 à aujourd'hui mais cette fois au volant, et j'avais fait l'acquisition, auprès de Claude Jasnot, propriétaire du Garage de l'Atlantique à Saint-Brévin-l'Océan, d'une automobile de type Passat VW TDI gris métallisé.

C'est après enquête auprès de nombreux taxistes que j'avais choisi ce modèle, dont on me louait le confort et la robustesse, la fiabilité, et qui présentait encore à mes yeux l'avantage de la discrétion. C'était avant qu'on ne découvrît que les logiciels de contrôle des gaz d'échappement de cette série avaient été trafiqués par le constructeur – et je m'apercevrais plus tard, grand fumeur agacé, toussotant, que cette Volkswagen me piquait un peu la gorge. Son compteur affichait déjà cinquante mille kilomètres, preuve qu'elle était depuis longtemps habituée à rouler, ce qui me rassurait. Elle était un peu emboutie de-ci de-là, ainsi que doit l'être une auto normale et anodine.

Me refusant à choisir l'une des deux immatriculations de mes adresses, à arborer ni le maudit 75 de Paris, lequel vous soumet partout en France à la vindicte des enfants, aux pieds de nez, aux jets de pierres – Parisiens têtes de chiens / Parigots têtes de veaux –, ni l'exotique 44 de la Loire-Atlantique, lequel semblait susceptible d'encourager dans les départements lointains le vol sans scrupules de ce véhicule égaré, voire sa crémation, j'avais prié le garagiste d'y apposer des plaques sans indications géographiques, ce qui est légal mais si peu fréquent qu'il fallut en attendre la confection. Puis un beau jour, dès qu'on eut fixé au tableau de bord le petit écran tactile du système de Géo-Positionnement par Satellite, ainsi que déposé dans le coffre, auprès de quelques livres et archives, deux bombes anti-crevaison, j'avais pris la route et m'étais éloigné de la côte.

Après quelques kilomètres de grande exaltation, la poitrine gonflée par l'ivresse depuis longtemps inconnue d'être assis au volant pour une longue traversée, je regrettais déjà de n'être muni que de deux bombes anti-crevaison quand le véhicule était équipé de quatre roues, maudissais l'impréparation de mon expédition, imaginais les déboires que ne manquerait pas de susciter l'explosion simultanée de trois pneus, et me demandais si l'impossibilité de définir la provenance du véhicule et de son conducteur, cette volonté manifeste de dissimulation, n'allait pas éveiller les soupçons des peuplades rencontrées et de leurs polices municipales.

Privilégiant dans un premier temps la progression géographique à l'historique, puisque nos vies ne sont pas chronologiques, j'avais résolu de passer une première nuit à Chartres, où la petite fille en blanc et son mari s'étaient brièvement installés au sortir de la Première Guerre mondiale, tous deux âgés déjà d'une soixantaine d'années, au 5 de la rue de la Pie.

C'est une étroite maison médiévale bâtie peut-être comme la cathédrale toute proche en pierres extraites des carrières de Berchères, porte ouvragée en plein cintre. Elle abrite une boutique de décoration assez chic sur deux niveaux. Depuis l'entresol se dressent de considérables colonnes à chapiteaux sculptés. J'étais ressorti dans la rue très étroite pour observer en contre-plongée les cinq fenêtres en façade à l'étage en encorbellement, et sur le toit deux chiens-assis. À quelques dizaines de mètres, à mi-chemin de Notre-Dame de Chartres, qui lève au bout de la rue des Changes son haut toit vert devant le ciel bleu, se tient une halle de type eiffelien à poutrelles et verrières.

Aucune indication, sur cette place Billard, ne permettant de dater l'édifice, et dans l'impossibilité où j'étais par conséquent de pouvoir imaginer ici le vieux couple en train de choisir ses légumes et ses fruits, le cabas à la main, j'avais interrogé le serveur de La Table du Marché, lequel m'avait appris que la halle venait d'être restaurée, que s'y tenait, deux fois par semaine, le marché qui donnait son nom au restaurant, mais qu'il ne savait rien de l'année de sa construction. Mon étonnement est grand, souvent, qu'on puisse ainsi vivre devant un monument sans jamais s'interroger. Le temps d'un café et d'une cigarette j'avais résolu l'énigme sur mon téléphone, réglé la note en lui apprenant que la halle fut élevée ici en 1899, dix ans après la tour Eiffel, sur ce qui fut l'emplacement d'un ancien château, et que la petite fille en blanc de soixante ans, Eugénie-Joséphine, si elle n'avait pu connaître le château, avait connu la halle.

Alors que flottait entre deux eaux dans ma mémoire le titre d'une nouvelle de Lowry, *Chambre d'hôtel à Chartres*, j'avais redescendu les rues pentues pour rejoindre l'Ibis Centre-Cathédrale dont l'entrée est place Drouaise, mais qui offre, longeant la réception et traversant la salle des petits déjeuners, un accès privatif aux berges de l'Eure, rivière sur laquelle tournaient en rond des canards malards à tête vert fluo sur l'eau vert céladon. Puis j'avais longé, à la sortie du parking, une école communale bâtie en 1913 et toujours en activité, laquelle abrite un musée de l'École, et dispense des cours d'écriture au porte-plume, pour gagner un pub éclairé de lumières jaunes, où nous ne fûmes ce soir-là que trois, assaillis par une centaine de marques de whiskies.

Debout au comptoir se tenait un Parisien qui avait décidé de s'installer à Chartres, louait provisoirement un deux-pièces dans le centre, se tapait chaque jour l'aller-retour avec la capitale tout en cherchant ici un appartement à son goût. Je tendis l'oreille lorsqu'il fut question de la rue de la Pie. On déplorait qu'il fût impossible de stationner à proximité. Dans toute la ville haute, renchérissait le patron, les prunes étaient passées du statut de « gênant » à celui de « dangereux » et leur coût avait triplé, elles tombaient dès qu'on posait un pneu sur le trottoir, le temps d'aller acheter une baguette, ce qui était la mort du commerce en ville. D'autant que, notait-il, de plus en plus de Chartrains effectuaient cet aller-retour quotidien à Paris, une heure de train. Nous en conclûmes que le plus simple était encore d'acheter la baguette à Montparnasse.

Et je songeais qu'ils n'avaient pas eu raison de quitter cette belle adresse, le couple au cabas, eux qui n'ont jamais possédé d'automobile, et jamais n'auraient connu de problèmes de stationnement, qu'ils auraient pu finir ici leur vie, acheter les légumes au marché de la halle Billard, et de temps à autre retourner voir l'étonnant labyrinthe au sol de la cathédrale, au centre duquel se tenait autrefois la grande plaque en cuivre de la victoire de Thésée sur le Minotaure, plaque enlevée par les armées de l'an II pour fondre des munitions et sauver la Révolution. Je voyais le vieux couple plisser les yeux, main dans la main, pour contempler le kaléidoscope scintillant des vitraux depuis la nef les jours de grand soleil et ce bleu surtout, magnifique et mystérieux, dont je consignais l'éblouissement à l'instant même dans mon carnet.

Déposés sur le siège du passager, à portée de main, des biscuits, cigarettes et briquet, j'avais repris la route le lendemain matin par tous ces villages en « ville » repérés sur la carte, Houville, Béville, Francourville, Denonville, Vierville…, quitté Chartres vers l'est en direction d'Étampes. Passant de l'Eure-et-Loir à l'Essonne, j'avais vu ce que parfois l'homme a cru voir, de grands silos à grains, hauts comme des églises, d'énormes tracteurs et des camions sur la plaine infinie, des panneaux annonçant des « engins agricoles » et parfois des « betteraves », des faisans mordorés picorant au bord de la route et plus loin des corbeaux posés sur les labours, alors que je traversais à vitesse lente la Beauce, que les Égyptiens et les Chinois nous envient.

L'Égypte est le premier importateur mondial de blé, mais sa situation politique chaotique et la baisse des revenus du tourisme la contraignaient alors à réduire sa demande, entraînant la chute des prix à cent cinquante euros la tonne. La récolte était excellente en France, de plus de quarante millions de tonnes, mais déjà neuf millions d'entre elles, invendues, patientaient dans ces silos dressés sur la plaine beauceronne, et tous les greniers de la planète débordaient aussi, quand les pauvres manquaient de pain et ne pouvaient s'offrir non plus de la brioche. Et pourtant la surface cultivée avait augmenté ici cette année pour la première fois depuis les années trente. Des investisseurs chinois achetaient en France comme en Afrique et en Amérique centrale des terres agricoles à tour de bras, et déclaraient vouloir acquérir à terme cinquante mille hectares sur les six cent mille de la Beauce.

À une quarantaine de kilomètres de Chartres, j'étais entré dans le village de Mérobert, dont j'avais fait deux fois le tour sans y trouver un bistrot ouvert, village endormi qui comptait à la fin du dix-neuvième siècle quelques centaines d'habitants, et au début du vingt et unième siècle quelques centaines d'habitants. J'avais facilement trouvé l'école, lourde bâtisse aux huit fenêtres en façade sur deux niveaux, où donc eut lieu l'idylle. La petite fille en blanc a rajeuni de quarante ans en quarante kilomètres. Elle vient d'user sa jeunesse dans un pensionnat parisien. Sans doute on s'ennuie beaucoup aussi à Mérobert. Dans ses rêves rougeoie parfois le soleil du Caire. Mais c'est ici, sur la plaine céréalière, que la petite fille en blanc venue d'Égypte va connaître l'amour. Elle a vingt ans.

chez le cordonnier

Peut-être était-il aussi bourrelier, Jean-Baptiste Pathey. Cette région du Vexin, aujourd'hui parc naturel, au nord-ouest de Paris en allant vers la Normandie, était parcourue par les chevaux dont il fallait entretenir les harnais et les colliers davantage encore que les galoches des paysans. Cette maison à Frémainville dont je n'ai pas l'adresse, puisqu'elle était inutile au facteur, devait se trouver près de l'église Saint-Clair : comme dans tous ces villages s'assemblaient aussi devant elle la boulangerie et l'auberge, l'école et le maréchal-ferrant. Non loin de là les forêts, et l'été le grand déferlement des épis et des coquelicots sur la plaine que plus tard viendraient peindre Van Gogh et Monet. Jean-Baptiste Pathey et sa deuxième épouse, née Marie-Rosalie Daguet, donnent à leur fils le prénom d'Alexandre. C'est cinq ans avant la naissance au Caire de la petite fille en blanc.

Ce sont les débuts du Second Empire et Hugo fulmine : « Tout t'est possible, ô France, l'énormité dans l'abaissement comme l'immensité dans la grandeur. Hélas ! tu n'as pas plus de limites en bas qu'en haut. » Alexandre est bon élève, aide à l'atelier, aux comptes puisqu'il connaît l'arithmétique, sait bien que son père ne pourra pas l'envoyer à l'université. Il a dix-sept ans lorsqu'on apprend Sedan : un an après l'inauguration du canal de Suez la France est vaincue, Napoléon III fait prisonnier. La nouvelle parvient à Paris le 4 septembre 1870 et dès le lendemain la République est proclamée. Les grands exilés qui avaient refusé leur amnistie, Hugo, Quinet, Blanc, rentrent après vingt ans d'exil. Le soir même Hugo lance un *Appel aux Allemands* qui assiègent la capitale, et exhorte les Français à leur résister : « La France doit à tous les peuples et à tous les hommes de sauver Paris, non pour Paris, mais pour le monde. »

Au début du siège, le poète patriote reçoit beaucoup, renoue les contacts, invite Paul Verlaine et Sarah Bernhardt, l'anticlérical abbé Michon, et Louise Michel qui veut organiser des cours d'éducation populaire pour les femmes. La ville n'est plus approvisionnée et les animaux du zoo s'inquiètent. Hugo dans son Journal écrit avoir reçu « un cuissot d'antilope du Jardin des Plantes. C'est excellent ». On mangera l'ours, puis, « ce n'est même plus du cheval que nous mangeons. C'est peut-être du chien ? C'est peut-être du rat ? Je commence à avoir des maux d'estomac. Nous mangeons de l'inconnu », et finalement, le 2 janvier 1871 : « On a abattu l'éléphant du Jardin des Plantes. Il a pleuré. On va le manger. Les Prussiens continuent de nous envoyer six mille bombes par jour. » Il fait reparaître *Les Châtiments* dont il offre les droits d'auteur pour acheter trois canons, et bombarder en retour l'assiégeant.

En janvier donc, on meurt dans Paris : « Les Prussiens tirent sur les hôpitaux. Ils bombardent le Val-de-Grâce. Leurs obus ont mis le feu cette nuit aux baraquements du Luxembourg pleins de soldats blessés et malades, qu'il a fallu transporter, nus et enveloppés comme on a pu, à la Charité. Barbieux les y a vus arriver vers une heure du matin. Seize rues ont déjà été atteintes par les obus. »

En mars, Garibaldi est élu député d'Alger. À Paris, l'Assemblée annule son élection. Hugo, par solidarité, en démissionne.

En mai, la Semaine sanglante met fin à la Commune. Après la guerre c'est la guerre civile. Le fils du cordonnier a dix-huit ans et lit les journaux, les chiffres épouvantables, les vingt mille morts, quand la Terreur dont on fait si grand bruit avait envoyé moins de deux mille personnes à l'échafaud entre prairial et thermidor.

En septembre, le bon élève reçoit la lettre manuscrite qui va décider de sa vie et l'éloigner de la cordonnerie. Elle est signée d'Augustin Cochin, l'ami d'Henri Lacordaire mort dans son École dominicaine de Sorèze en 1861, Cochin l'auteur d'un essai sur l'abolition de l'esclavage, dont la jeune République vient de faire un préfet :

> Monsieur, par arrêté pris en Conseil Départemental de l'Instruction publique, le 21 août dernier, je vous ai nommé Élève-maître, à ¾ de Bourse du Département, à l'École Normale primaire de Versailles, pour passer trois années dans cet établissement et vous préparer à la profession d'Instituteur public.
> Des promotions de bourses sont accordées par moi, à la fin de chaque année scolaire, aux élèves qui se sont distingués par leur zèle et leur bonne conduite, il dépendra donc de vous d'obtenir une nouvelle faveur.
> M. le Directeur de l'École est chargé de vous informer du jour fixé pour la rentrée des classes.
> Agréez, Monsieur, l'assurance de ma parfaite considération,
> Le Préfet de Seine-et-Oise, A. Cochin

Alexandre Pathey quitte le Vexin pour Versailles, de l'autre côté de la capitale, vers le sud. Il y obtient son diplôme – « Instituteur de l'Académie de Paris » – le 27 juin 1874. Pour le cordonnier c'est un dernier été de fierté : lui qui aura connu, le temps de sa vie, le Premier Empire puis la Restauration des Bourbons, la très brève Deuxième République puis le Second Empire, voit son fils devenir maître d'école de la Troisième République, presque un savant. Jean-Baptiste Pathey meurt le 21 septembre à Frémainville. Dès son premier salaire, en poste à Chevreuse, en bordure de la forêt de Rambouillet, le fils verse une pension mensuelle à sa mère Marie-Rosalie.

Le voilà Hussard noir de la République, même si Péguy ne trouvera la formule qu'en 1913. Il économise et s'offre une édition de l'*Histoire de France* de Jules Michelet en dix-neuf volumes, qui se retrouveront au Lazaret dans la bibliothèque du baryton et plus tard dans la mienne, achète encore *Le Tour de la France par deux enfants* de G. Bruno qu'il fera lire aux élèves, livre de géographie romancée publié en 1877, que je comptais bien compléter par ce *Tour de la France par un vieil enfant seul au volant de la Passat jusqu'en 2017*. On voit aussi dans l'inventaire de ses rayonnages les œuvres de Hugo.

À chaque nouvelle affectation, il faut déplacer tout cela et le célibataire bouge beaucoup. Il connaîtra cinq écoles avant de rencontrer Eugénie-Joséphine, entre Étampes et Rambouillet, dans l'un de ces villages de la Seine-et-Oise au pourtour de Paris dont nous rêverons plus tard à la lecture de Proust, lesquels aujourd'hui, et pour autant que des dalles de béton et des bretelles d'autoroutes, des galeries de centres commerciaux, des ronds-points, des vendeurs de pneus et des tours d'habitations ne les ont pas ravagés, sont encore propices à l'apparition, à Mérobert ou à Méséglise, d'une jeune fille en robe blanche ou de Gilberte « devant une église, dans un paysage de l'Île-de-France », près d'une haie d'aubépines en fleur.

Le contrat de mariage Lorion-Pathey est établi le 7 mars 1880 chez maître Chefer notaire à Rochefort-en-Yvelines. Le père, Eugène Lorion, se déclare « propriétaire » de profession. La mariée en blanc a maintenant vingt-deux ans. Les amoureux rient peut-être de ce double prénom déjà démodé, assemblant les impératrices des deux empires écroulés. Le vieil Hugo de près de quatre-vingts ans, né comme Jean-Baptiste Pathey sous Bonaparte, devait tout autant que lui se réjouir que les premiers instituteurs de la jeune République fussent des fils de cordonniers.

à l'école

Le village de Blandy est à peine plus à l'est encore, à une quarantaine de kilomètres de Mérobert en direction de Milly-la-Forêt. Ici grandiront les deux enfants survivants du couple. Deux autres sont morts en bas âge, Alexandrine-Eugénie et Alexandre-Eugène. Ceux du milieu, Eugène-Alexandre et Eugénie-Alexandrine – dans un jeu lugubre des doubles prénoms inversés, en miroir, aller-retour entre la vie et les limbes –, rappellent comme souvent les prénoms des parents ou des grands-parents : Eugénie-Joséphine conserve avec entêtement pour sa fille celui d'une impératrice, et féminise celui du père en Alexandrine, où elle entend aussi l'une des deux villes égyptiennes de son enfance.

Dans *L'Annuaire de l'enseignement primaire en Seine-et-Oise*, le logement de fonction de l'école communale de Blandy est un quatre-pièces en « assez bon état ». Alexandre perçoit un « complément de traitement » pour assurer, outre son enseignement, le secrétariat de la mairie, et aussi des cours du soir pour les adultes. Son épouse, qui fut la petite fille en blanc, nommée en 1893 par l'inspecteur d'académie « directrice des travaux de couture à l'école mixte de Saint-Sulpice-de-Favières », continue d'assumer ces fonctions à Blandy, et acquiert une machine à coudre Peugeot.

Cette fin du dix-neuvième siècle est l'apogée du culte du Progrès, de l'équilibre encore des sciences et des techniques et de la vie rurale. En cette année 1899, on inaugure un tacot à vapeur qui depuis Melun rallie Milly-la-Forêt en bout de ligne, où des voitures à chevaux emportent vers les fermes les premières machines agricoles. En dehors de l'instituteur et du médecin et du curé, tous les hommes vivent ici des produits de la terre ou de leur commerce. En cette dernière année du siècle, en ce dernier samedi des vacances d'août, Alexandre installe son fauteuil à l'ombre des tilleuls où joue le soleil de l'été. La cour de récréation est abandonnée au vrombissement des insectes et aux acrobaties des hirondelles. L'homme de quarante-six ans ouvre sur ses genoux *L'Abeille d'Étampes*.

Jusqu'à sa mort, pendant plus de trente ans, il conservera ce journal que je retrouverai plié, jauni et craquant, dans les archives de sa petite-fille Monne, pour cet entrefilet qui, ce jour-là, est la seule mention du village : « Le fils de M. Pathey, instituteur à Blandy, trouvait, il y a quelques jours, un gilet d'ouvrier contenant un porte-monnaie et divers objets : il s'est empressé de remettre le tout le jour même au propriétaire du gilet. Nous avons eu déjà le plaisir de mentionner, l'année dernière, que ce jeune homme avait fait preuve de grand courage en se jetant à la tête d'un cheval emporté à la gare d'Étampes. » Satisfait de son enseignement moral – lequel répond à la *Lettre aux instituteurs* envoyée par Jules Ferry dans toutes les écoles en novembre 1883 –, et peut-être lui-même auteur de ces lignes dans *L'Abeille*, qu'il aurait envoyées à Étampes, Alexandre les montrera ce soir à son fils Eugène de seize ans, et à sa fille Eugénie de neuf ans, lui enjoignant de suivre l'exemple de son grand frère, sans aller toutefois jusqu'à se précipiter au-devant d'un cheval emballé.

Alexandre poursuit sa lecture à l'ombre des arbres et fronce les sourcils. Le grand sujet d'alors, dans tous les journaux, et dans cette édition de *L'Abeille d'Étampes* du samedi 26 août 1899, est l'affaire Dreyfus. L'éditorial lui apprend que « les audiences du Conseil de guerre de Rennes continuent sans qu'on puisse prévoir encore à quelle date elles prendront fin. Le nombre des témoins s'accroît tous les jours et nous en aurons sans doute jusqu'au 15 septembre ». L'Affaire depuis cinq ans déchire la France en deux, elle a envoyé Zola à son tour en exil en Angleterre. La semaine dernière, le directeur du *Journal du Peuple*, Sébastien Faure, avait appelé à l'émeute et *L'Abeille* reproduit sa harangue :

> Nous intervenons donc : pour faire rentrer dans la gorge des menteurs de sacristie et de caserne les infamies et les stupidités par lesquelles ils empoisonnent l'opinion publique ; pour marquer la juste défiance que nous inspirent les Gouvernements quels qu'ils soient ; pour arracher à leur coupable torpeur les foules engourdies ; pour affirmer la vigueur et l'énergie qui animent la fraction consciente du prolétariat ; pour mettre en valeur et utiliser le dépôt inépuisable d'aspirations vers le bien-être et la Liberté qui réside en l'âme frémissante des multitudes.
> Et nous intervenons aussi pour balayer ces bandes de hurleurs antisémites et de braillards nationalistes qui infestent la rue et qui, si nous n'en débarrassions pas le pavé, finiraient par donner au monde l'impression que

le Paris de 1848 et de 1871 est mort, que le Paris de la Liberté et des Révolutions se cache devant une poignée de sicaires et de crétins, qui prennent le mot d'ordre dans les Temples où l'on adore le Dieu fauteur de misère et d'ignorance, dans les États-Majors où l'on exploite le fanatisme chauvinard et l'idiote admiration des abrutis pour le panache et l'uniforme.
Nous sommes à la veille de journées décisives. Nous touchons aux heures tragiques.
Soyons prêts.
Affirmons-nous.
Aujourd'hui dimanche, à trois heures, soyons tous place de la République !

La manifestation avait dégénéré : « Comme à cet endroit la police disposait de forces importantes, les anarchistes, conduits par Sébastien Faure, se sont dirigés vers la place de la Nation, et là une lutte s'engagea entre eux et les nationalistes. Des coups de canne ont été échangés, des coups de revolver tirés. Le gardien de la paix Gauthier et dix autres gardiens ont été plus ou moins grièvement blessés. Un peu plus loin, M. Goulier, commissaire de police, a été assommé et d'autres agents ont été blessés. M. Sébastien Faure a été arrêté. Après ces exploits, les révolutionnaires se sont dirigés rue Saint-Maur, à l'église Saint-Joseph, et aux cris de "Mort aux curés, à bas la calotte !", ils ont pillé l'église. » C'est six ans avant la loi d'Aristide Briand et la séparation des Églises et de l'État. Mais Alexandre l'ignore. Ça pourrait être un autre prétexte. La France depuis mille ans, lorsqu'elle n'est pas en guerre civile, est au bord de la guerre civile.

Et à la lecture de ce journal que, peut-être, à plus d'un siècle de distance, nous sommes les deux seuls à avoir tenu dans nos mains, de ces pages jaunies qui en un siècle avaient parcouru tout un tour de la France et que je venais de rapporter à Blandy, lui s'inquiète du futur quand je connais déjà ce passé, et les conséquences des nouvelles de l'étranger butinées ce jour-là par *L'Abeille* :

Près de Metz, qui n'est plus en France depuis la trahison de Bazaine et la défaite de 1870 : « Par un contraste bien significatif, pendant que nous traversons des jours de discorde et de trouble, l'Allemagne à nos portes glorifie son armée et exalte son patriotisme. Samedi, Guillaume II a inauguré au milieu d'un grand apparat militaire le monument élevé aux morts du 1er régiment de la garde impériale allemande sur le champ de bataille de Saint-Privat. Dans une allocution très émue, l'empereur a célébré la garde impériale et les succès de son grand-père en 1870. »

Plus au sud, à Porto qu'on appelle encore Oporto, en cette année 1899 de la fermeture du lazaret de Mindin, la peste sévit toujours, cinq ans après la découverte du bacille par Alexandre Yersin, et « les mesures les plus sévères ont été prises. Un cordon sanitaire est établi autour d'Oporto et il semble que l'épidémie pourra être localisée et victorieusement combattue. Néanmoins les ports français et les postes frontières ont immédiatement proclamé la nécessité de la patente de santé pour tous les bateaux venant de Portugal et d'Espagne ».

Plus à l'est, à Istanbul qui est encore Constantinople : « Si la France était moins exclusivement préoccupée des débats du Conseil de guerre de Rennes, on aurait pris garde à la visite que notre ambassadeur à Constantinople, M. Constans, a faite au cheik-ul-islam, c'est-à-dire à cette espèce de grand-maître de la religion musulmane qui assiste le Sultan commandeur des croyants. On sait que la France est aujourd'hui une puissance musulmane très importante. Son empire colonial compte des millions d'adeptes du Prophète en Algérie, en Tunisie, en Afrique occidentale, dans le Haut-Congo et dans l'Oubangui. De plus, elle a gardé un prestige encore considérable dans certains pays islamiques, l'Égypte par exemple, le Maroc, l'Asie Mineure et la Turquie elle-même. Il est bon qu'elle combatte les intrigues qui tendent à la représenter comme un adversaire de l'islam et c'est à ce titre que la visite de M. Constans aura dans tout le monde oriental et dans toute l'Afrique un immense retentissement. »

Et l'on pourrait pincer comme un bout de laine cette visite diplomatique, dévider la pelote de l'histoire de la France et de l'islam depuis plus d'un siècle jusqu'aux attentats de *Charlie Hebdo*.

un drame au Soudan

Sous ce titre paraît ce samedi 26 août 1899 le seul article signé, du nom de Paul Clermont, et le seul écrit à la première personne. C'est l'article le plus développé et le plus sanglant : « L'esprit reste confondu devant un tel malheur. Je connaissais les acteurs de cette tragédie, le colonel Klobb, le capitaine Voulet et ses camarades. Ils étaient faits pour s'estimer les uns les autres, ils vivaient de la même vie, ils avaient eu les mêmes chefs, ils inspiraient la même sympathie. Comment a pu se produire cette douloureuse rencontre qui, au cœur de l'Afrique, a fait tomber deux officiers français sous des balles françaises ? »

Ces assassinats rejouent *Au cœur des ténèbres* et *Apocalypse Now*, événement monstrueux de la folie coloniale pour lequel la médecine invente le terme de « soudanite », comme excuse pathologique au délire meurtrier incompréhensible.

Reprenons l'histoire en accéléré : les vingt dernières années ont vu l'achèvement de l'européanisation de la planète par la force, la course effrénée des armées anglaise et française. L'heure est passée des héros solitaires, des Brazza et des Livingstone, des Stanley et des Burton. Les expéditions se professionnalisent et se militarisent.

Dès 1881, la France veut tracer une voie ferrée depuis l'Algérie à travers le Sahara vers le Soudan français qui est l'actuel Mali. On envoie le colonel Flatters vers le sud à partir de Ouargla à la tête de quatre-vingt-dix hommes et de cent cinquante chameaux chargés d'or et de vivres pour plusieurs mois. La caravane disparaît dans les sables, massacrée par les Touaregs. L'année suivante, l'Angleterre attaque l'Égypte et bombarde le consulat de France. En 1884, la France s'empare du Tonkin. En 1885, la Conférence de Berlin tente d'établir les frontières européennes de l'Afrique. La même année, les djihadistes du mahdi d'Omdurman déferlent dans Khartoum, décapitent le général Gordon, coupent la route vers la province d'Équatoria et les Grands-Lacs, et le capitaine Gabriel Marius Cazemajou, après avoir combattu au Tonkin et dans la guerre franco-chinoise, descend depuis la Tunisie à la recherche d'éventuels survivants de la mission Flatters. Il mourra assassiné à Zinder dans l'actuel Niger, sur ordre du sultan de Sokoto.

Rimbaud, depuis Le Caire, peste dans un article confié au *Bosphore égyptien* contre la présence britannique en Afrique de l'Est, lui dont le père avait été capitaine en Algérie à l'époque du projet de Napoléon III d'un grand Royaume arabe d'Alger à Bagdad. Le conflit entre les deux puissances s'envenime, trace une immense croix sur la carte : les Anglais tiennent à leur verticale du Caire au Cap, les Français à leur horizontale de Dakar à Djibouti. On se rue vers l'intersection.

En 1896, la France qui vient de s'emparer de Madagascar, et de chasser les Anglais du nord du Laos à Muang Sing sur le Mékong, envoie depuis Brazzaville le capitaine Jean-Baptiste Marchand vers le Nil. Après deux ans de trajet, la mission, à laquelle participe aussi Charles Mangin, le futur vainqueur de Marrakech, occupe Fachoda en 1898 et écrase les troupes djihadistes. L'Angleterre menace, envoie des navires de guerre au large de Brest et de Bizerte et lord Kitchener à Fachoda. La France amène son drapeau, mais au même moment depuis le Nord elle lance l'expédition de Ferdinand Foureau et du commandant François-Joseph Lamy, avec consigne de traverser le Tassili et le Ténéré vers Agadès et le lac Tchad. L'année suivante, le corps expéditionnaire Voulet-Chanoine lourdement armé quitte Dakar vers l'est pour les rejoindre et les appuyer.

Ce sont ces deux-là qui vont sombrer dans la folie, les capitaines Paul Voulet et Julien Chanoine, transformer leur troupe de six cents soldats et huit cents porteurs en colonne infernale, incendiant les villages sur leur passage et massacrant les populations, tuant jusqu'aux enfants. Ils rompent les contacts, affirment dans leur cauchemar et leur soudanite vouloir créer leur propre royaume africain. On dépêche depuis Tombouctou le lieutenant-colonel Jean-François Klobb avec ordre de les ramener à la raison et de les mettre aux arrêts. Après une poursuite de deux mille kilomètres, il les retrouve à Dankori près de Zinder, s'approche à découvert de leur campement. Voulet le fait abattre. Les deux capitaines seront assassinés, quelques jours plus tard, par leurs propres hommes mutinés.

Alexandre referme le journal après avoir entouré au crayon bleu l'entrefilet sur son fils. C'est déjà la fin de l'après-midi et le soleil décline. Il est un peu secoué par cette lecture, un peu perdu dans tous ces noms de lieux, lui qui n'a jamais quitté la Seine-et-Oise. C'est l'heure de sonner la cloche et de faire entrer les enfants dans la classe. Mais non, ce sont encore les vacances d'été, et puis d'ailleurs c'est samedi. Il doit préparer la rentrée, lessiver les murs et les sols à grande eau. Il sort de la réserve la carte murale Vidal-Lablache de l'Afrique. Ça n'est pas très pédagogique ni patriotique, cette histoire de Français qui s'entre-tuent, sans même qu'interviennent les Anglais ni les Allemands. Comment expliquer ce drame aux enfants. C'est très étranger au manuel de géographie de Pauly & Toutey alors en vigueur : « Le caractère des Français est aimable, accueillant ; on nous reconnaît de la gaieté, de l'esprit ; on vante partout notre politesse ; on sait aussi que nous avons de la franchise, de l'ardeur au travail, que nous aimons à faire du bien aux autres. Jeunes Français, efforcez-vous dès l'école d'acquérir et de garder les qualités qui ont fait la grandeur de vos pères. »

Mais les enfants ne sauront rien du drame de Dankori. Ni postes de radio ni de télévision pour égarer leur esprit. Il est seul juge. Ce journal doit demeurer dans son appartement privé, il connaît le règlement, moi aussi, puisqu'il en a conservé un exemplaire, et que je le trouverai, plus d'un siècle après, dans les archives de Monne :

extraits du règlement des écoles primaires publiques du département de Seine-et-Oise

Art. 3
La garde des locaux scolaires est commise à l'instituteur. Il ne permettra pas qu'on les fasse servir à aucun usage étranger à leur destination, sans une autorisation spéciale du Préfet.
Art. 6
Les classes dureront trois heures le matin et trois heures le soir : celle du matin commencera à huit heures et celle de l'après-midi à une heure.
Art. 14
La classe sera blanchie ou lessivée tous les ans, et tenue dans un état constant de propreté et de salubrité. À cet effet, elle sera balayée et arrosée tous les jours. L'air y sera fréquemment renouvelé ; même en hiver, les fenêtres seront ouvertes pendant l'intervalle des classes.
Art. 15
Le français sera seul en usage dans l'école.
Art. 16
Toute représentation théâtrale est interdite dans les écoles publiques.
Art. 17
Aucun livre ni brochure, aucun imprimé ni manuscrit étrangers à l'enseignement ne peuvent être introduits dans l'école, sans l'autorisation écrite de l'Inspecteur d'Académie.

Barbizonnais & Chaillotins

Bien sûr je rêvais de plus larges horizons mais c'étaient jusqu'à présent des sauts de puce. À une vingtaine de kilomètres de Blandy, au bord de la D64, est offerte au regard des automobilistes une grande reproduction en mosaïque de *L'Angélus* de Millet. J'avais garé la Passat dans la grand-rue de Barbizon où accoururent au milieu du dix-neuvième siècle des peintres avides de plein air, rebelles aux splendeurs allégoriques de David brossées en atelier, les Corot et Daubigny, Rousseau et Millet lui-même. L'avancée des arts est dépendante de celle des techniques : on vendait depuis peu les couleurs en tubes de zinc et un train au départ de Paris desservait Melun. De là une voiture à cheval livrait son chargement d'artistes au relais de poste de Chailly-en-Bière.

Tout ce petit monde logeait à l'auberge du Cheval blanc. Chaque matin deux groupes partaient à pied vers le motif, avec tout un attirail de tabourets pliants, de palettes, de chevalets, de grands parapluies blancs, de pinceaux, de brosses et de peinture en tubes : d'un côté les animaliers comme Albert Charpin et Rosa Bonheur s'en allaient vers la plaine de la Bière à la rencontre des moutons et des vaches, meules et labours, glaneuses et semeuses, de l'autre les paysagistes sylvestres gagnaient le hameau de Barbizon, à l'orée de la forêt de Fontainebleau, mais toujours sur la commune de Chailly.

Entre Barbizonnais et Chaillotins le torchon brûla. Le bien avisé François Ganne ouvrit une auberge au milieu du hameau. Les peintres évitaient ainsi deux heures de marche quotidienne encombrés de leur barda. L'argent pleuvait. Barbizon ne voulait plus être la vache à lait de Chailly. Le hameau fit sécession, obtint de l'État, en 1903, de devenir une commune française, une de plus. En cette année 2015, on en comptait 36 658. Divisons par les 365 jours des douze mois : en visiter une par jour pendant un siècle ne suffirait pas à les connaître toutes, et ce pays nous est inaccessible.

Au fond du tableau le plus célèbre de l'École de Barbizon, ce tableau qui fut un temps le plus cher du monde et aujourd'hui au musée d'Orsay, malgré la querelle le clocher est celui de Chailly. Jusqu'à sa mort, la petite fille en blanc qui vécut ici promena une copie de l'œuvre à ses différentes adresses, et sa petite-fille Monne la conserva dans sa maison de Mindin. Je ne chérissais pas ce couple de paysans accroché au mur dans ce paysage désolé, conjointement écrasés par la fatalité de la condition paysanne et de l'obscurantisme religieux et semblant accepter leur sort, et remercier Dieu par-dessus le marché, debout devant leur brouette et leur panier de pommes de terre, avec le clocher de Chailly à l'horizon au moment même où leur parvenait la pleine volée des cloches pour la prière de l'ange, mais c'est injuste, il faut écouter Millet, sa grande humanité et l'amour de la nature de celui qui naquit paysan, fut laboureur et berger, et ses derniers mots prononcés sont d'un artiste étonné: «C'est dommage. J'aurais pu travailler encore.»

Van Gogh en fit son maître et reprit la composition de ses tableaux pour les repeindre à son style. Après les animaliers et les paysagistes, les impressionnistes firent le pèlerinage, Monet, Renoir ou Sisley, et l'auberge du père Ganne est devenue un petit musée dont les murs et les meubles sont couverts des esquisses retrouvées sous les couches de peinture successives. On y projette en boucle un film dans lequel j'appris la rencontre à Barbizon de Robert Louis Stevenson et de Fanny Osbourne, avant qu'ils ne partent ensemble pour les Samoa, îles qu'ils atteignirent en 1890, l'année de la mort de Van Gogh à Auvers-sur-Oise et de la naissance d'Eugénie-Alexandrine à Mérobert. Deux ans plus tard, mourait ici George Schwob, lequel avait quitté l'Institut français du Caire peu après le départ de la petite fille en blanc, et dont le fils Marcel, l'auteur des *Vies imaginaires*, irait au soir de la sienne suivre les traces de son héros Stevenson aux Samoa.

À la librairie, j'avais acheté un roman des frères Goncourt dont on mentionnait la présence ici en 1860, *Manette Salomon*, puis regagné la Passat sous une pluie fine, en songeant à cette phrase désespérante de Trotsky prononcée ici en 1934, alors que l'ancien chef de l'Armée rouge en exil se cachait sous une fausse identité dans l'une de ces maisons de Barbizon en bordure de la forêt, au cours d'une promenade dans ces rues, en compagnie de son garde du corps et secrétaire Jean van Heijenoort, sous un ciel peut-être aussi bas et triste qu'aujourd'hui: «S'habiller, manger, toutes ces misérables petites choses qu'il faut répéter de jour en jour.» Je croisais sous l'averse quelques Japonais encapuchonnés. Je n'avais pas trouvé d'hôtel et logeais dans une maison d'hôtes à l'écart de tout. J'avais appelé Yersin à Genève, terrorisé à l'idée de devoir le lendemain matin prendre un café à la table commune et non-fumeurs. Comme toujours elle avait su m'apaiser.

Si depuis longtemps Barbizon est en voie de mont-saint-michélisation, Chailly s'est assoupie, bourgade de moins de deux mille habitants à cinquante kilomètres de Paris par la D607. À travers les essuie-glaces, j'avais lu deux banderoles accrochées au bord de la route, l'une informative, annonçant que le village, confronté à la désertification médicale, cherchait à accueillir un généraliste, l'autre revendicative, qui s'élevait contre la prochaine fermeture d'une classe de l'école.

La Passat stationnée au pied de ce clocher qui est à l'horizon du tableau, à l'abri d'un parapluie je promenais l'index, buste plié, sur le plan fixé à un panneau vitré devant la mairie. Quelques personnes sortaient de celle-ci, qui vinrent s'enquérir de mes recherches, jaugeant peut-être du regard si je pouvais être le praticien tant espéré, pour lequel, sacrifiant la sécurité à la santé, on venait de transformer le poste de police municipale en futur cabinet de consultation.

Je leur répondis que je cherchais l'école primaire. Les sourcils se froncèrent et je craignis de paraître suspect, en long imperméable noir devant cette automobile dont la provenance géographique était masquée. Je mentionnai Alexandre Pathey, qui avait dirigé cette école pendant la Première Guerre mondiale. J'avais devant moi les édiles de Chailly. Ils sortaient d'une réunion, cartable à la main. Nous papotâmes. Le maire, Patrick Gruel, me demanda si je disposais de documents sur la commune à l'époque. Pas grand-chose. Quelques courriers administratifs, ainsi qu'une attestation signée de la main de son lointain prédécesseur, par laquelle il « certifie que Mlle Eugénie Pathey a rempli avec zèle et dévouement les fonctions de secrétaire de mairie auxiliaire ».

Sans doute la jeune fille, qui avait secondé son père vieillissant, avait-elle sollicité ce certificat à toutes fins utiles, dans le cas où il lui faudrait trouver après la guerre un travail. J'ajoutai que ses deux parents, sa mère née en Égypte et son père dans le Vexin, avaient demandé, longtemps après avoir quitté Chailly, que leurs dépouilles fussent rapportées et ensevelies ici, dans ce cimetière du chemin de Villiers, en limite de la forêt parsemée de gros rochers arrondis, à côté des tombes de Jean-François Millet, de Théodore Rousseau et de Karl Bodmer, le peintre suisse des Indiens d'Amérique du Nord, des Peaux-Rouges criards de Rimbaud.

à Chailly

Le 1er janvier 1914, le jour de l'An, on lève une coupe de champagne à l'avenir qui sourit : ils ne sont plus que trois dans l'école, près de cette église et de cette mairie, le père et la mère et leur fille Eugénie de vingt-quatre ans. Le fils dompteur de chevaux affolés s'est engagé, parti tambour-major à Lorient, puis Albi. Commence une année comme toutes les autres, mais pas pour Alexandre Pathey. Après quarante ans d'enseignement, il compte faire valoir ses droits à la retraite et se retirer à Chartres.

C'est un homme replet, pas très grand, grosse moustache blanche à la Georges Clemenceau. Il rassemble les documents qui retracent sa vie au bord des forêts, celle du Vexin puis celle de Rambouillet, à présent celle de Fontainebleau, énumère les écoles où il fut affecté, toujours dans la grande couronne au sud de Paris, à Chevreuse, Neuilly-sur-Marne, Saint-Jean-de-Beauregard, Les Mesnuls, Rochefort-en-Yvelines, Mérobert, Saint-Sulpice-de-Favières, Marolles-en-Beauce, Blandy et à présent Chailly, ainsi que les distinctions que lui valut une aussi longue carrière parce que la Troisième République aimait les médailles, de bronze et d'argent et d'or comme s'il était un sportif, la mention obtenue pour une monographie de Blandy présentée à l'Exposition universelle, les félicitations reçues de Gabriel Guist'hau, ministre de l'Instruction publique et des Beaux-Arts, pour son engagement volontaire dans l'enseignement pour adultes, engagement si grand que sa vue baisse. J'ai devant moi une facture établie par la maison Renard, au 12 de la rue de la Tannerie à Étampes : « Fourni un pince-nez avec verre sur ordonnance 6 f., Fourni un étui 1 f., Total 7 f. »

C'est muni de ce pince-nez que le dreyfusard ouvre quelques semaines plus tard *Le Petit Parisien* du dimanche 25 janvier 1914, sort une paire de ciseaux du tiroir de son bureau, découpe un grand article, « Les funérailles du général Picquart ». L'officier qui innocenta Dreyfus avait été lui aussi chassé de l'armée à l'issue du premier procès, emprisonné pour faux témoignage, réhabilité en même temps que Dreyfus, puis nommé ministre de la Guerre. Il vient de mourir assez bêtement d'une chute de cheval à Amiens. Le convoi funèbre quitte la gare du Nord pour le cimetière du Père-Lachaise en présence de Raymond Poincaré, président de la République, d'Émile Loubet, ancien président de la République, d'Alexandre Millerand, futur président de la République, de Georges Clemenceau, ancien et futur président du Conseil, et du capitaine Dreyfus lui-même, dont le patriotisme ne fut pas entamé par l'injustice, et qui, dans quelques mois, repartira pour le front la fleur au fusil.

L'article sur plusieurs colonnes est illustré d'une photographie en noir et blanc du corbillard à chevaux, et comme souvent en archéologie, le verso de la page fourmille de renseignements oubliés, mais dont l'importance historique, avec le recul, est plus grande que la mort de Picquart. « Chérif pacha entendu par le juge » : le général turc, officier de Saint-Cyr et de la Légion d'honneur, en exil à Paris, vient d'échapper à une tentative d'assassinat, et d'abattre au revolver l'agresseur Ali Djevad qui s'était introduit chez lui. Ce général francophile est un obstacle au ralliement de l'empire ottoman à l'Allemagne. Et c'est le dépeçage par les puissances européennes de cet empire ottoman à l'agonie qui déclenchera, dans six mois, la Guerre mondiale.

Pour l'instant, ça ne sent pas encore la poudre mais surtout la neige. Ça pèle et pourtant « malgré le froid Paris ne manquera ni de charbon ni de gaz ». Le conseil municipal vient d'accorder une aide exceptionnelle aux « ouvriers des ports de Paris, haleurs des canaux, pilotes de Seine habitant Paris, et employés auxiliaires de la Compagnie des bateaux parisiens qui ont subi un chômage réel par suite du ralentissement dans les arrivages causé par les glaces ». Et sur un trottoir glissant de cette capitale frigorifiée, « M. Armand Grimal, quarante-six ans, représentant de commerce, s'est tué, la nuit dernière, vers trois heures, de deux balles de revolver dans la tête, devant le 88 de l'avenue du Maine. Longtemps il avait habité cet immeuble, en compagnie d'une demoiselle de Meyer, jouissant d'une belle aisance, et qui mourut il y a six mois environ ».

J'avais résolu de me rendre dès mon retour à cette adresse, d'y lever mon verre aux belles amours mortes, au Maine Café qui occupe aujourd'hui le rez-de-chaussée de l'immeuble du 88, même s'il n'est plus le même, et fut rebâti dans les années soixante-dix lors de la construction de la tour Montparnasse. *Le Petit Parisien* du 25 janvier 1914 comme tous les vieux journaux confine, dans la naïve fraîcheur d'un présent qui n'est plus, à la lecture des «poètes des anciens âges» dont Proust compare la vigueur à celle des jeunes filles de la petite bande, poètes «pour qui les genres ne sont pas encore séparés, et qui mêlent dans un poème épique les préceptes agricoles aux enseignements théologiques». *Du côté de chez Swann* vient de paraître, en novembre dernier. Il s'en vendra trois mille exemplaires jusqu'en août, et puis les ventes se tasseront après la mobilisation générale.

Le 7 mars 1914 à neuf heures du matin, Joséphine Lorion née Thirion, veuve du céréalier, s'éteint à plus de quatre-vingt-dix ans dans sa maison de Boulogne, rue des Longs-Prés, entre la Seine et le Bois. La petite fille en blanc est maintenant orpheline. Elle a cinquante-six ans.

C'est déjà le temps des jonquilles et des perce-neige. Elle prépare le déménagement pour Chartres. En ce printemps paisible, est-elle consciente que l'Europe est au sommet de sa puissance économique, industrielle et culturelle, à l'apogée de son extension géographique et aussi de son poids démographique? Une personne sur quatre dans le monde est alors européenne ou d'origine européenne. Pour la première fois dans l'histoire de l'humanité une civilisation est parvenue à une domination planétaire. Tel était, croyait alors Kipling, le fardeau de l'homme blanc.

Au milieu de ce continent de paix et de prospérité, Paris est la capitale mondiale de la peinture et de la littérature, mais aussi de la musique et de la danse, et l'on pourrait fixer comme point à ce zénith, quelques mois plus tôt, le 29 mai 1913. Le tout nouveau Théâtre des Champs-Élysées de l'architecte Auguste Perret accueille les Ballets russes de Diaghilev. On donne *Le Sacre du printemps* de Stravinsky et la chorégraphie est de Nijinski. Habits et robes de soirée. Tout cela est d'un grand œcuménisme, artistes et banquiers. Au cocktail Ravel et Debussy, Gide et Claudel, Cocteau, Proust et Cendrars, Henry James et Joseph Conrad. Sarah Bernhardt et Isadora Duncan, les financiers Gulbenkian, Vanderbilt et Rothschild : tous sont à bord du grand vaisseau art déco comme du *Titanic* coulé un an plus tôt. On aimerait les mettre en garde, leur taper sur l'épaule. Tout cela va droit dans le mur. Vous naviguez vers l'iceberg, dansez sur le volcan. Mais c'est le brouhaha et les chamailleries des avant-gardes, les invectives, vous appelez ça de la musique, les cris et les coups de canne, un chapeau roule au sol, une coupe se brise. L'Europe s'ennuie, descend avec insouciance et bonne conscience dans l'ivresse de l'autodestruction et du champagne.

Trois mois plus tard, au cœur de l'été, le président du Conseil Louis Barthou fait un point sur les négociations avec l'Allemagne : « Nous devons admettre que ces concessions ont écarté pour longtemps le risque d'une conflagration générale. » Il est soutenu par la lucidité proverbiale des économistes : son ministre du Commerce Alfred Massé est convaincu que « cette mondialisation des échanges est la meilleure garantie de la paix ». Il en veut pour preuve la récente déclaration de son homologue britannique, David Lloyd George : « Les intérêts commerciaux et industriels de nos pays sont désormais tellement imbriqués qu'une guerre est devenue impossible. »

Les affaires de mœurs en France sont souvent liées aux affaires politiques. Le 16 mars 1914, l'épouse du ministre Joseph Caillaux tue au revolver Gaston Calmette dans son bureau de directeur du *Figaro*. Ce Caillaux, dont la carrière politique se brise, était sur le point de prendre la présidence du Conseil, et de nommer Jean Jaurès, comme lui pacifiste, aux Affaires étrangères. Alexandre Pathey continue de remplir la paperasse administrative, certifie sur l'honneur qu'il ne touchera aucun autre revenu que sa retraite d'instituteur, et qu'il n'a pas exercé, « ni exerce actuellement des fonctions susceptibles de lui conférer des droits à une autre pension de l'État, des départements, des communes, des colonies, des pays du Protectorat ou des établissements publics ». On approche de la fin de l'année scolaire. Bientôt, pour la dernière fois, il frappera dans les mains, ou sonnera la cloche, et les élèves se mettront en rangs par deux dans la cour. Le dernier jour, un petit poème de remerciement à la craie sur le tableau noir, un bref hommage lu par le premier de la classe.

Les familles se sont cotisées pour offrir un sucrier en argent à la petite fille en blanc et des coups de feu sont tirés près d'un pont sur la rivière Miljacka. Gavrilo Princip tue l'archiduc d'Autriche et sa femme. Alexandre sort de la réserve la Vidal-Lablache des Balkans, localise Sarajevo et la Bosnie-Herzégovine. Ce jour-là, le Kaiser en grand uniforme, à bord de son yacht, préside les régates annuelles de Kiel sur la Baltique et refuse qu'on le dérange. Le tsar met en garde l'Autriche-Hongrie contre toute action en Serbie. Les peuples et les journaux s'enflamment. L'Europe se trouve une distraction. Le 31 juillet, Raoul Villain assassine Jean Jaurès qui refusait la guerre si enthousiasmante. On décrète la mobilisation. Alexandre est trop vieux. On lui demande de rester à son poste jusqu'à la nomination de son successeur. Quelques semaines, le temps de bouter les Allemands.

Dans tous ces villages du pourtour de Paris, le général Gallieni, en charge de la défense de la capitale, réquisitionne bestiaux et fourrage et prépare le siège. On espère cette fois épargner les animaux exotiques du Jardin d'acclimatation. Vaches et moutons patriotiques entrent en colonnes dans Paris. Les ovins paissent dans le bois de Boulogne et les bovins sont parqués à l'hippodrome de Longchamp. Les chevaux comme les hommes montent au front. Les taxis aussi : à la rentrée des classes, c'est la bataille de la Marne. Les fronts s'enlisent.

Alexandre a repris les dictées, les tables de multiplication, le secrétariat de la mairie avec l'aide de sa fille Eugénie, laquelle, à l'âge de douze ans, le mercredi 4 novembre 1902, avait recopié dans son cahier d'écriture, sur l'ordre de son père qui était aussi son maître d'école, sur plusieurs pages, à l'encre et à la plume Sergent-Major, d'une belle calligraphie de pleins et de déliés, cette phrase unique : « Tout homme a deux patries : la sienne et puis la France. »

Puis ce sont à Chailly-en-Bière les longs hivers et l'on sent bien que le successeur n'est pas près d'être affecté. Le 21 février 1916, le début de la bataille de Verdun. En juillet, le début de la bataille de la Somme. Les centaines de milliers de jeunes morts et à l'arrière la petite mission à poursuivre d'instruire les enfants et de chauffer la classe. Le 4 novembre 1916, Alexandre Pathey envoie ce mandat postal à « Monsieur Evrard, régisseur au Bois du Mée par Barbizon, Seine-et-Marne. Le temps me faisant défaut je prends la liberté de vous envoyer les cinquante francs du bois par la poste, il me reste à vous remercier car il est très bon et espère que vous nous en vendrez encore l'année prochaine. Recevez l'assurance de nos meilleurs sentiments».

Depuis son château de Fleury-en-Bière non loin d'ici, la marquise de Ganay recrute des jeunes filles de bonne famille pour l'Association des infirmières-visiteuses de France, sise au 56 rue de Vaugirard, et contacte Eugénie. Celle-ci reçoit le 3 avril 1917 un courrier du médecin-major Berruyer, Hôpital complémentaire n° 52 de la 5e Région, place de Fontainebleau, et suit une rapide formation, apprend à changer des pansements. Les blessés sont de plus en plus nombreux, les gazés, les estropiés. Les fronts sont de l'autre côté de Paris, au nord et à l'est. Les Gueules cassées, les amputés sont envoyés dans tous les départements. Les femmes sont aux champs pour nourrir les enfants et à l'usine pour produire des obus. L'Europe se ruine.

En cette année 1917, les États-Unis d'Amérique, dont la population est encore le quart de celle de l'Europe, entrent en guerre et envoient des troupes vers le port de Saint-Nazaire. Depuis trois ans et l'inauguration de leur canal au Panamá, le monde entier s'enrichit. L'Argentine et la Nouvelle-Zélande exportent leur viande. Les chantiers navals japonais construisent les navires de transport. Pour pouvoir les utiliser, la France et l'Angleterre promettent à l'empereur Yoshihito les colonies allemandes de la Chine après la victoire, la province du Shandong et les brasseries de bière de Tsingtao. En Russie c'est la révolution d'Octobre. Devant Verdun, Douaumont et Vaux ont été repris. Un an encore avant de signer l'Armistice en novembre, plusieurs millions d'Européens sont morts. La paix ne rassemble que des vaincus en loques. Alexandre suit dans *Le Petit Parisien* les péripéties du futur traité, apprend que le brevet de l'aspirine pourrait ainsi devenir français. Eugénie a vingt-neuf ans, il faudrait bien qu'elle se marie.

Elle est de cette génération des femmes qui vont devoir jouer des coudes pour se disputer les survivants. Un homme sur dix a disparu et beaucoup d'autres sont infirmes. Il y a bien ce jeune athlète blond aux yeux bleus, le moniteur de gymnastique que ses parents ont invité un dimanche à venir déjeuner à Chailly, mais viendra-t-il ? Celui-là est un passionné de culture physique et entretient une correspondance avec son héros Gabriel Maucurier, de la Fédération gymnastique et sportive. Prisonnier de guerre, rentré en France indemne en décembre 1918, on l'a envoyé en stage à Joinville-le-Pont, de l'autre côté du bois de Vincennes, à l'École sportive militaire du bataillon de Joinville, puis affecté à Melun :

> Monsieur Petit, Inspecteur Primaire de l'Arrondissement de Melun, accrédite auprès de Messieurs les Instituteurs et Mesdames les Institutrices de l'Arrondissement le Moniteur d'Éducation Physique Deville, sergent du 31e Régiment d'Infanterie, détaché à Melun.
> 5e Région – 3e Subdivision, État-Major, Instruction & Entraînement Physiques

Le jeune athlète salue l'inspecteur, glisse dans la poche de son uniforme cet ordre de mission du 8 mai 1919 signé du lieutenant - chef de section :

> Le sergent Deville du 31e Régiment d'Infanterie est désigné comme Moniteur de l'Instruction et de l'Entraînement Physiques de la Subdivision de Melun. Il est appelé à voyager à pied, à bicyclette ou en chemin de fer. Prière de lui faciliter l'exécution de sa mission.

En cette fin d'année scolaire 1919, le gymnaste entame la tournée de sa subdivision. Le 28 juin, cinq ans jour pour jour après l'attentat de Sarajevo, est signé non loin d'ici, au château de Versailles, le traité de paix entre les Alliés et l'Allemagne. Lorsqu'il arrive à Chailly, il rencontre le directeur de l'École ainsi que sa forte femme qui fut la gamine en blanc. Celle-ci prépare à nouveau les malles, y dépose le sucrier en argent offert pour son départ cinq ans plus tôt et la copie de *L'Angélus*. Dès la fin de l'été ils partiront s'installer à Chartres. Paul vient d'apercevoir pour la première fois leur fille Eugénie.

parade en juillet

Assis au volant, stationné quai du Maréchal-Joffre, il me semblait distinguer en face, sur l'île Saint-Étienne, la silhouette de Taba-Taba ou d'un autre fou courant sur la berge en agitant les bras, devant de très hauts murs qui sont peut-être ceux d'une prison. Posée sur un méandre de la Seine, Melun est de ces villes qui devaient se voir seules et de loin, majestueuses au-devant du paysage, et se sont fait rattraper, avaler, prendre dans la toile suburbaine des routes et des rails, mélanges de zones de banlieues et de campagnes riantes : au sud Fontainebleau et au nord Vaux-le-Vicomte et le château de Fouquet dont la splendeur attisa la colère du Roi-Soleil. Blanche de Castille reine de France qui mourut à Melun, et les barres de la cité de Dammarie-les-Lys où fut tournée la comédie *Les Kaïra* peu propice à encourager le tourisme melunais.

C'est devant cette gare bâtie au milieu du dix-neuvième siècle, et aujourd'hui terminus du RER D, qu'il conviendrait d'installer ce matériel cinématographique complexe que j'avais utilisé sur l'avenue Simón-Bolívar de Managua et sur l'avenue Didouche-Mourad à Alger : une caméra capable de filmer en accéléré pendant un siècle et demi les modifications du paysage urbain et le visage de tous les voyageurs. La bande des joyeux peintres en route pour

Barbizon qui furent les premiers usagers de la ligne. Et plus tard, en avril 1879, Paul Cézanne qui habite ici place de la Préfecture et rentre chez lui. Et plus tard encore, en ce mois de juillet 1919, le jeune gymnaste Paul-Marie en uniforme bleu horizon, coiffé du képi, qui apparaît de temps à autre sur les quais, parfois un bouquet à la main.

Après plus de trois ans de captivité en Allemagne il n'a pas d'adresse en France. Ses parents, qui ont fui Soissons et passé la guerre à Paris, se réinstallent au 3 rue de Guise au milieu de la ville dévastée. Il attend comme tous les survivants des tranchées sa démobilisation. Mais une guerre mondiale ne s'arrête pas du jour au lendemain. Il a conservé l'exemplaire du quotidien *Le Petit Parisien – Le plus fort tirage des journaux du monde entier*, du samedi 5 juillet dernier, rendant compte des débats à la Chambre.

C'est plus de six mois après l'Armistice. On imagine entamer la démobilisation des classes 7, 8 et 9, mais il est de la 10. D'autres, comme le député Jean Durand, voudraient que les paysans soient démobilisés en priorité, et ça n'est pas non plus son cas : « La terre de France a perdu un million de morts, un million de mutilés, et il y a un million d'agriculteurs mobilisés. Or, pour que la France vive, il faut que la terre produise. Et c'est pour cela qu'à la base de tous les problèmes économiques et financiers, il y a la démobilisation. » La République de Weimar s'apprête à ratifier le traité mais il faut encore patienter, conserver des troupes en alerte et l'arme au pied.

En Europe centrale, on redessine les frontières et il suffirait de souffler sur les braises pour que le conflit reprenne. Le général Franchet d'Espèrey remet aux Roumains l'administration de la ville d'Arad. « Le général a été reçu par une foule immense qui a acclamé vivement la France. Il a refusé de recevoir le maire magyar qui voulait parler au nom du gouvernement magyar et a déclaré qu'Arad était à la Roumanie. » Plus loin l'Armée rouge de Trotsky connaît des hauts et des bas sur le front finlandais : « Les Bolcheviks ont échoué dans leur tentative pour couper les troupes allant du front de Tuules vers Olonetz, en débarquant à Vitele les forces importantes de la flotte du Ladoga. Les blancs se sont retirés à temps à Vieljarvi. » Une dépêche d'agence mentionne depuis Lima la révolution au Pérou. Jack Dempsey emporte le titre de champion du monde de boxe. La princesse Murat est victime d'un accident de la route aux États-Unis. À Paris on compte les rescapés du Jardin d'acclimatation.

La capitale ne fut pas assiégée comme en soixante-dix où Hugo avait dévoré la moitié du zoo. Les Allemands ont été arrêtés sur la Marne et monsieur Porte, le directeur, se veut rassurant : « Nous avons pu conserver les spécimens rares ou précieux de notre collection : les deux girafes, l'éléphant, les trois autruches, le dromadaire et la cavalerie naine qui fait la joie des enfants. Deux otaries évoluent dans le bassin, et les faisanderies sont encore très suffisamment meublées. Depuis la fin des hostilités, nous avons d'ailleurs fait tout le possible pour augmenter le nombre de nos pensionnaires. Deux zébroïdes, obtenus au Brésil d'un mâle zèbre croisé avec des juments boulonnaises enrichissent notre collection. » Paul-Marie referme le journal. Tout ça ne lui dit pas quand il pourra passer un veston civil, acheter un ticket pour la ménagerie et aller voir de près les zébroïdes.

Dès ce mois de juillet 1919, il devient un habitué du trajet de Soissons à Chailly, via Paris-gare du Nord,

Paris-gare de Lyon puis Melun. Le Poilu intact est une espèce plus rare encore que le zébroïde. Il parade dans son bel uniforme de sportif militaire, entreprend de séduire Eugénie-Alexandrine, cette grande fille aux yeux bruns et cheveux noirs. Au début c'est aux parents qu'il écrit. « Comme je l'avais prévu, la vie d'ici n'a rien de gai, mais comme je n'ai pas l'intention de rester bien longtemps, d'abord que les prix qu'on gagne ici sont dérisoires et puis il n'y a pas beaucoup d'occasions concernant mon genre de travail. Je compte donc aller me fixer à Paris dans quelques jours. »

Tout s'accélère en effet. On se range à l'avis des industriels et des représentants du monde agricole et on décide d'un coup la démobilisation générale. « J'ai vivement endossé l'habit civil avec un soupir de soulagement, ou plutôt un exercice respiratoire, pour conserver mes termes gymniques. Il paraît que nous avons une fête ici dimanche prochain à l'occasion de la décoration de la ville, qui doit recevoir la Légion d'honneur, on compte même sur la visite de monsieur Poincaré… Quant à moi, je ne puis que vous renouveler le bon souvenir que j'ai gardé de vous et de votre gentil pays. »

Comme des oiseaux rescapés dans les branches noircies au-dessus du paysage que l'incendie a ravagé, ces deux-là vont entamer la petite danse éternelle en respectant les rites et les délais qui sont ceux de leur époque, les doux mots échangés, deux petits poèmes, une photo, des promenades familiales en forêt. On marche sur des œufs. Il s'enhardit :

Chère amie,
j'ai enfin reçu de vos nouvelles, et j'en suis très heureux, car je commençais à perdre patience, vous allez peut-être

trouver que je suis un peu exigeant, mais non, ne croyez pas cela, seulement quand il s'agit de personnes auxquelles on attache beaucoup d'intérêt, et pour lesquelles on a conservé une amitié sincère et profonde, il est très naturel qu'on soit impatient de nouvelles. Vous me demandez ce que pensent mes parents de ma décision de partir à Paris, ma foi, il est certain qu'ils ont été plutôt surpris quand je leur ai annoncé mes nouveaux projets, mais maintenant c'est une affaire réglée, je leur ai fait d'ailleurs comprendre qu'à mon âge, je devais penser à me faire une situation, tant au point de vue travail, comme à celui de mariage !, et d'après ce que je crois nous nous quitterons parfaitement d'accord. Je leur ai fait voir aussi la photographie d'une personne qui m'est chère, laquelle ils ont trouvée gentille, et souhaitent que mes espérances réussissent. Je compte aller à Paris mardi ou mercredi, et ensuite y aller définitivement la semaine suivante. Merci pour vos deux petites poésies concernant les poilus…

Paul vient de mettre deux lettres à la poste, l'une à destination de Chailly pour Eugénie, l'autre à destination de Paris pour une certaine Annie. Il descend la rue de Guise vers les bords de l'Aisne, c'est à deux pas, voit glisser les péniches sous le pont dans la lumière du soir d'été. Il se demande tout de même s'il prend la bonne décision, de choisir Eugénie plutôt qu'Annie.

Dès le mois d'août on organise les fiançailles, lesquelles vont durer un an, c'est bien long. À présent ses déplacements changent de direction. Eugénie, qui n'a jamais quitté ses parents, même le temps d'aller à l'école puisqu'elle vivait à l'école, les a suivis à Chartres. Ils se marient en septembre 1920, s'installent tous les quatre au 5 de la rue de la Pie, où la petite fille en blanc de soixante-deux ans a déjà suspendu *L'Angélus*.

premier amour

C'est dans une cantine en bois de facture militaire que le gymnaste conservera par la suite tout ce qui avait trait à sa famille et à sa vie de célibataire. De quelques documents d'état civil, on apprend peu de ses parents Eugène et Julie, elle née Maucurier. Le père était entré magasinier aux Fonderies et Ateliers de constructions Piat à Soissons en octobre 1891, avait été évacué vers le siège parisien rue Saint-Maur le 30 août 1914 à l'arrivée des Allemands. On en apprend davantage sur le frère aîné du gymnaste, Henri, ouvrier fondeur mais alors artilleur à plein temps. Déjà marié et père d'une petite Madeleine au début des hostilités, il revient de loin en loin chez lui en permission, au 8 du passage Gustave-Lepeu, dans le onzième arrondissement de Paris.

Ses lettres commencent toutes par « Mon cher Paul » et portent le tampon violet de la censure. Elles sont envoyées au camp de prisonniers de guerre de Würzburg en Bavière, où son frère cadet est interné depuis avril 1915. « Je t'écris de Paris, j'y suis pour une huitaine de jours… Madeleine pousse toujours… Depuis le temps tu ne la reconnaîtrais plus… Actuellement nous sommes toujours dans les environs de mon ancienne garnison. Peut-être n'y resterons-nous plus longtemps et pour aller on ne sait où… C'est long certainement et ce n'est pas encore fini, mais par contre, de l'impatience ça n'avance guère… »

C'est au hasard de ces échanges fraternels que j'avais découvert l'amourette parisienne de Paul, à laquelle Henri met fin brutalement le 13 août 1915 : « À propos je dois te parler de ces lettres que nos parents ont reçues te concernant. Je ne comprends guère pourquoi, c'est de ta part, que tu veux faire faire connaissance entre eux et cette demoiselle. Tant que l'on prenait cela en rigolade je ne me suis pas gêné pour en parler. Maintenant que tu prends cela aussi au sérieux, je ne veux plus y faire allusion. Tu dois commencer par savoir un peu ce que tu fais. Tu es le contraire de tout le monde. Au moment où tous dans ton cas sont sur la sellette, où l'on reste peinard plus que jamais et surtout ne s'engager en rien pour l'avenir tu brusques le mouvement. Tu es bête ou tu ne réfléchis pas. Mon père n'a pas répondu à la deuxième lettre. Il ne sait ce qu'il doit faire, et en tout cas tu l'obliges à faire une impolitesse à cette demoiselle qui, elle, est très polie avec eux. Tout le monde chez nous attend des explications exactes là-dessus. Tu t'expliqueras franchement. Quand on a la naïveté de faire des bêtises ainsi, on doit avoir la franchise de les discuter. »

Paul a pourtant bientôt vingt-cinq ans, mais l'aînesse alors n'est pas rien. À la fin du courrier Henri s'apaise : « Tu ne m'en voudras de la manière un peu franche comme je te parle, entre frères il ne doit y avoir d'autres et tu sais comme je pense à toi. »

À Würzburg comme dans tous les camps le temps est suspendu, les hommes privés d'informations. Au début sans doute on pense à quelques semaines, quelques mois, mais ce seront pour lui bien plus de mille jours assis devant les baraques. On y perd sa jeunesse et certains la raison. Ils sont là plusieurs milliers, une petite ville française en bois, en bordure de la ville allemande en pierre.

Les coiffeurs et les cordonniers et les infirmiers y reprennent leur activité. Un lazaret isole les malades de pneumonie et plus tard de la grippe espagnole. Paul est de bonne constitution et s'est remis de ses blessures. Il occupe une chambre avec plusieurs autres sergents, partage son temps entre les travaux routiers de terrassement dans les environs, le travail aux champs et la vie au camp, la lessive, le raccommodage, le frichti, la vaisselle des gamelles en fer-blanc, le nettoyage des latrines et la pratique du dessin, les exercices d'assouplissement et de musculation, un peu de football. Parmi les prisonniers, des élèves du Conservatoire comme Lucien Nat et des comédiens de l'Athénée montent une troupe. On donne en octobre 1915 une comédie de Maurice Hennequin, *Un mariage au téléphone*. Ces hommes ont été habitués à vivre entre eux loin des femmes, au pensionnat, au régiment, à l'usine, dans les tranchées. Paul a déjà passé les deux ans de son service militaire en caserne avant guerre.

Il s'ennuie et regarde un moineau jouer dans la flaque, une vie comme la sienne ignorée, minuscule, qui sautille et puis se perche, s'envole au-delà du camp. Lui qui n'a jamais appris de langues étrangères, au bout de trois ans parle un peu allemand. Sa langue maternelle, pour la première fois, lui devient curieuse, elle qui semblait aller de soi. Il prononce oiseau à haute voix. Wazo. Il prononce les voyelles dans l'ordre qu'il avait appris à les réciter, a, e, i, o, u, s'aperçoit que « oiseau » est le seul mot à rassembler les cinq voyelles de l'alphabet en un arc-en-ciel de sonorités, un éventail de plumages, et que pas une seule de ces voyelles ne se prononce. Oiseau. Ni bird ni vogel, il est en français multicolore, oiseau, le mot file et scintille, déjà disparaît dans les feuillages. De drôles de pensées vous viennent en captivité. Paul demande à Annie de ne plus écrire à ses parents. Mais à lui encore et encore.

Si, à l'été de 14, les combats avaient rassemblé pour la première fois depuis les campagnes napoléoniennes tout le peuple français des hommes jeunes, plus de trois millions de mobilisés pour une population de moins de quarante millions, avaient contraint à vivre ensemble les Poilus bretons et bourguignons, basques et normands, corses et béarnais, les brassant, et achevant l'effort d'unification linguistique de la Troisième République, au fil des mois, puis des années, c'est entre prisonniers et combattants que l'écart se creuse. Groupes auxquels il conviendrait d'ajouter celui des planqués de l'arrière et aussi celui des mutilés, des aveugles, des amputés, des Gueules cassées, les « mis hors de combat » qui emplissent les hôpitaux et jusqu'au lazaret de Mindin.

Pendant que Paul à Würzburg se remet de ses blessures, lit *L'Intermède*, le journal du camp, et compte les centaines de jours l'un à l'autre pareil, pour Henri la guerre devient un métier. Sa vie est rythmée par l'aller-retour entre le fracas du front et le repos du onzième arrondissement, « ici c'est la bonne vie, c'est toujours la ville gaie ». Ses lettres vont par deux, l'une écrite à son arrivée en permission et l'autre la veille de son départ. Le 8 juin 1916 : « Je t'écris de Paris où je suis actuellement pour 7 jours. Je vais très bien maintenant et suis prêt à recommencer… Je ne peux te parler des événements, actuellement c'est mouvementé, et je dois retrouver ma batterie qui est toujours dans le fameux coin… » Un peu de forfanterie même, le 15 juin, avant de regagner la gare du Nord : « Je ne m'en fais pas pour retourner dans la fournaise… Fais comme moi, ne t'en fais pas pour rien », et peut-être que naît en lui le redoutable amour des armes et de la guerre qui est au fond de tous les hommes et que réveille de loin en loin l'Histoire.

Il égrène les noms de leurs connaissances tombées au champ d'honneur, « le pauvre Ventalon vient d'y rester à son tour, il a été tué dans la Somme ». Peu à peu pointe l'agacement à la lecture des plaintes du petit frère. « Sur ta dernière lettre je vois que tu n'es pas très gai et que le temps te dure. Il faut en prendre ton parti mon vieux, il y a pire que vous… Nous avons bon espoir de nous revoir bientôt. » Ce sont les grands abattoirs de 1916, les offensives et les replis pour quelques arpents de boue gorgée de douilles d'obus et de chair humaine. « Je pense que pour vous ce n'est pas gai, mais je ne peux vous plaindre, je ne sais pas au juste votre genre de vie, mais il est sûrement préférable à celui que nous avons par cette saison. »

Le moral semble meilleur dans sa lettre d'arrivée du 15 février 1917 : « Espérons nous revoir cette année, ce ne serait pas trop tôt et il y a des chances », et dans la lettre de départ du 21 février : « Pour ma part ça marche toujours et j'attends patiemment sans m'en faire… c'est encore quelque temps à passer tranquille en attendant, pour bientôt peut-être, des jours plus mouvementés, ce qui d'ailleurs ne me déplairait pas. » À la suite de ces phrases, et sur la même feuille, l'écriture change. C'est son épouse Alix qui prend la plume : « Cher Paul, je profite de la lettre d'Henri pour vous envoyer un petit mot. Je n'ai pas grand-chose à vous apprendre de nouveau. J'ai été bien heureuse d'avoir Henri pour 10 jours, surtout que ça ne faisait pas trois mois qu'il était venu et que jusque maintenant il était toujours six mois sans venir. On reprend vite l'habitude de vivre heureux, aussi les départs sont toujours bien tristes. Henri est toujours le même, bon moral, et ne fait jamais rien voir de ce qu'il peut ressentir, et il vaut mieux le voir repartir de bon cœur, cela fait moins de peine… »

La dernière des onze lettres est datée du 23 juin 1917, après la vague de mutineries à laquelle il n'a pas pris part : « Ma fille grandit toujours tu la trouverais changée… Peut-être nous faut-il encore un peu de patience pour voir la fin, ce n'est pas gai sans doute, mais nous acceptons cela comme une nécessité, et cependant il y a des moments où ça manque de charme, ça doit te sembler long et l'ennui est le pire de tous les maux, mais que d'autres avantages aussi avec vous, auprès de vos collègues du front. Bon courage mon cher Paul. Après la guerre la vie sera intéressante pour ceux qui auront leurs quatre pattes pour en profiter et tu es sûr d'être de ceux-là. »

Paul rentre en France avec ses quatre pattes intactes en effet, un mois après l'Armistice, le 12 décembre 1918. Henri n'en reviendra pas. Mort gazé. Passage Gustave-Lepeu, jolie petite rue fleurie et pavée où j'étais allé voir la façade du 8, sa femme Alix est veuve de guerre et mère de deux enfants, Madeleine née avant 14 et Henri fruit d'une permission. Elle quitte Paris pour

Soissons et s'installe chez ses beaux-parents, écrit à son beau-frère : « D'ici quelques jours j'aurais besoin de vous Paul pour mes enfants. Il me faudra avoir un conseil de famille pour pouvoir finir mes dommages de guerre et il faut citer 3 membres de la famille d'un côté comme de l'autre. Je pense que vous ne vous refuserez pas car ce serait pénible d'avoir recours à des étrangers quand on a de la parenté si proche. Recevez mes amitiés. »

Au fond de la cantine militaire en bois repose une seule lettre d'Annie. Elle est envoyée depuis Paris le 4 août 1919 et répond à la lettre de rupture que Paul lui a envoyée le 1er. Elle dit qu'elle l'attendra, elle espère encore. Ça n'était pas une amourette mais un grand amour. Paul épouse Eugénie. Comme dans la *Théodicée* de Leibniz, on peut imaginer un monde dans lequel Paul a choisi Annie plutôt qu'Eugénie : et je m'apercevais à la lecture de cette lettre que, dès cet été 1919, le petit pêcheur de crevettes à Mindin avait bien manqué ne jamais exister. Ce qui m'aurait fait une belle jambe.

l'amie américaine

La vie d'Eugénie jusqu'alors fut plus paisible que celle de Paul. Jamais en trente ans elle n'a dormi loin de ses parents. Jamais non plus elle ne fut blessée par balle. Après avoir reçu, le 3 avril 1917, trois jours avant que les États-Unis ne se décident à entrer en guerre, le courrier du médecin-major de Fontainebleau, elle était allée apprendre un peu à faire des pansements, à distribuer des bouillons aux estropiés, mais rentrait chaque soir à Chailly. C'est néanmoins ce contact avec les bonnes œuvres qui la rapprochera plus tard de Dorothy W. Schoonmaker, de l'American Committee for Devasted France, dont elle conservera la correspondance.

Le 28 juin, trois ans jour pour jour après l'attentat de Sarajevo, les premières troupes américaines atteignent le port de Saint-Nazaire, entreprennent la construction de vastes cantonnements. Leurs navires sont emplis de véhicules et de matériel du génie mais transportent peu de soldats aguerris. Les jeunes Yankees ne connaissent pas le service militaire et l'armée d'active compte deux cent mille hommes. Les nouveaux arrivants seront à mesure formés et armés par la France. Un an plus tard ils sont déjà deux millions dont la moitié au combat.

Les généraux Pétain et Pershing prévoient de doubler encore ces effectifs et de franchir le Rhin. L'état-major allemand se sait mené à la défaite, négocie en secret avec le président Wilson, brandit le risque d'une révolution bolchevique. Pour Wilson, plutôt le Kaiser que le communisme. Il accepte l'idée d'un armistice alors que les Alliés touchaient à la victoire. Comment après l'hécatombe des quatre années demander aux hommes de poursuivre le combat ou de patienter dans les camps lorsqu'on leur propose enfin la paix ? L'Allemagne qui fut l'envahisseur ne sera pas envahie quand tout le nord de la France est détruit, les terres et les usines ravagées. Poincaré et Clemenceau, qui reçoivent en juillet dix-neuf le général Pershing à Paris, devant le monument à La Fayette, se doutent bien déjà que le Traité ne fait que repousser à plus tard les nuages, et puis l'orage.

Les États-Unis ont toujours été un peu longs à soutenir la France, à vrai dire ne l'ont jamais vraiment soutenue, n'ont abandonné leur isolationnisme qu'au début de la guerre sous-marine et parce que l'Allemagne promettait le Texas au Mexique. La francophilie fut toujours le fait des individus plutôt que de l'État. Pendant le siège de 1870 déjà, un groupe d'Américains était venu s'excuser devant Victor Hugo de l'indécision du président Grant à défendre la France. « À laquelle la République américaine doit tant », avait rappelé Hugo, déçu. « Doit tout », avait ajouté un Américain présent.

Un an avant sa mort, en 1884, le vieil Hugo était allé prononcer un discours devant la statue de la Liberté d'Auguste Bartholdi qu'on s'apprêtait à démonter pour l'expédier en morceaux à New York : « Cette belle œuvre tend à ce que j'ai toujours aimé, appelé : la paix. Entre l'Amérique et la France – la France qui est l'Europe – ce gage de paix demeurera permanent. Il était bon que cela fût fait. » Le président Wilson ne fut pas plus rapide à la détente que le président Grant. Jusqu'en 1917, les volontaires américains auprès des Alliés étaient menacés de se voir déchus de leur nationalité. Pour cette raison Henry James, au faîte de sa célébrité, avait changé de passeport, était devenu écrivain britannique.

Le président Roosevelt attendra lui aussi trois ans, jusqu'en 1942. De Gaulle rapporte ses échanges avec le général Eisenhower, lequel veut imposer Giraud, placer l'armée de la France libre sous sa tutelle au prétexte qu'elle manque d'armes, et qu'il pourrait refuser de lui en fournir. De Gaulle perd son calme, explose : « Vous rappelez-vous que, au cours de la dernière guerre, la France a eu, quant à la fourniture d'armes à plusieurs pays alliés, un rôle analogue à celui que jouent aujourd'hui les États-Unis ? C'est nous, Français, qui avons, alors, entièrement armé les Belges et les Serbes, procuré beaucoup de moyens aux Russes et aux Roumains, doté enfin votre armée d'une grande partie de son matériel. Oui ! Pendant la Première Guerre mondiale, vous, Américains, n'avez tiré le canon qu'avec nos canons, roulé en char que dans nos chars, volé en avion que sur nos avions. Avons-nous, en contrepartie, exigé de la Belgique, de la Serbie, de la Russie, de la Roumanie, avons-nous exigé des États-Unis, la désignation de tel ou tel chef ou l'institution d'un système politique déterminé ? » Les civils sont davantage respectueux. Dorothy W. Schoonmaker, jeune fille volontaire, est de ceux-là.

Ces riches citoyens américains viennent aider la France à se relever. On déblaie les gravats des bombardements, démine les champs, déterre les cadavres et trace les immenses cimetières rectilignes plantés de croix blanches, choisit un mort américain anonyme vers Chaumont-en-Champagne dont on fera le Soldat inconnu.

Depuis plusieurs mois, Paul et Eugénie ont quitté Chartres pour Soissons, la jolie rue de la Pie près de la cathédrale pour une maison humide de la rue du Tour-de-Ville au milieu des ruines. Il est moniteur de sport à La Soissonnaise. Eugénie travaille avec un groupe de femmes au Comité Américain pour la France Dévastée dont Dorothy W. Schoonmaker est l'une des représentantes, comité qui distribue à la population des produits de première nécessité, nourriture et vêtements et médicaments. Après plusieurs mois à Soissons, Dorothy s'en va et lui écrit, le 8 août 1921, une lettre sur papier à en-tête de l'hôtel Brighton de la rue de Rivoli à Paris, parce que ces volontaires ne dorment tout de même pas sur des lits de camp : « Chère madame Deville, Je vous envoie ces chaussons parce que j'ai peur que je n'aurais pas l'occasion de retourner à Soissons pour vous les emporter moi même. Nous partons pour l'Amérique le dix-neuf de ce mois-ci sur le George Washington. Ça fera neuf mois depuis que je suis parti de chez moi et je vous assure que je serai très contente d'être chez moi encore. La vie dans un mal et des valises commence à être un peu fatigante. Ecrivez-moi vos nouvelles de temps en temps. J'espère que tous ira bien chez vous. Je crois que votre mère et votre père sera bientôt avec vous. Mes meilleurs amitiés pour vous et monsieur Deville. Sincèrement. »

Quatre jours avant de monter à bord du paquebot, le 15 juin, Dorothy est photographiée au Jardin d'acclimatation, pas très loin de l'enclos des zébroïdes dont elle est peut-être allée flatter la croupe. Coiffée d'un curieux bonnet ou béret, elle porte une jupe longue et noire très stricte, une veste noire et un chemisier blanc au col ouvert, et se tient debout sous la tente du Service médical du Comité. Si les Parisiens ne vivent pas comme les Soissonnais parmi les décombres, ils sont aussi soumis au rationnement et aux restrictions, et les colis du Comité sauvent peut-être la vie des zébroïdes qu'ils s'apprêtaient à bouloter.

Alors que les parents d'Eugénie ne peuvent se résoudre à la séparation, quittent Chartres à leur tour, et viennent vivre auprès de leur fille à Soissons, Dorothy écrit le lundi 31 octobre 1921 depuis chez elle, 124 West Chestnut Street, Kingston, New York, et je ne me lasse pas d'entendre son accent chic d'Américaine de la côte Est, un peu snob et gentille dans ses phrases françaises : « Chère Madame, J'étais si contente de recevoir votre charmante photographie. Il y a longtemps que j'ai voulu vous remercier, mais depuis que je suis revenue en Amérique je suis tous jours occupée et aujourd'hui est vraiment le premier jour que j'ai eu un moment pour vous écrire. Votre photographie est toujours devant moi, sur mon pupitre. Et quand je le vois je pense à vous, à Tour de Ville et à Soissons. J'étais si heureuse là et vous étiez tous si bon pour moi. Je regrette beaucoup que je suis si loin de la France. Je n'ai pas de nouvelles depuis que je suis parti de Soissons. Peut-être vous pouvez m'écrire. Racontez-moi tous ! Qu'est-ce qu'est arrivé avec le basket-ball que votre mari a si bien avancer, et les autres athlétiques ? Je suis sûr que beaucoup s'est passé depuis mon départ. Mais c'est très difficile pour moi, pour écrire le français et c'est pourquoi je n'ai pas écrit avant. Mais je puis très bien lire le français et j'aime recevoir les lettres de vous. Je vous envoye dans ce lettre un photographie de moi pour un souvenir. Je crois que vos parents sont chez vous maintenant, et je sais que vous êtes contente d'avoir leur compagnie. Ici en Amérique à ce moment nous sommes très intéressé dans la visite de Maréchal Foch. Il fait un grand tour des États-Unis, et le 11 novembre il sera à Washington pour rendre hommage à notre soldat inconnu, qui sera enterré ce jour-là. J'espère que vous pouvez lire cette lettre. Rappelez-moi au bon souvenir de votre mari. »

Eugénie apprend à son amie la naissance de Simonne, la petite Monne, en juillet 1922. Tous les cinq déménagent, et s'installent dans une maison plus grande et plus saine, 9 rue des Feuillants. Dorothy lui répond le 29 novembre : « Ma bien chère madame, J'étais enchantée de recevoir votre très intéressante lettre, il y a quelques mois. Je vous assure que je pense souvent à vous et à Soissons. J'espère que vous et votre petite fille sont en bonne santé. Je voudrais bien avoir sa photographie. Je suis contente que l'infirmière du comité pouvait vous aider avec l'enfant. C'est bon d'avoir votre mère et votre père chez vous et je suis contente que vous avez quitté Tour de Ville. Cette maison était tellement humide que j'étais craintive pour vous pendant l'hiver. Samedi passé, je suis allée à New Haven où mon frère est installé à l'université de Yale. L'équipe de football de Yale a joué avec l'équipe de Harvard (un autre université). Ils jouent chaque année ensemble et ils sont les grands rivaux en football. C'est vraiment un grand événement et tout le monde y vont les voir jouer. Leur stade est très grand. 79 000 personnes peuvent s'asseoir pour voir le jeu. Entre autres samedi était Georges Clémenceau qui est en train de faire un vrai voyage triomphant ici aux États-Unis. Par tout il est reçu avec le plus grand enthousiasme. J'étais si contente de le voir. Je trouve que c'est merveilleux de sa part, et sur tout à son âge de venir si loin de chez lui pour expliquer la cause de la France contre l'Allemagne. Je pense qu'il fera beaucoup de bien. Comme notre pays est immense et si loin il y a du monde qui par l'ignorance ne comprennent pas du tout le danger d'Allemagne. Je suis sûre que je le comprends mieux maintenant que avant mes six mois à Soissons. Ecrivez-moi quand vous pouvez et s'il vous plait donnez les amitiés à tout le monde pour moi. Votre amie. »

Pour des raisons peut-être seulement sportives, la petite bande des cinq déménage, quitte Soissons pour la ville encore plus ravagée de Saint-Quentin, une soixantaine de kilomètres plus au nord par la route des Flandres, ville où Paul s'était vu remettre en 1909 son diplôme de moniteur sportif et la médaille d'argent de la République. Ils reprennent leur vie d'éternels locataires, dont je retraçais les parcours sur les enveloppes du courrier, rue des Rosiers dans la cité Montplaisir, puis rue des Tisserands. Les deux couples loueront plus tard deux maisons mitoyennes, rue Richard-Lenoir. La correspondance transatlantique semble s'achever sur l'envoi de cet épais bristol annonçant, pour le mardi 10 janvier 1924, le mariage de Dorothy Webster Schoonmaker et de William Hoag Van Slyke.

Eugénie ne s'est pas rendue au mariage de son amie américaine. De sa vie elle n'a quitté le territoire national. Paul non plus. N'étaient ses longues années bavaroises.

quitter Saint-Quentin

On peut s'étonner que quiconque aille de son plein gré vivre alors dans la cité picarde. Si sa position de carrefour naturel est une aubaine en temps de paix, elle lui avait déjà valu d'être assiégée par les armées espagnoles du temps de Philippe II, occupée par les Russes après Waterloo, par les Prussiens après Sedan. Au début de la Grande Guerre elle se trouve sur la ligne Hindenburg. Les civils fuient pendant la bataille de la Somme. Les Allemands s'y installent. Les squatteurs sont peu méticuleux. À la fin du conflit la ville est détruite à soixante-dix pour cent, tout son matériel industriel emporté vers l'Allemagne ou saboté.

Les habitants ne reviennent qu'en 1919 constater les dégâts. Dans l'euphorie de la paix retrouvée, puisqu'il est bien certain que ce fut la der des ders, on relance l'industrie textile de cette capitale des filatures, crée La Cotonnière. Paul enseigne la gymnastique dans quelques écoles privées et associations sportives, joue la comédie dans une troupe d'amateurs. Malgré cet enthousiasme, et après que la ville aura été de nouveau envahie par les Allemands pendant la Seconde Guerre mondiale, Saint-Quentin ne retrouvera qu'au début des années soixante sa démographie d'avant quatorze, grâce à une émigration polonaise, marocaine et italienne. Sa population continuera de croître un peu jusqu'à la crise économique des années soixante-dix, la délocalisation des usines textiles en Tunisie ou au Pakistan et l'explosion du chômage.

C'est dans le cadre peu riant de l'été 1925, loin des Années folles de Montparnasse, que naît le deuxième enfant, Paul-Eugène qu'on dira Loulou. Les parents habitent au 38 de la rue Richard-Lenoir et les grands-parents au 36, maisons de brique rouge aux fenêtres étroites sur deux niveaux. Quelques mois plus tard, parce que la ville est sur le parcours ferroviaire de Paris à Varsovie via Berlin, l'écrivain et journaliste Joseph Roth choisit d'y faire étape. Son reportage paraît dans la *Frankfurter Zeitung* du 2 mai 1926 : « C'était autrefois une ville européenne, vénérable, avec une histoire européenne, non moins vénérable. Les bombes incendiaires l'ont fait disparaître. » Il marche comme je le faisais à mon tour au hasard des rues de Saint-Quentin. « Autrefois, ici, il y avait une maison, un magasin, ou une usine. Ce qu'il en reste, c'est un morceau de mur de la hauteur d'un homme. »

Ces phrases sont destinées aux lecteurs allemands au moment où les partis populistes mènent campagne pour interrompre le versement des dommages de guerre imposés par le traité de Versailles. Elles sont destinées aussi à apaiser son remords : même en traînant des pieds, il avait fini par s'engager volontaire en 1916, mais n'avait jamais connu les combats dont il découvre le résultat. Dans quelques années il lui faudra fuir le nazisme et venir mourir à Paris. Peut-être croise-t-il en 1926 des enfants au milieu des chantiers de reconstruction, une petite fille de quatre ans et un nourrisson dans un landau. « Derrière s'étend une place grise, déserte, couverte de poussière, avec un sol inégal et un seul monticule au milieu, sur lequel pousse une petite fleur des champs, jaune et brillante. Quelle minuscule et pitoyable lumière mortuaire pour un cadavre aussi grand, aussi imposant ! »

On bâtit un an plus tard un mémorial de plus de trente mètres de long et près de vingt de hauteur, triple hommage aux morts de 1870, aux Poilus de la guerre 14-18 et aux morts civils de l'exode de 17, monument dessiné par Paul Landowski architecte de la démesure, déjà embarqué dans les projets du Christ du Corcovado au Brésil et du mausolée de Sun Yat-sen en Chine, et qui se veut le nouveau Bartholdi. Monument ou pas, et même s'il est préférable qu'il y en ait, avoir grandi au milieu des villes détruites, auprès de parents survivants mais broyés par l'Histoire, impuissants devant ses hasards monstrueux, est un traumatisme silencieux qui se transmet au fil des générations, et les enfants qui naissaient en cette année 2015 à Benghazi, Alep ou Mogadiscio le transmettraient contre leur gré à leurs descendants sur plusieurs générations, dans l'hypothèse heureuse où ces derniers connaîtraient un jour le calme de la paix revenue et la reconstruction des villes.

Après avoir roulé à faible allure le long du canal de Saint-Quentin, lequel mêle sur une centaine de kilomètres les eaux de l'Escaut, de la Somme et de l'Oise, dans ce paysage à la lumière si douce et à ce point opposé à l'éblouissement niçois que ces deux extrémités de la France, qui furent celles de la vie de peintre de Matisse, semblent distantes de plusieurs dizaines de milliers de kilomètres, j'avais rejoint la ville aux façades art déco où scintillaient des éclats dorés de mosaïque et déjeuné à la brasserie de L'Édito. De l'autre côté de la vaste place, bordée de petits établissements de nourriture à emporter turcs ou chinois, se dresse le grand palais gothique préservé qui est la mairie à carillon : en ces moments du centenaire de la Grande Guerre, une exposition de photographies des champs de bataille était accrochée aux grilles, de grandes images en couleurs de John Foley.

Et le nom de ce photographe, d'un coup, ne me transportait pas une centaine d'années en arrière mais seulement une trentaine, dans l'un de ces vertiges que procure le souvenir involontaire, dans la chaleur du Grand Socco tangérois, du temps que les Éditions de Minuit demandaient à ce photographe de tirer à Paris le portrait de leurs écrivains débutants. Confronté pour la première fois à cet exercice, cherchant comment un écrivain pouvait bien se vêtir, j'avais opté pour une veste blanc sable parce que je lisais alors les romans de Paul Bowles et imaginais qu'il aurait pu la porter. Invité plus tard à Tanger pour les quatre-vingts ans de l'écrivain américain, je m'y étais rendu habillé de cette veste que je possède encore, et que je voyais en surimpression devant les images de John Foley. Un instant perdu dans le temps et l'espace et incapable de revenir aux champs de bataille, oubliant la petite bande des six, la raison de ma présence devant cet hôtel de ville de Saint-Quentin, sur le point de regagner ma chambre de l'hôtel Minzah rue de la Liberté à Tanger, j'avais photographié les photographies de John Foley au mépris peut-être du droit d'auteur, ainsi que les textes d'Anne Roze, et les citations d'auteurs qui accompagnaient les images, pour aller les regarder sur l'écran de mon ordinateur.

Allongé sur un lit de l'hôtel Mémorial, au 8 de la rue de la Comédie, j'avais recopié dans la soirée deux d'entre elles. La première était de Blaise Cendrars qui assistait en 1913 à la première de Stravinsky au Théâtre des Champs-Élysées, s'était engagé dans la Légion, était parti perdre son bras droit en Champagne pour ne plus jamais applaudir: «Il n'y avait pas tout à fait un an que nous étions soldats, nous, les plus vieux, et déjà nous avions appris à désespérer de tout, nous, les survivants» – mais nous savons qu'il va s'en tirer, Cendrars, nous le retrouverons au Brésil un de ces jours.

L'autre était de John Dos Passos, le romancier new-yorkais qui avait débarqué à Saint-Nazaire avec les troupes américaines, et auquel j'avais tenté vainement de rendre hommage en suggérant que son nom fût donné à une rue près du port. Elle disait ses combats dans la Somme et la découverte de la guerre: «Un massacre sanglant et insensé, qui ne servait qu'à la destruction de la délicate construction de la civilisation.» Lui aussi va s'en tirer, et s'en ira combattre en Espagne dans les rangs des poumistes anti-franquistes. Je m'étais souvenu que Dos Passos avait plus tard traduit vers l'anglais des livres de Cendrars.

Au milieu de la nuit, fumant une cigarette devant la fenêtre ouverte de la chambre 101, au premier étage du Mémorial, j'observais en bas dans la cour la Passat – le Passé en catalan mais l'Alizé en allemand – comme un animal gris métallisé dont ma vie dépendait, un peu désolé de ne pas lui offrir une chambre à elle aussi, mais au moins, dès que je le pouvais, un parking d'hôtel, où je l'espérais bichonnée comme les chevaux à l'écurie dans les auberges et peut-être l'âne de Stevenson, plutôt qu'à l'abandon le long d'un trottoir à se faire pisser sur les roues.

Depuis mon départ de Managua, j'avais remonté cette longue verticale du Caire jusqu'à Saint-Quentin pendant les soixante et onze années de la vie de la petite fille en blanc. Eugénie-Joséphine meurt ici dans son lit rue Richard-Lenoir en juillet 1929. Comme ces couples d'oiseaux qu'on dit inséparables, dont le dernier dépérit, Alexandre Pathey, le maître d'école tout en rondeurs et moustache à la Clemenceau, meurt en août 1930 dans la même chambre au retour d'une visite chez le médecin. Ces deux-là auront connu au cours de leur existence davantage d'inventions magnifiques que les Européens n'en avaient vu depuis le Moyen Âge, l'automobile et le paquebot, le téléphone et l'avion, l'ascenseur et le tramway, le tracteur agricole et la vaccination, le sparadrap et le char d'assaut, les gaz de combat et le fil de fer barbelé.

Après que les deux dépouilles, à un an d'intervalle, ont rejoint Chailly-en-Bière, à rebours de ce chemin que je venais de parcourir au volant, Eugénie-Alexandrine âgée de quarante ans, qui jamais n'avait quitté ses parents, sombre dans une mélancolie qu'on dirait aujourd'hui dépressive. Elle déteste aussi cette ville, et tout le Nord. La bande des quatre survivants va changer d'air. On choisit le Jura, les forêts, l'air pur des montagnes et surtout une ville intacte. À l'aube, je déposai un écu dans la main du palefrenier qui venait d'étriller la Passat et d'ajuster mes étriers : je m'apprêtais moi aussi à quitter Saint-Quentin.

vers les frontières

Ils sont assis à bord d'une puissante Renault 6 CV toute neuve, mais le réseau routier de 1930 est sinueux, les routes traversent encore le centre des villes. Dôle est pour eux à plus de cinq cents kilomètres de Saint-Quentin en direction du sud-est, par Reims, Troyes et Dijon, longeant et contournant les lieux de la Meuse où Paul avait combattu quinze ans plus tôt.

Peut-être dormiront-ils en route, peut-être feront-ils deux fois le voyage. Ou bien ils ont loué un camion qui les accompagne. Tout le fourbi accumulé se retrouvera dans le Jura après avoir quitté Chailly pour Chartres, pour Soissons puis Saint-Quentin. Les vieux journaux pliés et les dix-neuf volumes de Michelet, le chameau en bois d'olivier de Jérusalem et le sucrier en argent offert à la petite fille en blanc fin juin 14 et son *Angélus* de Millet.

Je ne transportais dans le coffre de la Passat qu'un léger bagage et une petite bibliothèque de survie, des carnets de notes et des cartes routières sur lesquelles je lisais, comme dans la Beauce, tous ces lieux en « ville » que j'envisageais de rallier, Charleville, Thionville, visitai par mégalomanie Deville, bourgade toujours communiste et très pentue accrochée aux bois denses du parc des Ardennes. J'avais pris une photo pour envoyer le panneau routier Deville à Yersin.

Ainsi je tournais en rond et à petite vitesse, dans ces parages où la disparition des industries sidérurgique et textile avait entraîné celle de la classe ouvrière et quasiment du salariat. Où de vieux retraités pouvaient s'étonner que ce fameux dieu Turbin qui avait été leur cauchemar ait pu devenir le rêve inaccessible de leurs petits-enfants. Demeuraient quelques activités rétives à la délocalisation, salons de coiffure et pompes funèbres et surtout les bistrots. J'y suivis au hasard de mes haltes nombre de conversations assez déprimantes et résignées, qui pouvaient ressortir de cette redoutable idéologie Tina – There Is No Alternative – assénée par tous les postes de télévision, martelant qu'il était inutile de se rebeller.

Un soir j'entamai un dialogue d'hommes seuls comme cela arrive n'importe où dans le monde, au Baby Bar près de la maison de Rimbaud à Charleville ou bien à La Caverne rue de l'Horloge à Sedan, ou place Crussy où stationne la camionnette de la Friterie Jacqueline, avec un apiculteur loin de ses ruches et à l'échouage devant une bière. Intarissable et passionné, un peu ivre déjà, il me disait les mille variétés d'abeilles et la mortalité terrible des essaims décimés par les pesticides, essaims dont la disparition n'entraînerait pas seulement celle du miel mais de toute l'agriculture.

Il me donnait ces informations dans un propos décousu, sans quitter des yeux la gironde serveuse au doux regard de génisse debout au comptoir, qui pouvait être celle d'une chanson de David McNeil, *Tourcoing-Dacca-Tourcoing*, « la barmaid en robe mauve à moitié dégrafée», dont l'apiculteur semblait regretter de ne pouvoir malaxer les parties les plus molles mais ces choses-là ne se font pas ici, me rappelait-il. D'ailleurs en France on ne peut plus rien faire. Suivaient une flopée de critiques du gouvernement et l'éloge des bordels belges à quelques kilomètres, dont il me détaillait les prestations et, pour chacune, le prix en effet assez modique.

Comme s'il n'y avait pas assez de problèmes en France avec le gouvernement et les abeilles, alors que tout autour, en Allemagne, en Suisse et en Espagne on pouvait s'envoyer en l'air, tout cet argent filait en Belgique, dans ces bars montants où il retrouvait des filles du coin, pour la plupart des jeunes mères célibataires qui mettaient les gosses ici à la crèche et se faisaient par mois trois ou quatre salaires minima et touchaient en France les allocations. Et nous, tout ce qu'on a gardé de ce côté-ci de la frontière, c'est la centrale nucléaire de Chooz dans la pointe de Givet qui va péter un jour, fulminait l'apiculteur.

Hautes collines boisées où s'effilochent les vieilles brumes du Nord, cabanes à outils au milieu des potagers, une petite table pour y poser un verre de vin rouge et la bouteille, une ou deux chaises pliantes pour regarder pousser les haricots, un arrosoir en zinc, des jardins ouvriers le long des voies de chemin de fer et des canaux où glissent les péniches emplies de blés flamands : remontant les cours de l'Aisne puis de la Meuse jusqu'à Verdun, la ville la plus riante, aux petites terrasses touristiques et fleuries, je me demandais si Paul pêchait déjà dans l'Aisne, dans la Somme, comme plus tard il pêchera dans le Doubs, dans le Tarn, et dans toutes les rivières proches de ses domiciles, l'ablette, le rotengle et le goujon.

À bord de la puissante Renault rutilante c'est un peu la famille idéale des réclames, le père aux cheveux blonds bouclés et aux yeux bleus et la mère aux cheveux noirs coiffée d'un chapeau, sur la banquette arrière les deux enfants blonds, la fille de huit ans et le garçon de cinq ans. C'est un nouveau départ, une époque heureuse qui ne durera pas longtemps.

Les deux parents assis à l'avant ont quarante ans. Eugénie est née à Mérobert en novembre 1890 et Paul trois semaines plus tard à Soissons. Entre ces deux dates, celui qui deviendra des années plus tard leur grand héros, Charles de Gaulle, naît à Lille.

Obnubilé par les éphémérides, les coïncidences de dates et de lieux, j'avais repris un soir mes notes et localisé, en cette année 1890 de la naissance de ces trois-là, ceux d'autres petites bandes dont je consignais les vies. Début avril 1890, Jules Ferry rédige son testament, demande à être inhumé « en face de cette ligne bleue des Vosges d'où monte jusqu'à mon cœur fidèle la plainte touchante des vaincus. Je ne veux, bien entendu, d'aucun prêtre à mes funérailles ». Au mois de juin, Pierre Savorgnan de Brazza et Joseph Conrad remontent le fleuve Congo, l'un à bord du vapeur *Roi-des-Belges* et l'autre à bord du *Courbet*, pendant que Henry Morton Stanley qui a retrouvé Emin Pacha, et raccompagné jusqu'à Zanzibar la population d'Équatoria, s'installe au Caire et écrit son meilleur livre, *Dans les ténèbres de l'Afrique*. En juillet, Vincent van Gogh meurt d'un coup de pistolet à Auvers-sur-Oise pendant que Paul Gauguin, qui ne voulait plus le voir, est au Pouldu en Bretagne. Richard Francis Burton qui fut le plus grand explorateur, le premier Européen à entrer dans la cité de Harar en Abyssinie déguisé en marchand, le premier à pénétrer à La Mecque en Arabie déguisé en pèlerin, le premier à voir les eaux du lac Tanganyika, meurt en octobre à Trieste. Alexandre Yersin embarque à Marseille pour Saigon et Robert Louis Stevenson débarque aux Samoa.

Lorsqu'il apprend que Van Gogh s'est tiré une balle, Gauguin, de retour du chantier de Panamá depuis trois ans, cherche à fuir encore, à quitter la Bretagne. Il écrit en cette année 1890 que « l'Occident est pourri en ce moment ». Il projette un départ pour le Tonkin, « et on revient un ou deux ans après, solide », croit-il, comme s'il avait lu *Mauvais sang* de Rimbaud, puis il penche pour Madagascar : « et nous finirons par vivre pour rien ». Ce sera Tahiti. Puis les Marquises.

Quant à celui qui partit de Charleville parce que ici l'hiver « ça schlingue la neige », celui qui, plus encore que tous les autres, fut atteint de la pathologie de la bougeotte, et déjà au moment de la Commune, à dix-sept ans, avait gagné Paris en train par Saint-Quentin sans billet et s'était fait coffrer, parce qu'à l'époque les contrôleurs et la justice étaient prompts et inflexibles, je pensais à lui en écoutant une conversation entre deux jeunes femmes, dans un café qui jouxtait l'agence de voyages d'où elles sortaient.

Elles venaient d'y acheter des billets pour les îles du Sud et ouvraient sur la table des prospectus colorés. L'une proposait d'emporter dans l'avion leur manger parce que la nourriture est payante sur les vols à bas coûts. Sans doute se réjouissaient-elles d'enfin voir se dresser le grand soleil rouge du soir au-dessus des palmiers, des tamariniers, des badamiers et des camphriers, de voir virevolter dans le ciel doré des frégates et des pailles-en-queue plutôt que des pigeons gris au-dessus des baraques à frites.

Connaîtraient-elles à leur tour la déception, le terrible ennui des Tropiques ressassé dans la correspondance de l'exilé de Charleville, dans ces phrases que j'avais depuis longtemps recopiées, relisais parfois comme une consolation à notre propre et majuscule ennui quel que soit le siècle: en 1881, «je vis d'une façon fort bête et fort embêtante», «heureusement que cette vie est la seule, et que cela est évident, puisqu'on ne peut s'imaginer une autre vie avec un ennui plus grand que celle-ci», en 1884 : «J'ai trente ans passés à m'embêter considérablement», en 1886 il imagine aller se «réfugier dans quelques mois parmi les monts d'Abyssinie», mener une vie «sans hivers et sans étés, et l'existence libre et gratuite». Mais en 1888 : «Mon existence est pénible, abrégée par un ennui fatal.»

En cette année 1890 de la naissance de ces trois-là, après être passé à Djibouti, il voit la tour Eiffel à l'échelle un demi que son collègue Armand Savouré fait ériger par cinquante maçons. Deux mois plus tard, en janvier, ce sera la chute de cheval à Diré-Daoua, l'infection, la course folle de la civière dans la rocaille jusqu'à la côte, l'amputation à Marseille, la tombe à Charleville. Avant de rêver de Zanzibar et du Soudan, le grand marcheur avait souvent par ici franchi à pied les frontières, la belge vers Charleroi et l'allemande vers Stuttgart: celle-ci, du Deuxième Reich, était depuis 1871 plus proche de Charleville. Elle coupait entre Longwy et Thionville.

en zone rouge

Dès septembre 1871, un an après Sedan, quelques mois après la Commune, Hugo qui n'est plus interdit de séjour en France entreprend de voyager jusqu'à Thionville, où son père avait combattu. Au cours de ce périple, dix ans après avoir parcouru le champ de bataille de Waterloo pour écrire *Les Misérables*, il traverse « le champ de bataille de Sedan. Le chef de train nous l'a expliqué. La plaine est couverte de petites éminences couvertes de touffes de chanvre qu'on y a semé. Ce sont des tombes. Dans une petite île de la Meuse, il y a quinze cents chevaux enterrés. La place est marquée par l'épaisseur de l'herbe ».

Quarante-trois ans plus tard et dans tous les environs, ce serait à nouveau des milliers de chevaux mais aussi des centaines de milliers d'hommes qui viendraient se décomposer sous une pluie de feu et de gaz toxiques et pour la première fois sur la planète, comme plus tard à Tchernobyl et Fukushima, une partie considérable de la région deviendrait inaccessible à la vie humaine. À la fin de la Grande Guerre, sept pour cent du territoire national seraient détruits et des centaines de milliers d'hectares, répartis sur onze départements, seraient classés en zone rouge, déclarés impropres à toute activité.

Lorsqu'on descendait un siècle après de Longuyon à Verdun par Mangiennes, puis la belle D905, traversant les grandes collines hérissées de résineux que survolaient des petits rapaces paisibles, pins noirs et pins sylvestres, et parfois des feuillus, aulnes et bouleaux, il n'était pas difficile de croire ces forêts ancestrales mais c'étaient des « forêts de guerre » plantées sur un paysage déboisé et cultivé depuis le Moyen Âge, couvert en 14 de vastes étendues de champs emblavés et de pâtures. Pendant près d'un an, la terre serait remuée et bosselée par les explosions de soixante millions d'obus pour cette seule bataille. Quand les combats depuis des millénaires laissaient sur l'herbe des pointes de silex puis des glaives, armures et boulets que les charrues retrouvaient, ce seraient ici les millions de billes de plomb des shrapnels qui jonchaient encore le sol, et près de cent tonnes de mercure des amorces de munitions qui ne se dégraderont jamais.

Dans les années vingt, la superficie des zones rouges varierait selon le pouvoir des lobbies agricoles désireux de récupérer les terres, la volonté politique d'oubli ou de déni. Des zones seraient déclassées puis interdites à nouveau. On trouverait du plomb dans le vin en contact avec le bois pollué des tonneaux, de l'arsenic dans le sang des gibiers, des métaux lourds dans les champignons. Le pétardage des armes chimiques non explosées accentuerait la contamination des sols barattés par l'écoulement de tous les ruisseaux qui alimentent la Meuse, et la diversité animale et végétale était toujours inférieure à ce qu'elle était un siècle plus tôt.

Arpentant le champ de bataille de Waterloo, Hugo avait inventé le personnage de ce salaud de Thénardier détrousseur de cadavres. Aujourd'hui, l'essor de la vente en ligne attire dans la zone interdite des pilleurs de squelettes en uniforme encore empêtrés aux barbelés, dont on peut trouver aux enchères des insignes de régiments et autres *militaria*. Pendant longtemps la terre continuera ici de vomir au hasard de son mouvement les restes des trois cent mille tués français et allemands. Aux bords de la Bérézina, j'étais allé voir le petit carré où l'on entrepose les cadavres de Grognards que la rivière, deux siècles après, continue de rejeter de temps à autre.

Les services de la Protection civile détruisaient encore en cette année 2015 plusieurs centaines de milliers d'obus et estimaient que, sauf nouvelle catastrophe, les champs de bataille de la Première Guerre devraient être dépollués dans sept cents ans. Sept siècles c'est bien peu, et lorsque vaches et moutons reviendraient gambader dans la zone rouge verdunoise, les deux cent soixante mille hectares autour de la centrale de Tchernobyl, où l'on venait d'introduire des petits chevaux de Przewalski afin d'étudier leurs mutations génétiques, seraient toujours interdits à la vie humaine.

Dans ce concours de longue durée qui semblait une farce, Électricité de France prévoyait de démanteler dans un siècle son parc nucléaire et d'en enfouir les déchets, dont la durée de radioactivité atteignait pour certains le million d'années, tout au sud de ce département de la Meuse, sous le village de Bure, au long de trois cents kilomètres de galeries creusées à cinq cents mètres de profondeur. Sur les conteneurs serait bien précisée, dans tous les calendriers connus, la date avant laquelle il était préférable de ne pas les ouvrir, et le texte de ces étiquettes serait sans doute traduit en arabe et en chinois, peut-être en swahili et en zapotèque, parce que l'avenir souvent est capricieux.

vers le Jura

À l'heure qu'il est, la Renault a peut-être déjà passé Reims. Assis au volant, Paul qui a étudié la carte sait que bientôt, lorsqu'ils traverseront Châlons-sur-Marne, ils seront à quelques dizaines de kilomètres de Verdun. Imagine-t-il faire un crochet ou préfère-t-il oublier tout ça, ne pas ennuyer sa femme et ses enfants avec ces vieilles histoires, aller de l'avant ? La conduite automobile cependant est propice au souvenir involontaire, au surgissement d'anciennes images. Plus au sud, Bar-le-Duc est un itinéraire possible. La main hésite un instant sur la manette du clignotant. Il verrait l'hôpital où à vingt-quatre ans il se demandait ce qu'il faisait là, allongé sur un brancard, revoyant sa vie passée déjà, son premier jour d'ouvrier à l'usine Piat-Chappée de Soissons. Il avait quinze ans.

Seul le sport avait ouvert une lucarne pour fuir la famille et la fonderie, puis l'armée une fenêtre. Déjà moniteur de gymnastique en 1909, médaillé dans les concours régionaux, au cours de ses deux années de service militaire obligatoire, de 1910 à 1912, grâce à cette condition physique il était devenu caporal, puis sergent-chef de section, voilà deux ans de sa jeunesse déjà confisqués, il imaginait que ça pouvait suffire.

L'Allemagne déclare la guerre à la France le 3 août 1914 et le jour même il est envoyé au front avec le 67e d'infanterie, sous les ordres du capitaine Duffié, qui mourra près de lui dans moins d'un an aux Éparges avec le grade de commandant. Dans le paquetage de Paul des lettres d'Annie, une photographie, un trèfle à quatre feuilles. Dans le coffre de la Renault en 1930, ou dans le camion du déménagement, serrée dans ses bagages, voyage avec eux en secret la dernière lettre d'Annie cinq ans plus tard, le 4 août 1919.

Les premiers combats dont on leur avait inutilement caché les pertes, parce que les nombres étaient si démesurés qu'ils étaient inimaginables et ne pouvaient démoraliser la troupe, ceux de Charleroi, Rossignol et Morhange, avaient tué vingt-sept mille soldats français dans la seule journée du 22 août. Cette hécatombe, qui fait jusqu'à présent de cette date la plus meurtrière de l'histoire de France, laquelle ne fut pas paisible, on ne parviendrait à en concevoir l'ampleur qu'en rassemblant ces vingt-sept mille hommes ensanglantés, morts le même jour, debout côte à côte dans un stade, ou au milieu d'une vaste plaine, et auprès d'eux les spectres de leurs enfants et de leurs petits-enfants qui manqueront à l'appel, comme les membres fantômes harcèlent le corps des mutilés.

Paul est de la deuxième vague et monte le lendemain dimanche vers Longuyon, sur la frontière belge entre Sedan et Longwy. Les troupes allemandes déferlent et commettent dans la journée et la nuit les premiers crimes de guerre en territoire français, massacrent des civils et incendient le village, violent des femmes, brûlent dans la paille des soldats blessés. Paul est bien chanceux, touché dès le premier jour, il tombe au sol et on l'évacue sur l'arrière à Verdun. On épingle à son uniforme : « Bras droit transpercé par shrapnel à hauteur du coude. Balle dans le pied droit ».

Au milieu de l'assaut ou du repli, sous la mitraille, la tempête des projectiles en tous sens comme un essaim de guêpes en colère, il n'est pas immobile sans doute, court peut-être, à quelques centimètres l'éclat d'obus lui perce la poitrine plutôt que le bras, la balle traverse la cuisse et l'artère fémorale plutôt que le pied, il est mort, la saga s'achève, personne n'écrira la vie de ce Poilu-là, on dépose son corps au-dessus d'autres morts empilés, l'allonge sous une croix de bois. Par un de ces jolis petits nez de Cléopâtre, celui-là est réparable, peut servir encore. On le descend le 27 à l'hôpital de triage de Bar-le-Duc, par cette route étroite qui deviendra deux ans plus tard la Voie sacrée.

Pendant la semaine qu'il va passer là, les armées françaises reculent de plus de cent kilomètres et les Allemands s'approchent de Paris. Le gouvernement fuit la capitale le jeudi 3 septembre et Gallieni prépare le siège. Le lendemain on envoie le sous-officier blessé loin à l'abri. Il n'a jamais de sa vie effectué un aussi long voyage. Il apprend qu'il est dans le Sud-Ouest à l'hôpital de Caussade, près de Montauban dans le Tarn-et-Garonne, non loin de Moissac où d'autres hasards l'enverront trente ans plus tard, encore plus près de la forêt de Lalbenque, où le jeune garçon de cinq ans qui dort à l'arrière de la Renault, Loulou, rejoindra les maquis. Mais pour l'envoyer à nouveau dans la région il faudra le tourbillon d'une nouvelle guerre. Le jour de l'arrivée du blessé à Caussade, le samedi 5 septembre 1914, Charles Péguy, l'un des premiers tués de la bataille de la Marne, tombe à Villeroy : la percée allemande est arrêtée.

Peut-être après guerre, à Chartres, ont-ils comparé en famille leurs souvenirs et confronté les dates comme je le fais aujourd'hui : pendant que Paul est allongé parmi d'autres estropiés dans l'hôpital de Bar-le-Duc, Alexandre, qui s'attendait à profiter de sa retraite, reçoit ce courrier manuscrit de l'inspecteur de l'académie de Paris :

> Versailles, le 28 août 1914,
> Je vous prie de me faire savoir, par retour du courrier, si vous désirez conserver vos fonctions jusqu'à la fin de la guerre.
> Il est bien entendu que les arrérages de votre pension compteraient à partir du jour où vous cesseriez de toucher votre traitement d'activité.

En cette fin d'août 14, on ne voit pas encore très bien ce que signifie « jusqu'à la fin de la guerre », mais Alexandre rempile et prépare la rentrée des classes. Ça n'est pas parce que le gouvernement s'enfuit que les instituteurs désertent. Il reçoit un laissez-passer du département de la Seine-et-Marne, qui l'autorise à circuler de Chailly-en-Bière à Melun.

Remis sur pied, même s'il lui manque des orteils dans la chaussure droite, Paul est réexpédié au bout de deux mois au dépôt du 67e à Dreux, remonte au front le 1er février 1915, combat aux Éparges, est porté disparu à la Tranchée de Calonne. On retrouve sa trace au camp de Würzburg. Après l'Armistice et de retour en France, il lui faudra refaire ses papiers, envoyer des courriers à l'Administration tatillonne, et presque s'excuser d'être si peu soigneux : « Je regrette vivement de ne pouvoir vous fournir aucune pièce, mon livret militaire, mon billet d'hôpital se trouvant dans mon sac qui a disparu au moment de ma capture au mois d'avril 1915. »

Paul est déjà prisonnier en Bavière et la famille Pathey reçoit à l'école de Chailly une lettre de leur ami Jean Bily, écrite à l'Hôpital complémentaire n° 1 de Montpellier. Celui-là était aux combats de Bois-le-Prêtre, Priesterwald pour les Allemands, entre Metz et Nancy, près de Montauville, qui viennent de faire en ce mois de juin 1915 plus de sept mille morts de chaque côté en assauts aller-retour pour une situation inchangée.

À sa lecture, on lui imagine une bonne gueule de second rôle des débuts du cinéma, à ce Jean Bily, un bon vivant un peu hâbleur et fanfaron, amateur avant guerre des guinguettes aux bords de la Marne coiffé d'un canotier, spécimen de ce peuple de France qui est dans Hugo et que Proust encense comme « la foule innombrable de tous les Français de Saint-André-des-Champs », peuple qu'on pensait immémorial et qu'il me semble bien avoir côtoyé encore dans mon enfance, dont il est difficile de dire quand il a bien pu non pas disparaître mais se raréfier, s'atténuer, pour qu'on n'en trouve plus, disons depuis les années soixante ou soixante-dix, par hasard, que quelques résurgences fortuites, souvent dans des cafés de campagne ou sur les marchés des petites villes éloignées. Et parmi ces millions de « lettres de Poilus », j'aimerais encore sauver la sienne :

> Excusez mon écriture ainsi que mon long silence. C'est plutôt la faute des boches que la mienne. Il paraît que ma présence dans les tranchées de Bois-le-Prêtre était pour

eux d'une grande importance, car ils saluèrent mon arrivée, comme on salue la naissance des princes, par des feux de salves d'artillerie. Et la nuit pour m'amuser, ils faisaient feu d'artifice avec de belles fusées éclairantes. C'était trop beau pour que ça dure.
Au troisième jour en deuxième ligne une grosse marmite est venue me rendre visite mais sans frapper à la porte. Je fus si surpris de cette visite importune que je perdis connaissance. Quand je recouvris l'usage de me sens, je me trouvais dans les bras de camarades qui m'avaient emporté sous un abri. Je ne comprenais rien à cette comédie : je ne ressentais aucune douleur et je me voyais sans armes, sans équipement. Soudain je m'aperçus que mon bras droit ne se soutenait plus, il était brisé, j'avais la figure couverte de brûlures. Alors je compris : je suis blessé, me dis-je.
Je fus évacué le soir même 2 juin, à Pont-à-Mousson. Après avoir passé quelques jours à Toul où je fus opéré à l'avant-bras, je fus dirigé vers le midi. Depuis le 11 juin je suis à Montpellier, où j'espère bien faire une saison. Je n'ai point mérité cette faveur, n'ayant pas tiré une seule cartouche.
Fracture et plaie, tout va mieux. J'ai le bras immobilisé dans un appareil, jusqu'au poignet. La main droite est libre et me sert à tracer sur le papier des caractères presque intelligibles. Avec tout cela j'espère bien avoir terminé ma campagne. Que voulez-vous : n'est pas héros qui veut, je crois que l'intention suffit.

Contrairement à ce qu'il semble prévoir, ses blessures ne seront sans doute pas suffisantes pour la réforme, et il est fort probable qu'il connût d'autres combats, Jean Bily. Jamais son nom ne reparaît dans la correspondance, qui peut-être fut gravé sur un monument aux Morts, ou bien ils se seront perdus de vue.

Relisant l'une des scènes les plus drôles et burlesques de Proust, la discussion des prolétaires pendant leur pause dans le bordel sadomasochiste que fréquente Charlus, lorsqu'ils apprennent la mort avec bravoure d'un officier sur le front, c'est dorénavant ce Jean Bily que j'ai à l'esprit : « Il avait presque les larmes aux yeux en parlant de la mort de cet officier et le jeune homme de vingt-deux ans n'était pas moins ému. "Ah ! oui, ce sont de chics types. Des malheureux comme nous encore, ça n'a pas grand-chose à perdre, mais un monsieur qui a des tas de larbins, qui peut aller prendre son apéro tous les jours à 6 heures, c'est vraiment chouette ! On peut charrier tant qu'on veut, mais quand on voit des types comme ça mourir, ça fait vraiment quelque chose. Le bon Dieu ne devrait pas permettre que des riches comme ça, ça meure, d'abord ils sont trop utiles à l'ouvrier." »

On est toujours myope au milieu de la bataille. L'état-major à jumelles sur sa colline ne voit pas toujours très bien non plus comment les choses se passent. Prisonnier c'est pire, soumis à la censure du courrier et plus encore à la désinformation. Enfermé à Würzburg dès le printemps 1915, Paul n'a connu que des affrontements entre Français et Allemands. C'est plus tard que le front s'internationalise, et il n'apprendra tout cela qu'après sa libération.

L'Allemagne assez vite avait perdu ses colonies du Cameroun, et des actuels Rwanda et Burundi. Son navire de guerre *Graf-von-Goetzen* avait été sabordé dans les eaux du Tanganyika. Depuis juillet 1916 et la bataille de la Somme, les deux empires britannique et français amènent de partout des combattants, tirailleurs sénégalais et algériens au front et les Annamites plutôt dans les usines. Australiens, Bengalis et Sikhs découvrent le Pas-de-Calais. Une photographie de John Foley montrait le monument *1914 – INDIA – 1918* érigé à Neuve-Chapelle, accompagnée de cette citation de Faulkner: «Ils ont quitté l'équateur et parcouru la moitié du monde, venant ici mourir dans le froid et la pluie – Sénégalais, Marocains, Kurdes, Chinois, Malais, Indiens, Polynésiens, Mongols et Noirs, qui ne pouvaient comprendre le mot de passe.»

La guerre devient mondiale mais on dit encore la Grande Guerre, qu'on n'appellera la Première Guerre mondiale qu'au début de la Seconde, qui elle-même, peu à peu, deviendra la Deuxième, comme si elle n'était plus forcément la dernière. Assis au volant de la Renault, en cette année 1930, Paul qui remue tout cela dans son esprit espère encore que ce fut bien la der des ders.

chez Poitevin

À la fin d'un dîner à Paris chez Véronique Yersin avec l'écrivain et acteur allemand Hanns Zischler et Jean-Christophe Bailly, alors que nous nous séparions en échangeant nos projets pour les semaines à venir, qui partant à Genève ou à Blois ou rentrant à Berlin, j'avais mentionné mon départ pour Longuyon dans la Meurthe-et-Moselle, aussi bien que j'aurais prononcé Mpulungu en Zambie – comme si je ne pouvais pas m'attendre à ce que l'auteur du magistral *Le Dépaysement* connût sur le bout des doigts les trente-six mille et quelques communes. Aussitôt Bailly décrivait le village et sa grande pharmacie Marx, me recommandait son ami photographe Éric Poitevin. Son atelier était à Longuyon mais il habitait à Mangiennes, dont l'une des rues principales, précisait-il, est la rue de Moscou. Ils préparaient un livre ensemble. Il le préviendrait de ma venue.

Cet après-midi-là, j'étais allé voir un cimetière militaire allemand aux croix de bois grises, entourées de haies basses et bien taillées, puis à Longuyon les rues rebaptisées après l'Armistice, en remerciement aux villes généreuses et bienfaitrices qui n'avaient jamais reçu d'obus et avaient aidé à la reconstruction des villages martyrisés : l'ancienne

Grand-Rue ainsi devenue rue de Sète, et l'ancienne rue des Halles la rue de Deauville, parce que les riches planqués eux-mêmes avaient mis la main à la poche, comme on achetait autrefois des indulgences auprès du dieu Arès.

Cette zone de Longuyon fut aussi le bassin d'emploi de Longwy et des aciéries. Certaines familles depuis la fermeture des hauts-fourneaux en étaient à la troisième génération de chômeurs. Le bâti des anciens villages s'effondrait et la population de la Meuse était moindre qu'un siècle plus tôt. Les vastes demeures paysannes de l'ancien temps étaient découpées en petits appartements avec des cloisons de Placoplâtre, loués à la Direction des affaires sanitaires et sociales pour y loger des indigents. Dans ces régions sinistrées peu de mouvements sociaux et davantage de fatalisme. Comme si toute action était devenue vaine et qu'il fallait s'en remettre au destin, aux hasards de la vie en général, aux jeux de hasard en particulier.

Autant que par la présence troublante et invasive de boutiques « Ongleries » et la disparition des pompes à essence, j'avais été surpris ces derniers jours par le nombre faramineux de bars à Rapido et autres activités de grattage, établissements bruyants équipés de téléviseurs, ornés d'immenses faux chèques en carton annonçant les gains mirifiques empochés ici même, où se voyaient des clients arborant souvent tatouages et piercings, serrant entre le pouce et l'index une piécette à la verticale, s'affairant sur des tickets multicolores où parfois s'affichaient les signes de l'horoscope, les doigts féminins souvent prolongés d'ongles bariolés.

Peu d'activités étant compatibles avec de telles griffes fragiles, ceux qui dans la journée travaillaient n'étaient pas ici mais de l'autre côté des frontières, en Belgique et pour les plus vernis au Luxembourg, dont le nom évoquait quelque contrée fabuleuse du Pérou au temps de Pizarro. Ces couples de frontaliers faisaient bâtir de grosses maisons avec deux garages en fronton pour leurs voitures neuves. S'agissant de cette manne des revenus étrangers, les avis étaient ici partagés. Si des entreprises de construction s'en frottaient les mains, d'autres artisans l'accusaient d'empêcher tout développement local et de siphonner la main-d'œuvre qualifiée.

J'avais évoqué les massacres de civils commis à Longuyon dans les premiers jours de la guerre de 14. Dans son enfance de lecteur avide et sans bibliothèque à la maison, Poitevin avait connu une vieille femme qui lui prêtait des livres et lui avait un peu parlé des événements de l'époque. La paix revenue cinq ans plus tard, personne n'avait songé semble-t-il à enquêter, à poursuivre les coupables. Nulle cour pénale internationale ni cellule psychologique. C'était avant les nouvelles conventions de Genève. Ces assassinats n'étaient pas encore des crimes de guerre mais des dommages collatéraux habituels.

Nous regardions des planches d'épreuves du prochain livre, *Le Puits des oiseaux*, pour lequel Bailly venait d'écrire le texte. Des volatiles de tailles et de couleurs diverses, de l'impressionnant autour des palombes au petit moineau, au bouvreuil pivoine, au tarin des aulnes, pendaient à une ficelle devant un fond neutre. Pendant des années, on avait apporté à son atelier de Longuyon ces oiseaux trouvés morts au bord des routes ou dans les champs, que dans un premier temps il gardait au frais, avant de les suspendre pour les photographier à la chambre. Si certains d'entre eux avaient pris du plomb dans l'aile lors d'accidents de chasse, d'autres étaient morts naturellement, ou parce qu'ils étaient allés becqueter trop souvent en zone rouge.

de l'optimisme routier

Après Longwy j'avais traversé, je ne sais où, l'ancienne frontière, étais descendu vers la vallée de la Fensch où se fondait autrefois l'acier lorrain, par tous ces lieux qui n'étaient plus en « ville » mais en « ange », Hayange, Nilvange, Florange ou Gandrange, étais remonté sur Thionville où plusieurs fois j'étais arrivé en train, empruntant depuis la gare le pont sur la Moselle pour gagner l'hôtel Mercure Centre. Je descendis de la Passat Hugo et Chateaubriand qui sont de bons camarades de voyage.

Si les ravages guerriers sont la fatalité des villes frontalières comme des ports de mer, Thionville jusqu'à présent ne s'en est pas trop mal tirée, qui a conservé son beffroi et les arcades médiévales du marché ainsi que les façades espagnoles de la rue de la Tour, et cette préservation du patrimoine, nous la devons en partie au général napoléonien Joseph Hugo. Lorsque son fils arrive enfin ici, en 1871, après avoir mûri ce projet pendant ses vingt années d'exil, cette fois la ville est tombée, Victor Hugo est en Allemagne : « J'ai vu cette ville que mon père a défendue en 1814 et 1815, et qu'on n'a pas prise. L'Allemagne la tient. Il y a une sentinelle prussienne aux portes. »

Il entreprend son pèlerinage familial : « J'ai demandé au maire, monsieur Arnould : "Où sont vos archives ? Je voudrais voir les dossiers relatifs au siège de 1814 où mon père commandait." Il m'a répondu : "Nous n'avons plus d'archives. Tout est brûlé." » Hugo sort son matériel de dessin et s'installe dans la rue de la Tour, « Thionville a de beaux restes de l'époque espagnole », note celui qui avait un peu grandi à Madrid. On s'approche de son tabouret, on le reconnaît, il est la France en personne : « On me regardait les larmes aux yeux et je disais aux passants : "Soyez tranquilles, nous vous délivrerons. Ou la France cessera d'être la France, ou vous cesserez d'être prussiens." » La promesse serait tenue mais quarante-sept ans plus tard. Le fort de Guentrange, que les Allemands avaient construit pendant cette première annexion pour protéger Thionville contre la revanche française, aura été inutile, tout comme ceux de la ligne Maginot dans l'autre sens n'éviteraient pas la deuxième annexion, plus brève, de 1940 à 1944.

Hugo se rend à Rodemack qu'il orthographie Rodemach, aujourd'hui près de la frontière avec le Luxembourg : « Rodemach est célèbre parce qu'en 1814 une garnison de soixante-quinze hommes détachée de Thionville, et mise dans Rodemach par mon père, a tenu tête à 45 000 Allemands. » Dans la campagne il croise un cavalier : « Il m'a salué en passant ; son cheval s'est arrêté et a baissé la tête. Le vieux homme m'a dit : "C'est un geval vranzais ; il vous zalue." »

Celui-là qui écrivit, ou le prétendit, dans son cahier, à l'âge de quatorze ans, qu'il voulait être « Chateaubriand ou rien», sait bien qu'avant lui son modèle était venu dans ces parages et s'était retrouvé du mauvais côté de l'Histoire, dans le camp des agresseurs. Le vicomte François-René de Chateaubriand, auquel le sol de France était interdit par la Révolution, s'était engagé dans l'Armée des Princes. Les combattants émigrés français mal équipés sont placés à l'arrière-garde des troupes prussiennes du duc de Brunswick. Au printemps de 1792, «l'ordre arriva de marcher sur Thionville».

Les Prussiens emportent leurs premières victoires et avancent vers Paris pour libérer Louis XVI et le rétablir sur son trône. Dans un souci diplomatique, on appelle les émigrés français à rejoindre le corps principal. «Nous levâmes le siège de Thionville et nous partîmes pour Verdun, rendu le 2 septembre aux alliés. Longwy, patrie de François de Mercy, était tombé le 25 août.»

Mais dès le 20 septembre c'est la bataille de Valmy, à mi-chemin de Verdun et de Châlons-en-Champagne, le triomphe de l'armée des gueux qui sauve Paris et la Révolution. Les Prussiens sont vaincus. C'est la débandade de la retraite. Et ces phrases qu'on dirait de Maurice Genevoix dans *Ceux de 14*, ou d'Ernst Jünger dans *Orages d'acier*, ces deux-là ayant eux aussi combattu aux Éparges près de Verdun, c'est dans les *Mémoires d'outre-tombe* qu'on les lit, et c'est la débâcle militaire de 1792 qu'elles décrivent: «Nous quittâmes Verdun. Les pluies avaient défoncé les chemins; on rencontrait partout caissons, affûts, canons embourbés, chariots renversés, vivandières avec leurs enfants sur le dos, soldats expirants ou expirés dans la boue.»

C'est le sauve-qui-peut et Chateaubriand blessé monte vers Longuyon puis Longwy, passe en Belgique, gagne Arlon puis Namur, où des femmes viennent au secours de ce loqueteux qui s'enfuit seul au bord de la route avec sa béquille : « Je m'aperçus qu'elles me traitaient avec une sorte de respect et de déférence : il y a dans la nature du Français quelque chose de supérieur et de délicat que les autres peuples reconnaissent. » La maigre consolation de ce prestige est surannée et très dix-huitième, mais il la défendra encore en s'adressant à la France de l'avenir, qu'il voussoie : « Et pourtant, France du dix-neuvième siècle, apprenez à estimer cette vieille France qui vous valait. Vous deviendrez vieille à votre tour et l'on vous accusera, comme on nous accusait, de tenir à des idées surannées. »

C'est dans ces lieux des confins que j'avais rencontré le géographe et diplomate Michel Foucher. Nous avions organisé ensemble à Thionville des conférences sur les frontières à la demande du maire de l'époque, Bertrand Mertz, auxquelles j'avais invité la romancière japonaise de langue allemande Yoko Tawada. Sur le chemin du retour, nous avions déjeuné en tête à tête d'une choucroute près de la gare de Metz en attendant notre train. Foucher dirigeait l'édition de l'*Atlas de l'influence française au XXI*e *siècle*.

L'ouvrage ferait une large place à la promotion linguistique et culturelle, reprendrait cette histoire depuis la création de l'Alliance française en 1883, dont les fondateurs se réunissaient au cercle Saint-Simon animé par Ferdinand de Lesseps, Louis Pasteur, Ernest Renan et Jules Verne, recenserait les centaines d'Alliances présentes aujourd'hui dans plus de cent pays, dans le domaine médical la trentaine d'Instituts Pasteur à l'étranger. Il aborderait sans doute encore la création mathématique de pointe, l'exploration spatiale et océanographique, rappellerait que le Louvre est le musée le plus visité au monde, dans une avalanche de chiffres et de graphiques propre à froisser notre légendaire modestie, mais propre aussi à réfuter cette agaçante propension française à se tirer des balles dans le pied. Proust notait déjà cette « habitude dans notre douce France où l'on aime à se calomnier soi-même », attitude d'ailleurs paradoxale, puisqu'on peut soupçonner, dans cet autodénigrement, l'ambition démesurée d'une grandeur inévitablement déçue, quelle que soit son ampleur.

Ainsi l'optimisme, davantage encore lorsqu'il semble difficile à tenir, est-il un impératif catégorique, ainsi que la bonne humeur et l'humour selon Alain. « À chaque trait d'esprit meurt un système. » Je songeais que l'attentat dans les locaux de *Charlie Hebdo* avait réveillé le terme de peuple que la presse n'utilisait plus qu'au sens figuré. En une du quotidien *Libération* le 11 janvier 2015 : « Nous sommes un peuple. » *Le Parisien* du lundi 12 : « Hier, le peuple de France s'est levé », et qu'il était formidable que le glas fût sonné à Notre-Dame de Paris après l'assassinat de ces bouffeurs de curés.

Confortablement installé sur l'A31 en direction du sud et de Pont-à-Mousson – ville dont la puissance poétique, au-delà de sa capacité à ponctuer tous les trottoirs de France de plaques d'égout à son nom, évoque quelque pont asiatique perdu dans la brume sous les pluies diluviennes –, j'alimentais de moult combustible mon optimisme, retrouvais une soirée à Bordeaux près de la halle des Chartrons en compagnie d'André Velter, qui m'apprenait que, chaque jour – non pas que Dieu fait puisque nous sommes athées, et aussi Ernest Pignon-Ernest qui dînait avec nous et le revendiquait –, chaque jour donc que Dieu ne fait pas et que nous faisons nous-mêmes, il se vendait en France plus de mille exemplaires de sa collection « Poésie ».

Lorsque je m'étais arrêté pour faire le plein, que j'avais stationné entre de hideux camping-cars, foulé une pelouse maculée de restes d'emballages et de papiers embrenés, me dirigeant vers la caisse, je m'étais souvenu que les assassins des journalistes de *Charlie Hebdo*, qui n'avaient pas organisé leur repli et avaient oublié de se munir d'un peu d'argent de poche, avaient braqué dans leur fuite une station-service afin de se procurer de la nourriture et ainsi s'étaient fait localiser. Comment un peuple qui avait gagné une guerre après avoir perdu vingt-sept mille hommes en une seule journée, un peuple qui achète en librairie plusieurs dizaines de milliers de poèmes par jour, pourrait-il se laisser impressionner ? Quelques kilomètres plus loin cependant, je songeais à ce mot de peuple qui m'était venu à l'esprit, peuple auquel appartenaient les frères Chérif et Saïd Kouachi nés à Paris, ainsi que leur complice Amedy Coulibaly, le tueur du magasin casher de la porte de Vincennes, né dans le département de l'Essonne, ce qui compliquait un peu la réflexion, que j'abandonnai pour l'instant.

La conduite automobile favorise ainsi la digression, la farandole d'idées parfois lumineuses et souvent absurdes, l'oubli du temps et des lieux : peu à peu je m'égarais. Après le bref rappel au présent de chaque péage, je vieillissais ou rajeunissais, changeais de continent puis, de retour en France et lisant l'heure au tableau de bord, fixant l'aiguille du compteur de vitesse, je m'aperçus que je lambinais sur la voie de droite, me décidai à accélérer, à rattraper la petite bande des quatre qui depuis longtemps sans doute avait passé Dijon, se rapprochait du Jura et de la frontière suisse et pourrait bien arriver avant moi, selon la fable bien connue de la grosse tortue Reuneau et du lièvre Volcevagaine qui se fait coiffer sur le poteau.

à Dôle

Réglons d'emblée le sort de ce petit circonflexe : il est dans Boileau, il fut dans mon enfance. Et peut-être était-ce le millier d'alexandrins de l'*Art poétique* que récitait à longueur de journée Taba-Taba sur les marches du Lazaret mais sans les paroles. Peut-être Boileau avait-il confondu cette ville avec le vin valaisan ou le deuxième plus haut sommet du Jura suisse, la Dôle, au moment de clamer les victoires du Roi-Soleil :

> Mais tandis que je parle une gloire nouvelle
> Vers ce vainqueur rapide aux Alpes vous appelle
> Déjà Dôle et Salins sous le joug ont ployé
> Besançon fume encor sur son roc foudroyé

Pour mettre fin à ces querelles dont la France raffole, souvent on en réfère à l'État suprême arbitre, comme à l'instituteur les gamins dans la cour de récréation : un arrêté préfectoral en 1962 zigouilla cet accent. Mais c'est au début des années trente qu'ils descendent de la Renault, et par la suite ils conserveront Daule pour distinguer dans les conversations la ville de leurs souvenirs d'avec Dol-de-Bretagne, et jamais non plus ne diront Beijing pour Pékin ni Mumbai pour Bombay.

Dole comptait en cette année 2015 plus de vingt-cinq mille habitants. Dôle en comptait dix-huit mille en cette année 1931, progression très notable, même si elle est de nature à faire sourire un démographe chinois. J'avais abandonné la Passat sur la place Jules-Grévy, devant l'hôtel de la Cloche où j'avais déposé mes bagages. Puis j'avais entrepris pour me dérouiller les jambes de flâner dans les rues, où je n'aurais pas été surpris de retrouver le long d'un trottoir leur véhicule immatriculé dans l'Aisne. Mais sans doute ont-ils déjà trouvé un garage, parce qu'ils mènent grand train, en ce début de leur vie franc-comtoise.

Paul loue un appartement cossu dans l'hôtel de Froissard, au 7 de la rue du Mont-Roland, hôtel particulier du dix-septième siècle classé depuis aux Monuments historiques. Le quartier devenu semi-piétonnier est touristique et pittoresque, entre les édifices des passages qu'on dit ici treiges, aux fenêtres des grilles noires arrondies et ventrues restées du temps que le comté de Bourgogne était espagnol, en bas l'impasse des Carmélites, en face la maison Odon-de-la-Tour, au coin de la rue le collège Notre-Dame de Mont-Roland où il enseigne la gymnastique, non loin de celui des jésuites, et la rue Charles-Sauria génial inventeur de l'allumette. La petite Monne est inscrite au pensionnat Sainte-Ursule en classe de septième. Comme toutes ses camarades demi-pensionnaires, elle doit y manier le midi, selon les règles de la bienséance, ses propres couverts en argent.

Leur vie dès lors s'établit dans ce périmètre du centre historique. Ils vont s'habituer à la paix, nulle trace ici de la Grande Guerre. Le monument près de chez eux est aux morts de 70. Débarqué à Marseille deux jours après Sedan, Giuseppe Garibaldi, l'ami de Hugo, avait installé dès octobre à Dôle l'état-major de son Armée des Vosges, volontaires italiens mais aussi espagnols et polonais, et repris le combat pour la République. Au même moment Brazza choisissait par solidarité la nationalité de cette France vaincue. C'est ici que se constitue le petit panthéon des héros qui me serait transmis, Schweitzer l'Alsacien né allemand après Sedan et devenu français, Lesseps l'Égyptien et plus tard Lacordaire le Sorézien, Pasteur le Jurassien né à Dôle, qui après la défaite quitte Paris et part sur les routes à la recherche de son fils disparu dans les combats, ou au moins de sa dépouille, comme après l'autre guerre Rudyard Kipling pétri de remords, assis à l'arrière de sa Rolls-Royce, montrera à son chauffeur la carte du champ de bataille de Loos, et cherchera le corps de son fils myope tombé à son premier assaut. Réformé, il avait tenu à combattre pour obéir à la redoutable injonction paternelle d'être «un homme, mon fils».

Pendant que Paul est aux barres parallèles et Monne à l'école, Eugénie soupire devant *L'Angélus* de sa mère accroché au mur, coiffe son chapeau de deuil à fleurs noires et violettes, sort se promener avec le petit Loulou, blond encore comme son père et sa sœur mais dont les cheveux brunissent. En cas de rhume ou de fièvre, leur voisin est médecin et devient leur première relation amicale. Ensemble ils profitent des divertissements d'avant la télévision dont ils conservent les programmes. Si le théâtre du Lazaret vient de Sorèze, avant cela il y eut sa découverte à Dôle, et Paul déjà à Saint-Quentin avait rejoint une troupe d'amateurs. Le dimanche 15 février 1931, on donne *La Reine Mozab*, opéra-comique de

Duprato, le dimanche 17 mai *Alkestis*, drame antique d'après Euripide, quatre actes en vers dont un prologue par Georges Rivollet. Mais surtout ce sont les grands spectacles du sport. Le 10 mai, la « Fête de gymnastique et de Jeux du Collège Notre-Dame de Mont-Roland : Assauts d'épée, hockey, assauts de fleuret, basket, pyramides, moniteur monsieur Deville, diplômé de l'École de Joinville », et le 28 juin le grand « Concours interrégional de Gymnastique et de Musique de la FGSPF », Fédération gymnastique et sportive des Patronages de France de son idole Gabriel Maucurier. Et peut-être, si la possibilité avait existé à l'époque, Paul aurait-il pris le nom de sa mère, Julie Maucurier, et abandonné celui de son père Eugène Deville.

C'est toujours un peu curieux d'avoir un nom même si c'est bien pratique, qu'on n'a pas choisi et qu'on doit porter. Yersin en sait quelque chose. Il y a des phrases là-dessus dans Genet, peu à peu on devient son nom, s'identifie à ses sonorités. Avec la cruauté des enfants qui est un début de poésie, on trouve toujours à s'en moquer, « Ça gaze Deville ? ». Adolescent, on repère ce nom à la lecture des livres, celui-là est assez commun, celui de Sainte-Claire Deville dont le portrait ornait le bureau de Pasteur, de Jean Deville chassé par le Second Empire et médecin de Hugo en son exil, du général Deville qui combattit à Verdun, et d'Alphonse Deville né à Dôle, qui vécut à Paris rue du Cherche-Midi et donna son nom à la petite place près de l'hôtel Lutetia : ce patronyme est ainsi honorablement connu des Dôlois, et peut-être facilite-t-il son intégration davantage que celui de Maucurier.

En même temps c'est un peu idiot de conserver ce nom de naissance – déjà qu'on ne peut modifier ni le siècle ni le lieu de celle-ci. Longtemps je regretterais de n'avoir pas inventé comme Traven ou Cravan un pseudonyme, et d'être seul à pouvoir sourire de voir ce nom secret écrit en Suisse sur les camions Deville-Mazout, dont le logotype est un écureuil à la queue barbelée de flammes, et à Québec de lire sur la vitrine du restaurant « Deville, manger, boire, se rassembler », surtout à Buenos Aires sur cette publicité pour la marque de lingerie féminine : « Deville, para cada momento de tu vida ». Et ce nom, à l'inverse, peut être un masque : en 1975, Roman Kacew, habitué des pseudonymes, de Shatan Bogat, plus tard d'Émile Ajar, avait publié son roman *Direct Flight to Allah* sous celui de René Deville. C'est sous celui de Romain Gary qu'il avait écrit cette phrase : « Je n'ai pas une seule goutte de sang français mais la France coule dans mes veines. » Alors qu'une alliance de fait entre les islamistes djihadistes et l'extrême droite nationaliste tentait d'entraîner la France dans une guerre civile, j'aimais cette définition simple donnée par ce juif de Lituanie : « Le patriotisme c'est l'amour des siens, le nationalisme c'est la haine des autres. »

L'élection d'un bistrot dans une ville inconnue obéit à un tropisme mystérieux : c'est après avoir poussé la porte du Central, rue des Arènes, non loin de la collégiale Notre-Dame, que je m'étais aperçu y être entré déjà des années plus tôt, lorsqu'en 2008, en chemin pour l'université de Lausanne où j'allais consulter des archives de Malcolm Lowry, j'avais fait étape à Dole, et photographié l'hôtel de Froissard pour Monne qui vivait encore.

Sept ans plus tard, assis sur la même banquette au fond du café, devant un anis de Pontarlier plutôt qu'un macvin trop sucré, j'avais déplié l'édition hebdomadaire de *La Vie doloise* du samedi 16 mai 1931, que le gymnaste avait achetée dans cette ville quatre-vingt-quatre ans plus tôt, avait gardée on ne sait trop pourquoi, promenée un peu partout en France au hasard de ses déménagements, et que j'avais rapportée à Dole pour en faire à mon tour la lecture.

Je craignais un peu qu'un client, comme c'est parfois le cas dans ce genre d'établissement, me salue d'un : « Alors, les nouvelles sont fraîches ? » Pas tellement. Paul Doumer, l'orphelin d'Aurillac et ami d'Alexandre Yersin l'orphelin de Morges, vient d'être élu président de la République et le restera jusqu'à son assassinat un an plus tard. À la Chambre, le ministre des Affaires étrangères, Aristide Briand, fait voter par cinq cent quarante voix contre six une adresse de sympathie à la jeune République espagnole. Le journaliste cependant fait part de son inquiétude, et l'avenir montrera qu'elle n'était pas infondée : « Il faut suivre avec attention les événements espagnols. Ils ne présagent rien de bon. L'idéal des républicains paraissait être d'établir un régime de liberté et de tolérance comparable à la République française qu'ils ont toujours admirée. Nous craignons qu'ils ne soient emportés malgré eux vers des conceptions plus brutales, provoquant irrésistiblement des réactions non moins vigoureuses et ainsi serait ouverte une longue période d'agitation, de souffrances et de misères. »

Plus au nord, en ce printemps de 1931, l'Allemagne se montre encore pateline : « Le Dr Curtius, ministre des Affaires étrangères du Reich, a répondu, au cours d'un banquet à Berlin, aux déclarations faites par M. Briand devant la Chambre française à propos du projet d'accord douanier austro-allemand. M. Curtius a parlé en faveur du projet dans des termes d'ailleurs modérés : il a affirmé la correction de ses procédés diplomatiques et la pureté de ses intentions relativement au maintien de l'indépendance de l'Autriche. »

Tournant les pages, je progressais vers l'actualité locale, mais dans le Jura pas grand-chose cette semaine-là, quasiment rien, et le correspondant local du canton de Chaumergy, un peu emmerdé parce qu'il doit bien rendre un papier, justifier son poste, ne relève que ce fait divers susceptible d'être porté à la connaissance des lecteurs, lequel donne une idée de ce que pouvait être alors la délinquance jurassienne : « Contravention – M. N..., de Commenailles, circulait à bicyclette, sans lanterne, vers minuit, mardi dernier, lorsque les gendarmes de Chaumergy le rencontrèrent et lui dressèrent procès-verbal. »

On découvrait enfin, à la lecture d'un reportage consacré à la Fête nationale de Jeanne d'Arc à Dôle, pourquoi ce journal avait été conservé si longtemps : « Aux accents d'une marche exécutée par l'harmonie de la Légion Doloise sous la direction de M. Lenoble, M. Deville, moniteur diplômé de l'École de Joinville, présente ses troupes. En culotte bleue et chemise blanche à col et parements bleus, les cadets avancent par rangs de six, couvrant de leurs bras étendus la surface de la cour. La colonne salue à l'antique et se retire. Elle a belle allure, vraiment ! »

Voilà Paul au bout de quelques mois connu et accepté dans sa nouvelle ville. Pourquoi au bout d'un an veut-il déjà partir ? Vu de loin tout va bien, professeur respecté, logé à l'une des meilleures adresses bourgeoises, mais il est dans le rouge : il a dû revendre la voiture et cherche à donner des leçons particulières. Ou bien il lâche la proie pour l'ombre. Le moment est mal choisi. En cette année 1931, les ravages de la Grande Crise apparue deux ans plus tôt en Amérique atteignent l'Europe. La France compte déjà deux cent mille chômeurs. Les chiffres en Allemagne sont sans commune mesure. Les chômeurs sont cinq millions et le système bancaire s'effondre. Paul referme le journal et allume sa pipe, fronce les sourcils.

la tentation des armes à feu

Il semble bien qu'à la différence des ministères et des états-majors, les petites gens n'y croient déjà plus vraiment, à cette paix avec l'Allemagne qui fut l'agresseur et peu à peu se fait passer pour la victime. On craint qu'elle réarme en douce et attaque par surprise. On s'y prépare. Paul a déjà tué. Il a connu le feu à la tête de sa section d'une trentaine d'hommes. Il est titulaire depuis la fin de la guerre d'une carte de la Société de tir et de préparation militaire :

Épreuve à moyenne distance (fusil de guerre)
série : 7 balles tirées successivement et sans arrêt anormal
distance : 200 mètres
position : facultative, sans appui
arme : fusil réglementaire, pris au pas de tir
les fusils avec lesquels les candidats exécuteront leurs épreuves de tir devront avoir été vérifiés avec soin avant les examens, et être du modèle de l'arme ayant servi à l'instruction des candidats dans leur société
cible : carrée, de 1,50 m de côté. Au centre un cercle ayant un mètre de diamètre et divisé en 10 zones comptant 1 à 10 points ; visuel noir de 0,20 m de diamètre comprenant les zones 9 et 10
réglage : trois balles d'essai précédant immédiatement l'exécution du tir

Il conservera sa vie durant, dans la grande boîte en fer où s'accumulent les médailles sportives et militaires, des réserves de munitions que je retrouverais chez Monne. Ses blessures psychologiques sont celles des rescapés de la Grande Guerre comme du Vietnam ou de l'Afghanistan, des images qui reviennent par surprise de l'enfer de Longuyon ou des Éparges, le carnage, le bruit, le souffle, l'impossibilité d'en parler sauf aux autres survivants, le repli, la culpabilité de survivre, le souvenir de son frère mort gazé – mais qui ne vit alors avec l'image d'un mort.

S'il est abonné à la revue de l'Union des sociétés de gymnastique de France, il l'est aussi à l'organe officiel de la Fédération nationale des amicales de sous-officiers de réserve, et reçoit d'office la publication mensuelle *Le Sous-Officier de réserve*. Pour le numéro de septembre 1932 que j'ai sous les yeux, le général Gamelin, chef d'état-major, écrit quelques mots qu'il conclut ainsi: « J'ajoute que le Français est facile à manier; mais il faut le commander avec son cœur. Tous ceux qui ont fait la guerre savent qu'aux heures graves, le moral domine tout. Mais il faut connaître son métier que le progrès des armements rend chaque jour plus difficile. Nous devons travailler pour connaître les outils qui nous sont confiés. »

Celui qu'on finira par appeler Gagamelin, tant ses conceptions stratégiques sont obsolètes, mènera l'armée au désastre de 40. En cet automne 1932, le lent écroulement se poursuit en Allemagne. Les chômeurs sont à présent six millions. Trois mois plus tard, Hitler est élu chancelier. Paul renouvelle sa carte au champ de tir.

un jeune couple

Il est nu et métallique. Un garçon et une fille perchés sur l'équateur d'un globe terrestre personnifient le Doubs et la Loue, leur confluence. La fontaine est posée devant l'hôtel de la Cloche sur le parking Jules-Grévy. C'est la statue de ce dernier qui se dressait au milieu de la place lorsque Paul vivait ici. L'année de l'élection de Grévy à la présidence de la République, en 1879, le jeune prince héritier Louis-Napoléon Bonaparte était tué en Afrique dans la guerre anglaise contre les Zoulous. Tout risque de retour à l'empire était écarté et Grévy avait instauré *La Marseillaise* hymne national, décrété les fêtes du 14-Juillet, amnistié les Communards, par la suite fait entrer les restes de Victor Hugo au Panthéon. En 1941, Vichy déboulonnera la statue dôloise de Grévy.

Depuis la fontaine, la rue Jean-Jaurès descend vers la maison du père de Louis Pasteur, bâtisse traversière à niveaux donnant à l'arrière sur le canal des Tanneurs, modeste bras dérivé du canal Rhin-Rhône, qu'il faut lui-même traverser pour atteindre le Doubs. Ils vont découvrir et aimer l'hiver rude, les glaces du Jura, le bûcheronnage des grands troncs descendus de la montagne vers le canal. La ville passe pour l'une des plus froides et l'air y est sain et tonique. Lorsqu'il n'est pas au champ de tir ou au collège, Paul est à la pêche.

Nous marchions le long des prairies sous un ciel bleu que reflétait la rivière, laquelle sur une partie de son cours est la frontière avec la Suisse avant d'offrir son nom à un département depuis que la Constituante avait choisi l'hydronymie, puisé dans les centaines de fleuves et de rivières qui devinrent le grand poème révolutionnaire des préfectures. Quelques vaches paissaient. Je songeais que cet animal si précieux pouvait aussi servir la toponymie : passerait ici cette longue Diagonale de la Vache du nord-est au sud-ouest, sur cette ligne de Belfort à Bayonne où vivent en certains endroits bien plus de bovins que d'humains, déclinant les laitières comme indications géographiques : la montbéliarde puis la charolaise, la limousine, la salers et jusqu'à la bazadaise.

Après la neige, le cours est lisse et majestueux, sûr de lui, serein comme semble l'être la ville elle-même au-dessus. Sa pente légère ménage des étendues d'eau paisible bordées de prêles et des îles où vivent des castors et des oiseaux rares, le petit passereau gorgebleue à miroir et la sterne pierregarin. Assis au bord de l'eau, nous regardions devant nous flotter les bouchons de liège, et Paul peut-être sentait ma présence fantomatique à son côté. Les douces collines nous cachaient avec pudeur la Loue dont Courbet peignit la source érotique, le beau bleu-vert que lui donne le sous-sol karstique. C'est au début du siècle qu'on avait découvert, par le hasard d'un incendie à l'usine Pernod de Pontarlier, lors duquel des milliers de litres d'absinthe s'étaient déversés dans l'eau, aux poissons ivres de fée verte et frétillant déraisonnablement, que la Loue est une résurgence du Doubs : ainsi le couple sur la fontaine n'est pas frère et sœur mais père et fille, et celle-ci amène au puissant cours paternel ses jolis petits affluents, le Lison et la Cuisance, la Brême et la Réverotte.

Afin de prévenir les inondations de plus en plus fréquentes et le grignotage des berges, on imaginait ralentir la rivière en lui restituant des méandres où feraient étape les migrateurs. Certains de ces oiseaux mourront ici dont ne demeurera, si loin de chez Poitevin, nulle trace photographique, mais peut-être géologique, ainsi que leurs ancêtres reptiliens fossilisés dans ces roches qui donnèrent le nom de jurassique à la période qui suivit le trias, et bien avant, au passage du permien au trias, les étés caniculaires, les températures de soixante degrés, les tempêtes et les ouragans furent les signes d'un bouleversement climatique qui entraîna la disparition de 95 % des espèces maritimes et de 70 % des espèces continentales : parmi celles-ci l'humaine ne figurait pas encore, dont le prochain réchauffement pourrait bien amener l'extinction, ainsi que celle de tous les dieux pourtant si distrayants qu'elle avait inventés pour se quereller.

Environ deux cent cinquante millions d'années plus tard, nous avions plié les gaules, remontions avec quelques petits poissons vers la vieille ville et Paul à son tour était redevenu le fantôme invisible à mon côté.

Après avoir poussé la haute porte de l'hôtel de Froissard interdit au public – mais c'est un peu comme si j'étais un ancien locataire –, j'avais emprunté le majestueux escalier à double volée, marché dans la cour intérieure pavée, puis dépassé, au numéro 14 de la rue, le pensionnat Sainte-Ursule où Monne était penchée sur ses cahiers, avais suivi la côte de cette longue artère du Mont-Roland qui montait à mesure qu'elle s'éloignait du centre, se courbait à main gauche en direction des voies ferrées, jusqu'au siège dolois de La Vache qui rit, et derrière lui la petite usine Bel où l'on produit de nos jours les délicieux Apéricubes. Pendant la Grande Guerre, les Allemands avaient appelé Walkyrie le service d'intendance de leurs camions d'approvisionnement des troupes. Des Français moins bien équipés avaient baptisé pour se marrer Wachekyrie leurs carrioles, et j'imagine qu'ils avaient dû se payer une bonne tranche de franche rigolade lorsqu'ils les avaient vues arriver au front, Jean Bily et ses copains.

un naufrage

Sur le chemin du retour, j'observais le visage de chaque passant, parfois des hommes seuls, des familles avec enfants, songeant que, s'il était demandé à ces vingt-cinq ou vingt-six mille habitants de Dole de tenir chacun une ardoise sur laquelle un nom serait inscrit, ils ne seraient pas assez pour évoquer les morts de cette seule journée du samedi 22 août 14. Je prenais la route le lendemain pour Saint-Nazaire qui n'avait pas souffert de la Grande Guerre, avait vu au contraire ses infrastructures améliorées par la présence de l'armée des États-Unis, ainsi que son activité bordelière. Chaque troufion américain touchait une solde équivalente à celle d'un officier français et une centaine de bistrots-boxons les accueillait.

Ces deux villes de Dole et de Saint-Nazaire sont assises sur le même parallèle, par quarante-sept degrés de latitude nord, aux extrémités d'une ligne est-ouest. Après avoir dépassé Montargis puis Orléans, je décidai de faire étape à hauteur de Blois, à l'hôtel Ibis Vallée-Maillard en bordure de l'A10, au milieu d'une zone d'activité récemment lotie à angles droits, entrecoupée de hauts grillages blancs galvanisés. Je pensais garer la Passat sur le parking du Building de Saint-

Nazaire et prendre un train pour aller retrouver Yersin plutôt que de stationner dans Paris.

Lorsqu'en cette année 1931, le docteur Dardelin fait éditer son livre sur le Lazaret de Mindin, ils en sont encore loin, les quatre néo-Dôlois. Ils ne le découvriront que vingt ans plus tard, en 1951. Ils n'emprunteront pas cette grande horizontale rectiligne, beaucoup de détours les attendent encore. J'avais descendu quelques vieux journaux de la Passat et repris le soir ma lecture au milieu des représentants de commerce esseulés, hommes et femmes, chacun pianotant à sa place sur un ordinateur ou une tablette. Feuilletant à Dôle en cet été 1931, si loin de la mer, *La Croix du Jura – Journal catholique hebdomadaire paraissant le dimanche*, dans lequel il lit un autre compte rendu du Concours interrégional de gymnastique de son héros Maucurier, Paul ne porte pas attention peut-être à cet entrefilet qui le jouxte, parce qu'on ne connaît pas les deux bouts de sa vie, et qu'il ignore que, dans plus de quarante ans, c'est dans cette région nazairienne que la mort le prendra lui aussi :

> M. Briand a reçu le nonce du Pape, Mgr Maglione, qui est venu prier le ministre des Affaires étrangères de transmettre au président du Conseil les condoléances du Saint-Père à l'occasion de la catastrophe de Saint-Nazaire. Il a remis au ministre 30 000 francs destinés aux familles des victimes.

Si ce très bref article ne revient pas sur le détail des faits, déjà évoqués sans doute dans une livraison antérieure, il est possible d'aller chercher derrière ces quelques mots tout un contexte de tensions politiques et religieuses. De l'autre côté de la France un navire sombre dans l'océan et le pape en sa grande charité vient en aide aux victimes. Le dimanche 14 juin 1931, le temps est magnifique et dès l'aube le *Saint-Philibert*, de la Compagnie nantaise de navigation à vapeur, affrété par le service des Messageries de l'Ouest, et loué pour la journée à l'Union des coopérateurs, descend l'estuaire de la Loire. C'est un petit navire blanc de trente-deux mètres construit aux chantiers Dubigeon. À bord un capitaine, un mécanicien, deux chauffeurs, deux matelots, le mousse Pierre Samzun et cinq cent deux passagers.

Après avoir dépassé la porte du Lazaret puis le rocher du Nez-de-Chien, le *Saint-Philibert* met le cap au sud-ouest vers la Vendée et traverse la baie de Bourgneuf en direction de l'île de Noirmoutier. Les excursionnistes pique-niquent sous les chênes verts du Bois de la Chaise, ramassent des coquillages sur la plage des Dames ou visitent le musée. En fin d'après-midi le ciel noircit, le vent s'est levé. Le capitaine hésite mais les passagers insistent, qu'on attend à Nantes, et qui le lendemain doivent se présenter à l'embauche. Franchie la pointe Saint-Gildas, le petit navire qui affronte la bourrasque et les hautes vagues est retourné par une lame, coule en quelques secondes. Des hommes et des femmes et des enfants hurlent et s'éloignent dans la houle. À Saint-Nazaire appareillent au plus vite les deux seuls bâtiments capables d'affronter telle tempête, le remorqueur *Pornic* et le bateau-pilote *Saint-Georges*. Ils ramèneront huit rescapés et quelques noyés repêchés, qu'on débarque devant le hangar de la Compagnie générale transatlantique, où depuis six mois se monte la forme T6 qui deviendra le plus grand paquebot du monde sous le nom de *Normandie*.

Les jours suivants, des centaines de corps échoueront sur les plages, de Pornichet jusqu'à l'île d'Yeu. Renflouée quelques semaines plus tard et amenée à la plage de Mindin, l'épave du *Saint-Philibert* enferme encore trente-trois cadavres mangés par les crabes. Les navires comme les chats ont plusieurs vies : nettoyé et réarmé à Saint-Nazaire aux Ateliers et Forges de l'Ouest, le *Saint-Philibert* reprendra du service sous d'autres noms, *Les Casquets*, *Saint-Efflam* puis *Côte-d'Amour*, sans connaître d'avaries notoires, avant d'être vendu à la ferraille pour démolition en 1979.

L'entrefilet dans cette parution catholique prend une autre dimension pour qui n'est pas oublieux des vieilles querelles. Vingt-six ans après la loi d'Aristide Briand instaurant la séparation des églises et de l'État, tout est loin d'être réglé. Une religion, celle-ci ou une autre, n'accepte pas sans contrainte sa sécularisation. C'est à ce ministre que le pape envoie son représentant. Malgré son prix Nobel, Briand vient d'échouer à la présidentielle face à Doumer. Il est aussi député de ce département de la Loire-Inférieure, homme de gauche et laïc. Ses parents tenaient Le Grand Café à Saint-Nazaire, ville ouvrière et berceau de l'anarcho-syndicalisme. À Nantes la très catholique, ce dimanche 14 juin c'était la Fête-Dieu. Les adhérents de l'Union des coopérateurs, association de prolétaires, d'intellectuels et d'enseignants agnostiques, avaient boudé les processions et les cérémonies en la cathédrale pour aller pique-niquer à la plage. Le pape en son grand pardon distribue la manne vaticane aux familles de ces mécréants engloutis. L'enquête écartera la responsabilité du capitaine comme celle de la compagnie. Tous ont péri par « fait de mer », autant dire par courroux divin.

Paul a conservé cet exemplaire de *La Croix du Jura* puisque le grand nom de Maucurier y figure. Comme ses parents et grands-parents il est catholique. Pour lui la France est chrétienne comme l'herbe est verte et la mer est bleue, les poules pondent des œufs et les vaches donnent du lait. Sans doute serait-il inquiet de voir en cette année 2015 ces milliers d'églises à vendre, mais parce que les diocèses sont pour lui des employeurs comme les autres. Il a commencé sa vie en usine à l'âge de quinze ans et ne possède pas les diplômes qui lui permettraient d'intégrer l'Instruction publique. Il lui faut démarcher les établissements privés. Il va se faire rouler par un abbé.

un commis voyageur

C'est à pied ou plutôt en train qu'ils s'en vont, non pas suivant la frontière vers le sud, et après les confins de la Suisse descendre le Rhône et longer l'Italie, mais pour regagner la région parisienne.

La gare de Dole porte à son fronton *1854*, affirme dans son aplomb la puissance du Chemin de fer et du Second Empire, six ans avant que la Savoie toute proche ne devienne française, et Nice par la même occasion. En face se dresse la vaste bâtisse du café-hôtel-restaurant dit aujourd'hui – et peut-être alors déjà – des Trois-Magots. Debout devant sa belle auto, le chef de gare de Dôle-Ville, Michel Fradin, salue leur départ. Que ses héritiers se rassurent. J'ai devant moi les factures attestant qu'il a bien réglé, en deux versements, les 9000 francs dus pour l'acquisition de ce véhicule de marque Renault, n° 329678, d'une puissance de 6 CV, immatriculé pour la première fois auprès de la préfecture de l'Aisne le 10 janvier 1930. Nous sommes quittes.

Il semble que Paul se soit déjà rendu à Creil lors d'une assemblée générale des moniteurs de gymnastique pour laquelle il avait reçu convocation. Il est avéré par une médaille qu'il était à quelques kilomètres en juillet 1927, du temps qu'il habitait Saint-Quentin, et participait à Coye-la-Forêt à un concours rassemblant plus de mille athlètes au milieu de la forêt de Chantilly, avec messe militaire sous le haut patronage de monseigneur Le Senne, évêque de Beauvais, et peut-être à cette occasion il avait rencontré déjà cet abbé.

Ils louent au 32 de la rue Gambetta. Creil est aujourd'hui l'extrémité nord de la ligne du RER D, qui relie Melun, son extrémité sud, par une longue verticale de plus d'une trentaine de stations sans changement par Gare-du-Nord et Gare-de-Lyon. Il est un peu difficile d'imaginer le village d'alors, bombardé en 40 par les Allemands puis en 44 par les Anglais, saccagé dans les années soixante par l'impéritie des architectes et des urbanistes concepteurs des grands ensembles. Assez vite, parce que sa situation à Creil semble fragile, Paul reprend contact avec le Jura, demande des certificats à ses anciens employeurs.

Pour le collège Notre-Dame de Mont-Roland c'est le père Édouard Margot qui lui répond : « Votre lettre m'a beaucoup touché. Si vous ne gardez pas trop mauvais souvenir du Collège vous savez que le Collège, maîtres et élèves, a vu avec regret votre départ. Mes sportifs ont plus que tous, au moment où ils se remettaient au travail, ressenti la peine d'interrompre cet entraînement physique que vous leur aviez rendu attrayant et dont ils ont expérimenté le profit. Ce soir, nous avons un premier match contre les juniors du FCD, nos équipes comptent peut-être avec un peu trop de confiance sur la victoire, s'ils sont battus la leçon sera bonne. Veuillez me rappeler au souvenir de madame Deville et croire… »

Pour le pensionnat de la Providence c'est madame Degoise, ou mère Degoise : « Moi aussi, Monsieur, j'ai regretté de ne pas vous avoir revu avant votre départ, j'aurais encore aimé vous remercier et vous redire toute ma sympathie. Nous vous regrettons vivement et souhaitons que vous trouviez force leçons, j'espère bien qu'une fois connu on appréciera vos excellentes leçons. Je suis touchée des sentiments que vous m'exprimez, n'étant pas naturel que nous soyons toutes bienveillantes avec vous, Monsieur, qui nous donnez de si excellentes leçons aussi consciencieusement. Certainement on sentait le courant de sympathie entre professeur et élèves, c'était bien mérité de votre part. Aussi, croyez que c'est avec plaisir que je joins à ma lettre le certificat demandé, souhaitant qu'il vous soit de quelque utilité. »

Les choses en effet tournent mal, il n'est plus payé. Eugénie s'inquiète. Contrairement à son père instituteur de l'école laïque, son mari n'a aucune garantie et leurs économies sont vite épuisées. Celui que je connaîtrai toujours si calme et si doux est en colère, envoie à l'abbé une lettre recommandée tapée à la machine dont il conserve le double au papier carbone :

> Nous voici le 6 Mars. J'ai attendu jusqu'à ce jour espérant que c'est par oubli que vous ne m'aviez pas adressé mes émoluments du mois de février, je me vois en effet obligé à mon grand regret de vous rappeler les conditions dans lesquelles vous m'avez fait venir à Creil et les promesses sur lesquelles vous m'avez fait abandonner la situation que j'avais à Dôle.
>
> Vous ne pouvez pas avoir oublié que c'est sur votre demande formelle par une lettre en date du 5 novembre 31 que j'ai décidé d'accepter les conditions que vous m'offriez, à savoir :

1 – la certitude d'une situation de mille à douze cents francs.
2 – l'appartement de 4 ou 5 pièces aux environs de 150 F par mois.
Vous étiez tellement pressé de me voir venir que vous me demandiez de répondre par télégrammes.
C'est dans ces conditions que j'ai abandonné ma situation à Dôle, que j'ai engagé des frais très importants. Plus de quatre mille francs que je puis justifier pour mon déménagement et mon installation, et que je suis venu m'installer à Creil.
Tout d'abord, au lieu d'une situation de mille à douze cents francs, vous savez dans quelles conditions je n'en ai trouvé qu'une de 800 francs seulement.
3 – Sans aucun motif sérieux, sans même que vous m'ayez précisé que vous comptiez vous priver de mes services, vous m'avez, après à peine 2 mois, fait comprendre que je devais cesser ma collaboration.
Ainsi donc vous m'avez causé un préjudice matériel extrêmement important et facile à chiffrer, vous m'avez congédié sans aucune indemnité et sans raison, enfin vous m'avez causé un grave préjudice moral en raison de la réputation que j'ai dans les milieux des patronages, et qui risque d'être gravement atteinte par l'attitude que vous avez eue à mon égard.
Vous entendez bien que quel que soit le respect que j'ai pour votre fonction je ne puis accepter de subir les conséquences d'une décision non motivée et qui atteint gravement mes intérêts.
Je vous prie donc de bien vouloir me faire connaître quelles sont vos intentions au sujet du dédommagement auquel j'ai droit, et dont je suis certain que, si vous ne me les avez pas fait connaître en ce jour, c'est que vous n'en aviez pas encore évalué l'importance.
J'attends de vos nouvelles dans le plus bref délai, car sans réponse de vous dans la huitaine, je me verrai dans l'obli-

gation à mon grand regret de saisir les tribunaux compétents de ce différend.
Veuillez agréer Monsieur l'Abbé l'expression de mes meilleurs sentiments.

On est au milieu de l'année scolaire et aux abois. On vend ce qu'on peut, et les couverts en argent de la petite Monne. Eugénie sauve le sucrier de sa mère et *L'Angélus*. Paul se fait commis voyageur pour La Cotonnière de Saint-Quentin, ville quittée deux ans plus tôt où il avait conservé des contacts. Il voyage en train ou en autocar puisqu'il n'a plus la voiture, dort dans les petits hôtels près des gares avec toilettes sur le palier, sort de sa valise en carton les bons de commande et les échantillons de tissu, le soir sur le linoléum se livre à des exercices d'assouplissement pour conserver la forme et aussi l'espoir. Il connaît à nouveau cette solitude qui avait rendu fous certains prisonniers dans le camp. Le voilà sur la paille. C'est encore une image. Un jour ça ne le sera plus. Il revoit le soir ces quarante années passées, l'usine, la guerre. On ne l'y reprendra plus. Il va rentrer chez lui, à Soissons où il est né, où est née sa fille Monne, où sont nés ses parents et ses grands-parents. Il écrit à La Soissonnaise, qui accueille le fils prodigue. On ne devrait jamais quitter Soissons.

vers chez les Francs

Les voilà de retour au berceau en 1932, dans cette ancienne capitale de la France où ce patronyme, selon l'annuaire téléphonique, est toujours porté en 2015 par quelques Soissonnais, parmi lesquels une conseillère régionale et adjointe au maire. Ils s'installent au 35 de la rue Saint-Gaudin non loin de la cathédrale, puis au 6 de la rue Charles-Périn derrière la place Saint-Christophe. Par un effet de souffle, ce pays qui se remettait peu à peu de la disparition d'un homme sur dix, ce pays qui avait vu réduite de moitié sa production industrielle, est rattrapé par la crise venue de New York puis de Londres et pourtant, au début de celle-ci, par le recours à une immigration massive et au franc-or de Poincaré, il se maintenait plutôt mieux que les autres : après son saut périlleux, le gymnaste retombe sur ses pieds, rétablit son équilibre, respire. Il enseigne dans plusieurs écoles et associations sportives, dispense des leçons particulières. Tous les quatre fréquentent la bibliothèque municipale mais achètent aussi des livres en librairie. Chacun consigne la liste de ses lectures dans un carnet.

On se passionne alors pour les avancées technologiques et les progrès des moyens de transport, le monde rétrécit encore. Après son exploration par la marche, la pirogue, le cheval et le chameau qui ont permis de le cartographier, on entend maintenant y tracer des routes. André Citroën lance la Croisière jaune, des milliers de kilomètres en automobile de Beyrouth à Pékin par l'Inde et les contreforts de l'Himalaya. Les enfants découvrent la géographie, entendent à la radio les noms magiques des villes lointaines, Damas et Bagdad, Calcutta, Ispahan, Tiensing, Shanghai, Hong Kong, Hanoï. En France, Édouard Michelin sait bien que pour vendre des pneus il faut déjà vendre des autos, mais pour aller où ? Il fait établir des cartes routières, ponctue le paysage de plaques de lave de Volvic émaillées sur un support de béton armé, lesquelles indiquent les directions, offrent des indications touristiques, signalent aussi les dangers et les priorités, les virages en lacet. Le langage écrit envahit le territoire : le nom des villages apparaît en toutes lettres au bord de la route avant qu'on y entre. La compagnie Air France est créée en 1933 et quelques richards peuvent regarder de haut la planète, assis dans un fauteuil près du hublot, siroter un cocktail devant le Pain de sucre de Rio ou au sommet des tours de Manhattan.

Au sol la situation est plus confuse. Les victimes de la récession hésitent entre l'extrême gauche et l'extrême droite, s'affrontent dans Paris en février 1934. Deux mois plus tard, le petit Loulou assiste le 8 avril à une « Matinée récréative du Groupe Saint-Crépin de l'Union catholique du Personnel des Chemins de fer ». On y donne *La Fille du sonneur de cloches*, opérette en deux actes de Le Roy-Villars, et *La Rigolade*, comédie en trois actes de Guy de Pierrefeux. Il a neuf ans, Loulou. Il est temps de ne plus lui accoler ce sobriquet, même si sa mère et sa sœur continueront leur vie durant. Après les deux Eugénie voilà les deux Paul. Plutôt que Paul-Marie et Paul-Eugène, optons pour le père et le fils.

Celui-ci fête ses onze ans l'été du Front populaire : après être restés des mois sur le fil du rasoir, les électeurs ont choisi la gauche réformatrice de Léon Blum et pendant que, de l'autre côté des Pyrénées, c'est le début de la guerre civile, que l'Allemagne est nazie et l'Italie fasciste, la Russie stalinienne, un vent frais de bonheur et de liberté et de petites robes d'été saisit la France. Avant les grandes vacances, on a demandé au jeune garçon de classer dans un ordre décroissant les métiers qu'il aimerait exercer, nulle part le théâtre n'apparaît : officier, instituteur, médecin, cultivateur, aviateur, marin, commerçant, menuisier, chauffeur, mécanicien. Il prend des cours de violon et de tennis, s'enthousiasme pour le fonctionnement de la radio. On lui offre un poste à lampes qu'il bricole, apprend à fabriquer un poste à galène. Sa sœur Monne est inscrite au pensionnat de l'Enfant-Jésus rue Frizebois, elle veut devenir institutrice ou professeur. Le dimanche, le père part seul à la pêche, allume sa pipe, il a évité la ruine, est apaisé, surveille le bouchon, lance une poignée d'appâts. Sa vie, en plus de quarante ans, vient de tracer une boucle de Soissons à Soissons en passant par la Bavière et le Jura. Il n'imagine plus bouger. Les dieux marionnettistes lui réservent quelques péripéties.

un ruban bleu

Tout au long de ces années trente, l'affrontement des grandes puissances est encore symbolique et pacifique, la partie se joue aussi dans les airs et sur la mer. Après la Croisière jaune c'est le Ruban bleu. Décidé avant la Grande Dépression, le lancement d'un navire français de plus de trois cents mètres de long et pouvant atteindre trente nœuds est retardé par les grèves et le manque de crédits, la marche de la faim des chômeurs de Saint-Nazaire jusqu'à Nantes. Le *Normandie* est armé aux frais de la nation sur le modèle des Grands Travaux. L'État fait construire aux ouvriers un paquebot de luxe pour les maintenir à flot juste au-dessus de la misère et aussi, dans un but peut-être didactique, pour leur montrer à quoi l'argent peut donner accès.

Le 29 mai 1935, quatre écrivains ont emprunté, aux frais de leurs différents journaux, l'échelle de coupée. Ils ont quitté la gare Saint-Lazare pour Le Havre. Sur le quai, un portefaix maladroit lâche la bouteille de vin de paille que Colette voulait jeter à la mer accompagnée d'un message. Le vin jaune se répand sur la pierre. Nous ne connaîtrons jamais le contenu du message. Colette porte un imperméable blanc, un panier à provisions à la main comme pour un pique-nique en forêt. Elle arrive de Saint-Tropez, les pieds nus dans ses sandales. À ses côtés, Pierre Wolff qui cosigna des pièces de boulevard, lesquelles connurent le succès à Broadway avant guerre, puis des scénarios de cinéma pour Claude Autant-Lara et Julien Duvivier, cherche déjà le Grill-Room Bar. Il y retrouve Claude Farrère. Celui-là a quelques raisons de lever son verre : remis de ses blessures par balles lors de l'assassinat du président Doumer à son côté trois ans plus tôt, il vient d'être élu à l'Académie française contre Paul Claudel.

Au pied de l'ascenseur des premières, le troisième homme, coiffé d'un béret noir, clope au bec, a pris congé de ses confrères en les saluant de sa main unique, est allé rejoindre sa cabine de deuxième classe, c'est la 822.

C'est une bonne chose que Cendrars voyage dans la soute quand les autres sont au salon, et c'est le talent de Pierre Lazareff, le directeur de *Paris-Soir*, de s'être adjoint ces deux-là pour son journal : Farrère arpentera les ponts élevés et les mondanités pendant que Cendrars descendra dans la machinerie. La mode est aux grands reportages à la première personne. Elle est aussi au gigantisme. Et pendant que ces quatre écrivains couvrent la croisière inaugurale du plus grand paquebot du monde à destination de New York, Antoine de Saint-Exupéry est à Moscou la veille de l'envol du *Maxime-Gorki*, le plus grand avion du monde, propulsé par huit moteurs, équipé de chambres à coucher, d'une imprimerie, de bureaux, d'une bibliothèque et d'une salle de cinéma. Le monstrueux pélican soviétique lui laissera juste le temps d'écrire son papier pour *Paris-Soir* avant de s'écraser au sol le lendemain 18 mai.

Onze jours plus tard, pour le *Normandie* flambant neuf, allongé sur l'eau sirupeuse des bassins du Havre, ses trois hautes cheminées rouge et noir inclinées sur l'arrière reliées l'une à l'autre par les éclats multicolores du grand pavois, c'est le premier bal, le premier bain de mer et de foule. Depuis plusieurs jours, une grève des marins bloque le port. Le gouvernement Flandin a dû lâcher du lest. Dans les ponts supérieurs on ignore ces détails d'intendance. Les passagers découvrent ce pavillon français d'une exposition universelle itinérante, la beauté de l'épure et de l'efficacité évoquée comme le *Style Normandie*, un équilibre des arts décoratifs et de la grande cuisine, du cubisme et de l'œnologie. Un verre à la main, ils visitent le jardin d'hiver où se déhanchent les perroquets, gagnent la salle à manger de quatre-vingt-dix mètres par deux hautes portes en bronze, un peu ivres déjà caressent les verreries de Lalique, les soieries et les tapisseries, les bois de palissandre et les laques d'or, les marbres et les aciers polis. Des dizaines de mètres au-dessous, les navigants en bleu de chauffe procèdent à la montée en puissance des turboalternateurs.

Ceux-là portent les espoirs de la Compagnie générale transatlantique et de la France entière. Il s'agit de clouer le bec aux lignes concurrentes de la Norddeutscher Lloyd de l'Allemagne nazie et de la Navigazione Italiane de l'Italie fasciste, toutes deux détentrices du record du Ruban bleu de la traversée de l'Atlantique dans un sens puis dans l'autre, mais encore de moucher la White Star Line et la Cunard Line des Anglais et des Américains. Et ce *Normandie*, que Jules Verne semblait avoir décrit dans sa Ville flottante, et que les journaux bien-pensants jamais avares d'un truisme appellent le

Palace flottant, la presse satirique, depuis des années, l'appellent la Dette flottante.

Malgré les émeutes violentes du début de l'année aux chantiers navals de Saint-Nazaire pour retarder la livraison du navire, puis la grève des marins du Havre pour retarder son départ, ce 29 mai à sept heures du soir la sirène mugit, les remorqueurs l'éloignent du quai où scintillent les cuivres des fanfares. C'est une de ces glorieuses soirées où le soleil n'en finit pas d'étirer ses dorures et révèle sur la grande muraille noire la géométrie des rivets. Des centaines d'embarcations, des barques de pêche et l'*Île-de-France* lui-même, des bateaux-pompes et des voiliers entourent le *Normandie* sur les premiers milles à destination de Southampton et de la balise de départ du Ruban bleu comme on accompagne un boxeur vers le ring.

Plus de deux mille personnes sont à bord, dont la marraine du navire, madame Albert Lebrun, première dame de France, à laquelle aucun journal n'avait songé à confier une chronique, elle ne connaîtra de la traversée que la messe en la chapelle et les soupers dans sa suite. Autour d'elle la liner-set qui deviendra la jet-set. À fond de cale, cent vingt-deux ouvriers décapsulent leurs bidons de peinture au tournevis : ils sont chargés des travaux de finition que la grève a retardés.

L'un d'eux manque à l'appel et ne verra jamais New York. Ce clopeur invétéré donc sympathique, auquel aucun romancier n'aurait attribué ce nom terrible de Larbin, est en garde à vue dans les locaux de la police havraise. Quelques jours plus tôt, à l'insu de son contremaître, se jouant des mesures de sécurité en vigueur, Larbin avait abandonné ses pinceaux pour aller s'en griller une petite aux toilettes. Le mégot, jeté au fond de la cuvette dans laquelle ses collègues, contrevenant eux-mêmes à certaines règles élémentaires, venaient de balancer un seau d'essence, avait provoqué un début d'incendie et Larbin s'était enfui dans les coursives. Son casier judiciaire porte déjà une condamnation pour destruction de matériel militaire pendant son service : sa maladresse ou la malchance le perdra, Larbin.

Dès le premier soir, les quatre écrivains expédient leurs articles par la TSF du navire. Farrère, habitué des transatlantiques, se fait critique gastronomique et encense le canard à l'orange du chef Magrin. On donne au théâtre du bord *Le Pasteur* de Sacha Guitry en première mondiale. Acceptant le reportage, Cendrars avait prévenu Lazareff : « Ce qui m'intéresse ce sont les machines. Les tralalas et les belles réceptions des gens du monde j'en ai rien à foutre. » En seconde, ses voisines sont les Blue Bell Girls du music-hall.

Au fil des papiers, il arrive que les images se recoupent : Colette la coloriste et Cendrars le bourlingueur voient tous deux, même à jeun, dans les gros générateurs alignés un troupeau d'éléphants. Wolff est grincheux : « Nous faisons, paraît-il, trente nœuds à l'heure. Vingt-cinq m'auraient suffi. » Et ces journaux dans lesquels paraissent chaque jour leurs chroniques, comme tous les vieux journaux, sont à présent des romans : on y apprend que les choses ne s'arrangent pas pour le malheureux Larbin resté à terre. Le commissaire Chauvineau mène l'enquête. Il découvre que Larbin, il y a un an et demi, était encore marié à une Allemande. Voilà le clopeur soupçonné d'être un saboteur, venu mettre le feu aux égouts du fleuron français pour le compte du Reich dont le *Bremen* est détenteur du Ruban bleu.

Pendant ces quatre jours, trois heures et deux minutes que va durer la traversée, on retrouve dans l'actualité cette apparence bariolée des événements, ce grand foutoir au-dessus de quoi selon Hegel planerait pourtant la Raison guidant l'Histoire vers son accomplissement. On lit au hasard des pages, dans *Paris-Soir* et *Le Journal*, qu'en ces jours de juin 1935 le Duce inaugure un jardin zoologique et que l'armée italienne atteint les neuf cent mille hommes. Que le colonel Lawrence, le mythique Lawrence d'Arabie, loin du désert, s'est tué à moto et qu'on l'enterre dans un cimetière de la campagne anglaise. Que le franc est menacé. Ou bien ne l'est pas. Finalement si, parce que le gouvernement Flandin est tombé. Que Schuschnigg, chancelier d'Autriche, se hausse du col et répond à Hitler: «Il n'y a pas de place pour le national-socialisme dans notre pays!» Que sir Percy Bates, président de la Cunard Line, qui vient de mettre en chantier le futur *Queen-Mary*, souhaite bonne chance au *Normandie* dans sa conquête du Ruban bleu et attend son heure. Que monsieur Albert Lebrun reçoit monsieur Pierre Laval puisqu'il faut bien constituer un nouveau cabinet. Que Joséphine Baker visite la Foire de Paris. Que cinquante kilos d'héroïne sont saisis boulevard Saint-Honoré. Que «673 forçats s'embarqueront bientôt pour la Guyane», autre traversée transatlantique, pour laquelle on peut se demander si la forme pronominale était bien nécessaire.

Quatre jours, trois heures et deux minutes – et pourquoi pas une seconde – après avoir croisé Bishop Rock, le *Normandie* passe le bateau-feu d'Ambrose. Il vient d'arracher le Ruban bleu westbound au *Rex* de l'Italie fasciste. Une étamine bleue de trente mètres de long est hissée au pavois et le soir même, dans le port de New York, pier 88, les femmes portent des robes bleues dénudées dans le dos. C'est un dîner bleu. Les détonations sont celles des bouchons de champagne : la France vient de gagner la bataille.

Le midi du 7 juin, le champion fait évitage et appareille pour son voyage de retour, au cours duquel il s'empare du Ruban bleu eastbound détenu par le *Bremen* allemand (et les manigances supposées de Larbin auront été vaines). En juillet 1937, le record lui sera cependant ravi par le *Queen-Mary* tout neuf de la Cunard. Un mois plus tard, le *Normandie*, dont les hélices à trois pales ont été remplacées par des hélices à quatre pales, reprend le Ruban bleu. Il n'existe pas d'hélices à cinq pales : le *Queen-Mary* s'adjuge à nouveau le trophée en août 1938. Un mois plus tard, le Reich, mauvais perdant, décide de changer de compétition. Le 30 septembre Hitler, Mussolini, Daladier et Chamberlain se rencontrent à Munich : les démocraties cèdent aux exigences des dictatures. À leur retour, les négociateurs anglais et français sont ovationnés pour avoir évité la guerre. Churchill est plus lucide : « Ils ont eu le choix entre le déshonneur et la guerre, ils ont eu le déshonneur et ils auront la guerre. »

Quelques mois plus tôt, le 30 mars, le gymnaste avait perdu son père Eugène né à Soissons en 1862, l'année de l'arrivée en France de la petite fille en blanc. Il doit refuser l'héritage constitué des dettes de cet homme déjà veuf, qui avait vu l'entrée des Allemands dans cette ville en 14 et avait dû s'enfuir pendant que lui était au front. Il récupère quelques documents et papiers d'identité, qui m'apprennent que son grand-père Jean Deville avait comme lui les cheveux blonds et les yeux bleus, qu'en compagnie de son épouse, née Lucile Brassard, il avait vu entrer dans Soissons les troupes allemandes en 1870. Le gymnaste commence à se douter que pour la troisième génération, et même la quatrième qui est celle de son fils de treize ans, le même défilé germanique pourrait bien traverser à nouveau Soissons.

Pourtant il continue d'imaginer un monde meilleur. Participant à un concours dont j'ignore le détail, susceptible de lui faire décrocher je ne sais quelle timbale faramineuse, il avait écrit le 1er juin 1938 à son héros Gabriel Maucurier et lui faisait part de son rêve éveillé : « Si je gagnais les cinq millions mon idée ne changerait pas, ce que je pense depuis longtemps si mes moyens m'avaient permis de le faire. On parle beaucoup aujourd'hui d'éducation physique et j'en suis très partisan. J'en fais d'ailleurs ma profession. Aussi m'est-il pénible de constater combien d'enfants de familles très modestes et qui sont atteints de déviation, de scoliose, d'incapacité thoracique, ne peuvent retrouver la force et la santé parce que les parents n'ont pas les moyens de payer des leçons particulières d'éducation physique médicale. Aussi mon but est-il bien net : si j'avais la fortune, acheter un grand parc, y faire aménager le matériel de plein air et d'intérieur nécessaire à toutes les méthodes modernes d'éducation physique pour y recevoir gratuitement tous les enfants de familles nécessiteuses et par tous les moyens, mouvements, grand air et nourriture, contribuer à leur donner les forces nécessaires pour affronter la vie. »

Déjà plutôt à droite, il est effrayé par la légèreté de la gauche radicale-socialiste : c'est bien beau les congés payés et de produire des vélos et des tentes de camping quand l'Allemagne fabrique à la chaîne des Panzers et des avions de chasse. La catastrophe de Munich montre l'échec de la Troisième République et la paralysie du système des partis. Il voit la France perdue, ne sait plus à quel saint se vouer et pourquoi pas au roi. Et le voilà, futur gaulliste fervent, pendant que de Gaulle de son côté fulmine contre l'impréparation des armées françaises, qui devient peut-être un temps royaliste, et je retrouverai dans ses affaires quelques tracts de la « Propagande monarchiste sous la direction de S.A.R. le Comte de Paris ». Pourquoi pas un roi quand ils ont un führer. Dans les années soixante, de Gaulle lui-même, par mépris pour les petites embrouilles des partis qui avaient amené à la défaite, caressera l'idée de rétablir un trône. Il appert cependant qu'un monarque n'y pourrait mais. En avril 1939, définitivement distancée dans la course au Ruban bleu, l'Italie mussolinienne envahit l'Albanie : le roi Zog Ier s'enfuit.

Lui qui avait attendu avec impatience sa démobilisation en juillet 1919 est à nouveau mobilisé vingt ans plus tard, du 1er septembre au 30 novembre 1939. Maintenant *Le Canard enchaîné* appellera l'entre-deux-guerres « la perm de vingt ans ».

Pendant ces trois mois qu'il passe à nouveau sous les drapeaux, le pacte germano-soviétique est signé le 23 août. Le 28, le *Normandie* accoste une dernière fois au quai de la French Line de New York et ne prendra plus jamais la mer, confisqué par les États-Unis qui finiront par l'incendier accidentellement. Cinq jours plus tard les troupes allemandes envahissent la Pologne. Trois jours plus tard, la France et la Grande-Bretagne déclarent la guerre à l'Allemagne. Cinq jours plus tard, Cendrars qui avait prévu d'embarquer sur le *Passat* de la flotte Erikson pour un tour du monde, encore un reportage pour *Paris-Soir*, reste à quai. Le manchot suisse cherche à reprendre le combat. Mais pendant des mois rien ne se passe sur les frontières.

À Soissons, les enfants partent à l'école avec leur masque à gaz, répètent les exercices de défense passive. Ils savent que leur oncle est mort gazé. La nuit, lors des alertes de plus en plus fréquentes, on se réfugie dans la cave plus solide de la voisine, madame Topin. L'invasion est imminente. Le père range ses cannes à pêche, enfile son uniforme de sergent-chef de section et se présente à la caserne Gouraud, engagé volontaire le 1er mai 1940 ainsi que le mentionne son livret militaire. Il est affecté comme « Instructeur au Centre Régional d'Éducation physique de la 2e Région, versé au Centre de Rééducation de la 2e Région au Dépôt n° 21 à Soissons ». Maintenant il dort à la caserne. Puis c'est le déferlement des troupes allemandes du 10 mai 1940.

l'éparpillement

> Je te déteste. Tout ce qui arrive est ta faute. Tu ne crois en rien. Tu te fiches de nous comme de l'an quarante. Tu te moques de tout.
>
> CENDRARS, *Moravagine*

Cette phrase fut écrite en 1925. Du temps du Lazaret, il m'avait semblé que ces mots entendus au hasard des conversations entre adultes concernaient l'an quarante du vingtième siècle et je ne les avais pas compris. Il me semblait difficile de s'en foutre, de l'an 40. Sus à l'anachronisme. L'expression est déjà chez Proust dans *Le Côté de Guermantes*: «Je m'en moque comme de l'an quarante.» Et, si nous sommes de moins en moins nombreux à nous souvenir du grand sourire de Claude Duneton, de ses propos chaleureux dès qu'il était question de l'histoire de la langue française, demeure pour tous les lecteurs son *Bouquet des expressions imagées*, dont je savais que Yersin l'avait chez elle à l'une de ses deux adresses. Je l'avais cherché dans sa bibliothèque à Genève et l'avais trouvé dans celle de Paris: Duneton mentionne une occurrence de cette formule en 1791.

Elle renverrait au premier roman d'anticipation écrit en français, *L'An 2440, rêve s'il en fut jamais*, de Louis-Sébastien Mercier, publié en 1771 : un narrateur, après avoir dormi pendant près de sept cents ans, se réveille dans une France où les idées des Lumières ont vaincu, un monde de paix et d'égalité entre les hommes. Mais c'est ici et maintenant que les révolutionnaires de 1791 voulaient établir le bonheur et la liberté, qui se moquaient bien de cet an 40 de sept siècles plus tard : jamais donc on ne s'est contrefoutu de l'an 1940.

Nous nous apprêtions à repartir pour l'Amérique latine, de mon côté à la recherche de petites traces françaises et éventuellement, comme partout, de ce que cela signifiait d'être français, de détenir ce passeport que je n'ai pas choisi, pas plus qu'elle le suisse. Je connaissais l'histoire de certains de ses aïeux protestants qui avaient quitté le sud de la France à l'époque des guerres de Religion pour le canton de Vaud. Nous avions dormi à l'hôtel du Mont-Blanc, à Morges, où avait grandi l'aïeul pasteurien. Je voulais rassembler ces sagas, les hasards inventés par les dieux marionnettistes afin que nous nous rencontrions. Avant notre départ, j'étais retourné seul à Soissons en mai 40.

Lorsque le gymnaste avait quitté cette ville pour Longuyon à l'été 1914, la grande caserne Gouraud de treize hectares, face à l'abbaye Saint-Jean-des-Vignes, était encore en construction, sous le nom de caserne Jeanne-d'Arc. On lui avait donné plus tard celui du commandant Pierre Gouraud mort au combat, dont le frère Henri était alors général de l'armée du Levant à Beyrouth. Elle est aujourd'hui devenue le parc Gouraud.

Son passage à la vie civile a été confié à l'architecte et urbaniste soissonnais Jean-Michel Wilmotte.

Les anciennes allées militaires à angles droits accolent des noms de musiciens et de scientifiques, Olivier Messiaen et Pierre-Gilles de Gennes, Claude Debussy et Georges Charpak. Le parc Gouraud héberge la Cité de la musique et de la danse, des immeubles d'habitations, une pépinière d'entreprises des nouvelles technologies, et depuis 2010 une clinique et l'hôtel des Francs – tout cela dans les blancs et les gris à la mode en ce début du vingt et unième siècle, posé sur le vert des pelouses que bordent des haies taillées. Dans le hall de cet hôtel de standing, au-dessus du garage où patientait la Passat, un long bas-relief de pierre blanche montre de face un groupe de Francs en armes. Sur un pilier est reproduite cette phrase du général de Gaulle : « Pour moi, l'histoire de France commence par la tribu des Francs qui donnèrent leur nom à la France. »

La chambre 125 donne sur l'ancien dortoir où un fantôme de cinquante ans déboutonne son uniforme et s'assoit sur son châlit. Il abandonne femme et enfants dans la guerre sous les sirènes des alertes. Là encore évitons l'anachronisme, et l'inversion, survenue depuis, des valeurs respectives de la vie privée et de la vie civique : le pays est en danger et il lui semble accomplir son modeste devoir sans aucun souci d'héroïsme. Comment pourrait-il revoir la nuit les visages de ceux qui l'entouraient à Longuyon ou aux Éparges, de tous ceux-là qui seraient morts pour rien si, lui survivant, il s'en lavait les mains et s'en foutait comme de l'an quarante : c'est déjà vingt-six ans de vie supplémentaires que les hasards de la balistique lui ont offerts.

À un kilomètre de là, sa femme et ses enfants approuvent son choix. Ils sont inquiets, cherchent le sommeil, lui dans sa chambrée et eux là-bas, tous les quatre déjà séparés bien que géographiquement si proches encore, mais sans le téléphone ni aucun autre contact. Peut-être aussi l'obsède la dernière phrase de la dernière lettre de son frère en juin 1917 avant qu'il ne meure gazé, reçue au camp de Würzburg : « Après la guerre la vie sera intéressante pour ceux qui auront leurs quatre pattes pour en profiter et tu es sûr d'être de ceux-là. »

Ses quatre pattes sont intactes, même si depuis vingt-six ans les blessures de l'autre guerre lui ont enlevé des orteils et raidi le coude. Ses jambes ne vont pas lui servir à courir à nouveau à l'attaque mais à faire retraite, au long d'une marche de plus de cent vingt kilomètres sur le bord des petites routes avec son paquetage et son inutile fusil – sur un itinéraire que je venais de repérer au volant, et à rebours, de Coulommiers à Soissons, par Neuilly-Saint-Front et Saint-Rémy-Blanzy.

Le lendemain matin, j'avais parcouru à pied ce kilomètre qui sépare la caserne Gouraud de la maison, par le long boulevard Jeanne-d'Arc et la place Saint-Christophe, au centre de laquelle se dresse un grand monument assez laid à la Reconstruction des régions libérées, cerné de boulistes. Devant le 6 de la rue Charles-Périn, je tenais à la main les trois petites photographies noir et blanc que le fils avaient prises au matin du vendredi 17 mai 1940 : deux de la maison, et une de la chatte blanche enceinte qu'ils laissent derrière eux. Je sais que le lendemain naîtront ici quatre chatons.

La maison d'un étage est en pierre de calcaire blanche, dont je connais l'intérieur par une description de 1951 jointe aux formulaires des indemnités de guerre : « une cuisine, une arrière-cuisine, trois chambres, une salle à manger, une mansarde, un vestibule, un bureau à usage familial ». Soixante-quinze ans après le fils, j'avais à mon tour photographié la façade, et celle, plus basse et en briques rouges, de la maison de la voisine, madame Topin. J'imaginais l'effervescence ce matin-là dans ces pièces ensoleillées par le joli mai. On voudrait tout prendre quand on fuit sa maison. La mère, qui de sa vie jamais ne reverra ce lieu, trie des vêtements pour eux trois et enveloppe un peu de nourriture, répète à son fils que ça n'est pas le moment de traîner et de faire des photos.

Il a quatorze ans et veut emporter son vélo et son poste de radio. Ils descendent avec une valise et des colis en carton. Monne au dernier moment attrape le sucrier en argent de sa grand-mère. Ils gagnent la place Saint-Christophe à une centaine de mètres par la rue du Général-Pille et la rue de Meneau. Le père enfourche sa bécane et les retrouve dans la cohue. Le fils devra abandonner sa radio trop lourde sous les marronniers du square Pillot. Pour l'instant ils attendent au milieu de la foule. C'est le grand exode. La population fuit le Nord et ses villes détruites par la Première Guerre mondiale et que vingt ans n'avaient pas suffi à reconstruire, ses champs toujours farcis d'obus, ses vergers dont les troncs avaient été sciés par les Allemands dans leur retraite et dont les arbres replantés ne sont pas encore à maturité. Comme une volée de moineaux, dix millions de réfugiés sont jetés sur les routes vers le sud, un quart de la population française. C'est le grand chambardement, le monde à l'envers. Ceux dont c'est le métier d'écrire n'écrivent plus.

Walter Benjamin sauvé mais épuisé se suicidera dans une chambre d'hôtel à Portbou. Le manchot Cendrars de cinquante-trois ans, inapte au combat, portera un temps l'uniforme anglais de correspondant de guerre, suivra la débâcle vers Reims, Troyes, Blois et jusqu'à Nantes. Claude Lévi-Strauss et André Breton embarqueront plus tard à Marseille sur le même navire pour New York. Benjamin Péret prisonnier à Rennes gagnera le Mexique et Claude Simon à cheval resté en arrière pour couvrir leur fuite avance sabre au clair sur la route des Flandres. Et puis ceux-là qui sont perdus, n'ont jamais écrit que des courriers, sortent un crayon, un carnet. Le père a cinquante ans et choisit un titre : *Carnet de route de mon départ de Soissons Mai 40*. Le fils a quatorze ans et ne choisit pas de titre. Plus tard il écrira en haut du carnet, avant de le ranger dans un tiroir pour ne plus jamais l'ouvrir : *Voyage de Soissons à Bram*.

De retour dans la chambre 125 de l'hôtel des Francs, assis sur le lit, devant la fenêtre ouverte sur les bâtiments de l'ancienne caserne Gouraud, j'avais lu en alternance ces deux carnets trouvés dans les archives de Monne, croisé leur témoignage jour par jour, et suivi leurs chemins divergents :

vendredi 17 mai (le père) :

La vie étant devenue dangereuse dans la caserne Gouraud à Soissons, le commandant décide de faire évacuer ce lieu et les troupes qui forment le dépôt 21, réserve du 67e, sont réparties dans les environs de la ville et la plus grande partie campe dans les bois de Maupas, à proximité du terrain de manœuvre.

Pour nous, Centre de Rééducation de la 2e région, nous nous installons au château de Mercin, à 3 km de la ville. Nous logeons dans une cour, sous des arcades, mais comme la nourriture continue à se faire dans la caserne, il nous faut midi et soir aller en corvée avec 4 hommes pour chercher les repas pour les douze hommes qui composent le Centre. C'est moi qui ai la charge de cette corvée journalière.

Le même jour, un grand nombre d'habitants de la ville, craignant les bombardements, sont partis depuis le matin, aussi ma famille décide de partir, mais il faut trouver un moyen de transport, des centaines d'autos passent sans arrêt, civiles et militaires, mais toutes sont bondées de marchandises ou de personnes, près de la place Saint-Christophe, c'est un embouteillage indescriptible, les rues sont noires de monde, des évacués de l'Aisne, des Ardennes, de la Meuse, des Belges en quantité, les uns le sac au dos, des colis plein les bras, d'autres à bicyclette, d'autres avec des brouettes, des voitures à bras, des voitures d'enfant et dans toute cette cohue autant de soldats que de civils, où vont-ils, ils ne savent pas, ils ont abandonné leurs régiments dès les premières attaques et ne pensent plus qu'à gagner l'arrière, sans armes.

J'étais chargé depuis quelques jours de regrouper ces isolés, de les emmener à la caserne dans le but de reformer la 9e armée, qui était complètement dispersée, mais ces hommes n'avaient qu'une idée, fuir loin à l'arrière, et il fut impossible de les regrouper même par les menaces.

Enfin vers 4 heures de l'après-midi, une benne automobile passe à vide se dirigeant vers Compiègne. J'arrête le chauffeur militaire et le décide à emmener ma famille, mais à peine commence-t-elle à monter que vingt personnes se précipitent pour monter aussi et tout le monde s'installe dans le fond de ce camion en fer, assis pêle-mêle sur des colis. Enfin tout le monde est prêt et le camion va partir, mais un bruit lointain dans le ciel, qui grossit, s'approche. J'aperçois alors venant de Compiègne six avions de bombardement allemands qui viennent droit sur la ville et vont passer au-dessus de nous. Il se trouve heureusement, à cent mètres de là, la place Pillot qui est abritée par d'énormes marronniers, le chauffeur y entre avec son camion et se trouve ainsi à l'abri de la vue mais non à l'abri des bombes ! Les avions sont au-dessus de nous et on les distingue très bien. Il se passe un moment de frayeur dans le camion car tous sont tassés et dans l'impossibilité de bouger, moi je suis auprès du camion et du pied d'un arbre je suis des yeux les avions, ils tournent au-dessus de nous, cherchant quelque chose, s'ils nous lâchent une bombe il n'y a aucun recours, c'est un moment d'angoisse mais que chacun cache. Il me semble cependant que les avions s'éloignent, ils se dirigent vers la gare, en effet quelques minutes après nous entendons tomber les bombes sur la gare et les environs. Puis les avions s'éloignent et disparaissent vers Reims.

Il n'y a plus de temps à perdre, il faut partir, le camion quitte la place, prend la route de Compiègne et part à toute vitesse. J'essaie de le suivre un moment avec ma bicyclette, mais pas loin hélas, il s'éloigne de plus en plus. Alors je ralentis, je fais un signe de la main et bientôt je ne vois plus rien. Alors à Dieu vat !

Je rentre à mon cantonnement, il n'y a rien de nouveau, nous attendons l'ordre d'évacuer la ville, mais il faut attendre. Nous apprenons vers six heures du soir que les bombes sont tombées près de la gare, une sur l'hôpital avenue de la Gare et les autres sur le village de Belleu, derrière la gare, où quatre soldats qui gardaient le pont ont été tués.

Le soir vers six heures nous partons avec la corvée de soupe et en revenant par le terrain de manœuvre nous sommes surpris par une nouvelle attaque d'avions allemands, nous nous couchons par terre, car nous n'avons ni arbres, ni abris, et sur la voie près de la gare Saint-Christophe, un train de tanks et de canons est garé depuis le matin. Vont-ils taper dessus, ce qui serait dangereux pour nous, mais non, ils vont encore sur la gare et laissent tomber leurs bombes. Une maison est abattue juste en face de la gare, deux bombes sur les voies qui sont démolies, plus de carreaux à la gare, les autres bombes au hasard, une encore chez Wolber.

La soirée est calme, rien de nouveau pendant la nuit.

vendredi 17 mai (le fils) :

4 heures : arrivée à Compiègne. Nous sautons du camion en hâte ! Nous nous jetons par terre. J'ai eu une émotion indescriptible voyant un éclat de bombe tombant aux pieds de Simonne. Nous avons attendu qu'il soit refroidi pour le prendre.

5 heures : arrivée à l'entrée de la gare. Nous rentrons les colis et aussitôt : l'alerte ! Nous sommes forcés d'entrer dans un abri face à la gare. Là nous passons une nuit atroce assis sur des petites caisses de savon. N'ayant ni bu ni manger depuis le départ de la maison nous restons là jusqu'à 4 heures du matin. L'abri était

gardé par des soldats baïonnette au canon. Là nous avons eu le plaisir de voir arrêter de la cinquième colonne dont deux signalés par Simonne, l'un avait un poste émetteur dans une valise. Nous sortons de l'abri et là nous voyons des maisons écroulées, des chevaux tués au coin des rues, des blessés (soldats et civils). Là plus de train. Maman a l'idée d'aller à la caserne, là le capitaine nous a donné deux soldats pour porter nos colis sur la route de Beauvais, avec l'ordre aux soldats d'arrêter un camion militaire, de nous prendre avec nos bagages et nous conduire plus loin. Départ de Compiègne 10 heures le 18.

aux mots du père et du fils

samedi 18 mai (le père) :

Après une nuit calme, les hommes sont allés chercher le café et rien jusqu'à neuf heures. Mais à ce moment-là ronflement anormal, en effet 24 avions allemands passent au-dessus de nous et vont toujours vers la gare. Nous montons sur une butte du château et pouvons voir de loin ce qui va se passer. Nous apercevons quelques cercles de fumée autour des avions. C'est la DCA qui tire de la Montagne de Paris, derrière Vauxbuin et Sainte-Geneviève. Un avion allemand tombe sur Villeneuve.

Mais la vague continue, les avions lâchent leurs bombes encore sur la gare et ensuite sur l'usine Piat-Chappée où les ouvriers sont affolés, quelques blessés mais pas de tués, mais grands dégâts à l'usine qui doit être évacuée. Le directeur de l'usine qui habite justement le château où nous sommes arrive en auto et nous annonce qu'il a donné l'ordre à ses ouvriers d'évacuer à l'usine d'Ambroise.

Le reste de la journée est calme, mais les évacués passent toujours en grand nombre.

samedi 18 mai (le fils) :

11 heures : arrivée à Liancourt, 9 km de Creil. Déjeuner sur l'herbe avec le beurre et le fromage emportés

de Soissons. Près de nous un poste important de R.R. Un soldat est allé nous chercher au camp un litre d'eau et un autre de bière et n'a pas voulu en être payé. Un sergent nous a dit d'attendre un camion afin de nous conduire à la gare. Pendant le repas, à trois reprises, les avions ennemis sont venus survoler le camp. Nous avons dû courir sous bois pour nous mettre à l'abri des mitrailleuses et de la DCA. Un avion allemand est abattu au-dessus de nous.

3 heures : un camion militaire nous emmène à la gare de Liancourt-Rantigny.

6 heures : voyant qu'aucun train ne venait la femme du capitaine Bouffanais nous emmène chez monsieur l'abbé Mocquet, curé de Rantigny, où nous recevons un accueil chaleureux.

Nuit du 18 au 19. Trois alertes avec bombardements. Nous allons dans la cave en face de la maison. Nous entendons le bombardement de Creil.

dimanche 19 mai (le père) :

Le matin vers sept heures je suis allé à la maison, il n'y a rien d'anormal. Le quartier est triste, on ne voit personne dans les rues. Notre chatte est là dans sa caisse avec quatre nouveaux petits chats. Je lui avais conservé des déchets de viande de la veille, elle en fut bien heureuse. Je fais le tour de la maison et m'apprête à repartir, mais deux avions allemands passent au-dessus de chez nous. Je me couche le long du mur et j'attends leur départ avant de repartir. Il ne reste dans la rue que madame Favry (mère), madame Olagnier (de la poste) et la marchande foraine du bout de la rue.

Rentré au Cantonnement, le Lieutenant Ricateau m'envoie avec deux hommes pour faire la réquisition des bicyclettes abandonnées sur la place Saint-Christophe, car les réfugiés qui veulent monter en camion doivent abandonner leurs machines, bicyclettes, voitures d'enfant, brouettes, etc., il y en a plein la place. Nous choisissons quelques bécanes convenables pour servir aux hommes du CRR. La place est non seulement encombrée de toute sorte de véhicules, mais il y a des centaines de personnes qui attendent des camions pour évacuer. Si une bombe tombait là !

L'après-midi vers quinze heures nouveau raid des avions allemands, il y en a cette fois 34, mais pour la première fois des avions français et anglais les prennent en chasse, nous assistons de loin au combat, c'est très impressionnant. Un avion allemand a réussi à jeter une bombe vers la halte Saint-Christophe mais elle est tombée dans le terrain de Maupas. Notre château a tremblé. Nous avons su le lendemain que pour se venger les Allemands avaient jeté leurs bombes sur le Mail mais surtout sur Vauxrot et Crouy. Quelques-unes aussi sur la distillerie de Bucy-le-Long. Il y a eu 4 avions allemands abattus. Un aviateur allemand qui n'était que blessé a été transporté à l'infirmerie du 67e. Il s'est vanté d'avoir bombardé la gare de Villers-Cotterêts quelques jours avant. Un petit canon de 37 qui se trouvait dans la cour de la caserne avec un sergent et 2 hommes a abattu 5 avions ennemis en quelques jours.

19 au soir. Il paraît qu'on quitte Soissons ce soir pour aller où, c'est le mystère. Toujours est-il que la gare est démolie, celle de Villers-Cotterêts aussi, nous partirons donc en direction de Château-Thierry.

Je retourne à la caserne pour y chercher des vivres pour le départ, avec quelques hommes, nous passons par la place Saint-Christophe vers 7 heures et à ce moment il y a une cinquantaine d'autocars pour évacuer la population qui reste à Soissons. Ils partent par la route de Paris.

Nous restons au Cantonnement, le dépôt quittera Soissons à 10 h du soir, rassemblement de tous les groupes à 10 h au croisement des routes de Paris et de Presles à l'entrée de Vauxbuin.

Tout le matériel du Centre de Rééducation et les archives de la Trésorerie seront chargés dans des camions au château de Mercin où nous stationnons. Le lieutenant Ricateau partira avec les camions, et moi après avoir mené les hommes du CRR et de la Trésorerie au rendez-vous du dépôt sur la route à 10 h du soir, j'attendrai à cet endroit les 4 hommes qui possèdent des bicyclettes et qui me rejoindront après le chargement des camions.

Je suis à mon poste à 10 h du soir et le dépôt part à pied en direction de Château-Thierry mais en passant par Vauxbuin, Courmelles, etc., pour éviter la route de Paris qui risque d'être bombardée.

À minuit je n'ai encore vu personne, je suis auprès de la ferme de Presles. J'entends un bruit de pas, je crois que ce sont mes hommes, mais non, c'est un détachement commandé par un lieutenant qui m'apercevant dans l'obscurité me met la lampe électrique sous le nez et son revolver à la main me demande ce que je fais là. Je lui explique mon rôle et lui indique la route à suivre pour rejoindre le dépôt.

Enfin à une heure du matin mes hommes arrivent, les camions étaient arrivés en retard. J'apprends que ma cantine a été chargée dans un camion.

Nous partons donc à bicyclette dans la direction qu'a prise le dépôt, c'est-à-dire en évitant la route de Paris, mais à environ 7 ou 8 km de Soissons, nous nous informons auprès de personnes rencontrées dans un village à quelle heure le dépôt était passé, mais aucune ne peut nous renseigner, personne n'a vu passer de troupes, pourtant nous sommes bien sur l'itinéraire prévu.

Nous continuons notre route et à notre grande surprise nous nous rencontrons avec le dépôt à Chaudun. Celui-ci malgré les ordres donnés s'était égaré et avait pris la route de Paris !!! avec des officiers en tête. Nous nous plaçons en queue du dépôt et pendant des heures nous avalons des kilomètres et en silence et défense de fumer. Enfin nous arrivons à notre première destination, Saint-Rémy-Blanzy à 5 heures du matin (20 mai). On se couche par terre dans les bois où nous resterons toute la journée, avec défense d'aller sur la route car les avions ennemis passent toute la journée au-dessus de nous. Repas froid, du pain et du pâté qu'on avait emporté de Soissons. Les avions semblent nous chercher, personne ne bouge, mais impossible de songer au départ.

dimanche 19 mai (le fils) :

Impossibilité d'aller même à la messe avec les alertes successives.

Midi : deux officiers venant déjeuner chez monsieur le curé nous apprennent que les Allemands sont à Saint-Quentin.

2 heures : Mme Bouffanais nous ramène à la gare en auto et nous attendons le dernier train pour Paris. Les communications téléphoniques sont coupées. M. le Curé nous confie une petite sœur belgo-luxembourgeoise afin de l'emmener à Paris. Nous enregistrons nos bagages qui sont : un vélo, un sac de linge et une grosse valise.

Nuit du 19 au 20. Nous allons constamment de la gare à la tranchée située en face, près des rails.

lundi 20 mai (le père) :

Nous recevons l'ordre de départ pour ce soir à 9 heures, en direction de Neuilly-St-Front où paraît-il nous aurons un train ? ?

Il paraît aussi que nous nous rendons à Pontivy (Morbihan).

20 mai, 22 heures. Le départ prévu pour 9 h du soir a lieu à 10 h. La colonne se forme et nous partons en plein clair de lune et les avions survolent toujours. Nous marchons sur un rang de chaque côté de la route, et quand les avions sont trop près nous nous couchons dans les fossés. Je suis toujours à bicyclette mais ce n'est pas plaisant car il faut suivre la colonne au pas et défense de dépasser. De temps en temps je passe ma bécane à un soldat fatigué ou j'accroche à ma bécane des fusils ou des sacs. Nous faisons environ 30 km pour atteindre l'étape où nous arrivons à 4 h du matin. Comme au départ de Soissons notre groupe est indépendant, nous suivons la colonne mais nos vivres sont à part et notre logement. Donc arrivés dans le pays nous nous mettons en quête d'un logement et nous ne trouvons qu'un grenier au-dessus d'une grange auquel on monte par une échelle vermoulue. Enfin il y a beaucoup de paille et c'est l'essentiel.

lundi 20 mai (le fils) :

2 heures (matin) : le canon gronde et les montagnes de fumée intercalées de lueurs rouges montent vers le ciel.

3 heures : le train arrive de Compiègne bondé de réfugiés et de soldats.

3 heures à 4 : des grenades incendiaires tombent autour du train, sans toutefois le toucher. À la gare de

Creil, bombardement plus intense. Une grenade incendiaire tombe devant le poste de secours. Elle est aussitôt rendue inoffensive par les soldats et infirmières du poste. Nous repartons à une vitesse vertigineuse pour Paris.

4 heures : arrivée à la gare du Nord, où nous sommes très bien accueillis par les scouts et les infirmières.

4 heures 30 : des autocars nous mènent au gymnase de l'avenue Jean-Jaurès aménagé en centre d'accueil.

Nous avons la désagréable surprise de coucher sur la paille. Des infirmières de l'A.D.F. nous offrent des couvertures pour nous coucher.

mardi 21 mai (le père) :

Mais à 5 h les bombes, assez loin, mais il faut quand même prendre des précautions. J'inspecte la situation et je constate que la nôtre est dangereuse, si les avions viennent sur nous, le grenier n'offre aucune garantie et on ne peut descendre qu'un par un et encore avec précaution. Donc pas d'hésitation il faut déménager en vitesse pour aller où. Aucun abri, le mieux c'est d'aller dans les champs, nous trouvons une pâture pas bien loin avec un ruisseau et des arbres donc nous serons bien là. Nous reprenons notre repos avec plaisir et comme les avions ne sont pas venus, vers 8 h on se lève et on prend un bon nettoyage dans le ruisseau. Mes pieds surtout en avaient besoin et comme ma dernière paire de chaussettes n'est pas réparable je la jette et je m'en passerai à l'avenir.

Nous sommes dans un petit bourg à 3 km de Neuilly-St-Front, il n'y a qu'un petit café qui est pris d'assaut, impossible de se faire servir. Il faut plus d'une heure pour avoir un verre de vin. Enfin on n'a que cela à faire. Il y a du mouvement dans le pays, un homme vient d'être arrêté, il a été pris avec une cisaille et plusieurs fils téléphoniques ont été coupés depuis quelques jours. Est-il espion, on ne sait. Enfin il est gardé dans une cave en attendant une décision. Nous repartirons sans connaître son sort. Cette fois la cuisine a pu être faite, nous avons touché de la viande et des pommes de terre que nous avons fait cuire en plein air. Dans l'après-midi vers 3 h j'écris à Eugène à Chailly dans l'espoir d'avoir de vos nouvelles et je mets un timbre sur la lettre pour qu'elle arrive mieux et je la mettrai dans la première poste que je rencontrerai.

Départ de ce pays à 10 h du soir, une heure après nous traversons Neuilly-St-Front. Je me renseigne sur la poste mais il paraît que toute correspondance est arrêtée, la poste ne marche plus, donc inutile de mettre la lettre pour Eugène et d'ailleurs nous allons en direction de Melun.

mardi 21 mai (le fils):

À midi nous mangeons à la caserne des Tourelles, conduits en rang comme de vulgaires prisonniers.

Du 21 au 22 mai: situation sans changements notables. Nous sommes déprimés par le manque d'air et la poussière qui s'échappe de la paille. Maman demande à sortir afin d'aller au ministère des Finances. Elle se voit refuser cette demande, personne n'ayant le droit de sortir dans Paris. Malgré cela Simonne sort dans Paris «en taxi» avec une infirmière afin de savoir si les colis expédiés à Liancourt sont arrivés sans toutefois les prendre.

mercredi 22 mai (le père):

À quelques kilomètres de Charly-sur-Marne, à 4 h du matin, nous sommes pris par un orage terrible, mais défense d'arrêter, nous sommes trempés, mais il faut à tout prix passer la Marne avant le matin, on ne sait ce qui peut arriver. C'est ce que nous faisons vers 5 heures du matin (22 mai). Mais pour éviter toute surprise il faut s'éloigner un peu du pays. Enfin à 6 h nous nous arrêtons dans un bois, nous sommes trempés et l'herbe est mouillée, mais nous nous couchons par terre quand même. Mais à 8 h nouvel orage. Alors nouveau départ pour gagner un village à 3 km. Nous logeons dans un hangar sous la paille et dormons jusqu'à 11 heures.

Nous avons un repas chaud et le soleil nous permet de bien nous sécher. Nous resterons là toute la journée et demain aussi.

L'après-midi vers 3 h un bruit de moteur nous arrive et se rapproche très rapidement, nous nous masquons sous les arbres et quelques secondes après un avion de chasse allemand passe à environ 50 m au-dessus de notre hangar à toute vitesse et il est suivi à 100 m par un autre avion, mais ce dernier est un français qui le poursuit, en effet 1 minute après nous entendons claquer les mitrailleuses et aussitôt un bruit de chute. Nous partons en patrouille dans la direction de la chute, mais en chemin nous apprenons que l'avion allemand a été abattu et qu'il s'est écrasé dans la vallée de Charly à 3 km de notre cantonnement. Nous rentrons. Le reste de l'après-midi se passe sans incident.

mercredi 22 mai (le fils) :

À 5 heures (après-midi) : départ de Paris à la gare d'Austerlitz.

Malgré la demande de Maman d'aller sur Laval, nous sommes forcés d'évacuer par ici.

Nuit du 22 au 23 mai : je suis malade dans le train pendant tout le trajet ayant des douleurs atroces dans le ventre intensifiées par le roulement du train. Tourment de Maman qui croit à l'appendicite.

jeudi 23 mai (le père) :

Aucune alerte pendant la nuit où nous avons dormi dans la paille. Dès le matin la cuisine fonctionne, car les voitures de la CHR cantonnent avec nous et nous avons touché du ravitaillement, bon repas également à midi, le départ est fixé pour ce soir à 7 h en direction de Coulommiers (25 km). L'après-midi vers 4 h des avions ennemis en grand nombre passent au-dessus de nous (environ 50). Tout le monde est à l'abri (de la vue) et les avions passent.

Le soir repas froid avant le départ que nous prendrons à 6 h car le gros de la colonne est à 3 km de nous.

Nous arrivons au lieu de rassemblement et nous apprenons avec surprise que la colonne est partie depuis 6 h (preuve d'organisation parfaite, le commandant avait devancé l'heure du départ, mais les ordres n'ont pas été transmis). Nous sommes donc environ 20 hommes isolés de la colonne et Boniface blessé au pied ne peut plus marcher. Nous partons à quatre à bicyclette dans l'espoir de rattraper la colonne et d'envoyer une ambulance. Nous rejoignons la colonne à 8 h dans un village où je trouve une camionnette. Je l'envoie au-devant des malades, et nous, nous reprenons nos places dans la colonne. Marche monotone dans la nuit, sans bruit, et toujours à l'écoute.

jeudi 23 mai (le fils) :

10 heures (matin) : arrivée à Bram. Tout le monde descend. Nous allons au centre d'accueil afin de nous

restaurer. Avant d'entrer, mon mal qui avait diminué reprend. J'ai très mal au cœur. Des scouts m'emmènent à l'infirmerie et le docteur Kaisergue me fait une piqûre d'huile camphrée et ordonne de me conduire à l'infirmerie qui se trouve dans l'hôtel Rancoule et de prendre 48 heures de repos. Maman et Simonne viennent aussi à l'hôtel où l'on nous donne une chambre à 2 lits. Le soir même nous faisons la connaissance du docteur Laboucarié dont la visite fut un réconfort pour tous.

vendredi 24 mai (le père) :

Enfin nous sommes près de Coulommiers à environ 1 km à 1 h du matin. On nous arrête à l'entrée de la ville en haut d'une côte et en plein vent. Nous sommes gelés car nous avons eu chaud en marchant, car comme toujours j'ai fait presque toute la route à pied car c'est difficile de rouler à bicyclette dans la nuit surtout au pas. Nous sommes obligés de mettre nos capotes et même des couvertures. Nous restons là plus d'une heure. Il paraît que les officiers sont partis à la gare pour faire préparer les trains et l'embarquement.

Enfin vers 2 h 30 nous arrivons en gare, sur les quais de marchandises, il y a là 3 à 4000 hommes qui ne savent pas quoi faire, on distribue de la paille, il faut se battre pour en avoir et ensuite il faut trouver de la place dans les wagons et comme nous sommes en queue de colonne nous arrivons les derniers. Le train est complet, personne ne veut nous faire de place (esprit français !). J'ai retrouvé là Boniface et les copains du CRR qui ont eu la chance de trouver un camion sur la route, par contre ils n'ont pas vu l'ambulance.

Ensemble nous allons voir le commandant et il nous autorise à monter dans un wagon postal qui était accroché à la locomotive sur une voie de garage. Nous montons là à une quinzaine et nous sommes encore mieux que les autres. Mais il y a les bécanes, plusieurs centaines. Il faut les mettre sur un wagon plate-forme. On les empile comme on peut, mais il y a aussi les voitures régimentaires et les autos qu'il faut embarquer. Ce qui fait qu'à 4 heures du matin nous sommes prêts à partir. Si un avion allemand avait eu la fantaisie de nous rendre visite ! Quel fracas ! Nous démarrons au petit jour.

Nous passons à Villeneuve-St-Georges à 7 h. À Massy-Palaiseau à 10 h. À Versailles à 12 h. À Chartres à 15 h et au Mans à 19 h. Nous restons en gare du Mans pour nous ravitailler en nourriture et en eau (un morceau de lard gras et du fromage) puis le train repart à 21 h en direction de Nantes. La nuit nous prend et nous essayons de dormir un peu.

vendredi 24 mai (le fils) :

Je vais mieux. Maman tombe malade à son tour. Le docteur ordonne deux jours de diète.

25 mai : Simonne tombe malade. Le docteur réordonne 1 jour de diète. Matin et soir il vient nous voir et nous soigne avec un grand dévouement. Nous quittons définitivement l'infirmerie le 6 juin.

samedi 25 mai (le père) :

Nous nous arrêtons à 4 heures du matin dans une petite gare qui s'appelle (Pasquet ?) où sommes-nous ? Personne ne sait rien ! Enfin nous sommes répartis dans différents pays aux environs, et nous, nous sommes désignés pour Vallet avec le siège du dépôt, mais c'est à 5 km de la gare. Puis il y a les bécanes à descendre.

Je reste donc avec ceux qui veulent leur bicyclette mais après une demi-heure d'attente le chef de gare ne peut nous les donner, les voies de garage n'étant pas libres. Il faut attendre le jour ou revenir. Il y a une camionnette qui charge les cantines des officiers pour Vallet, nous en profitons et nous filons !

Nous arrivons au pays avant la colonne, mais nous trouvons là le lieutenant Ricateau qui, lui, est venu de Soissons avec les camions et qui est chargé du cantonnement. Aussi a-t-il fait le nécessaire pour que nous soyons bien logés. Il nous y mène de suite et après un bon café bien chaud dans un bistro tout va bien !

Nous avons une maison inhabitée, la salle à manger comme bureau, la cuisine pour coucher les hommes et nous deux chambres au premier, aucun mobilier, seulement de la paille, mais on se débrouillera.

En effet une heure après j'avais fait la connaissance du voisin, un vieux rentier, vivant seul (M. Humo) qui avait offert une chambre au Lieutenant mais celui-ci en avait déjà une, et il m'a offert celle du voisin. Donc bonne affaire, chambre simple, une armoire, 1 lit d'une personne, table de nuit, 2 chaises et fenêtre sur la rue. La cour en commun avec le logement du groupe, tout est pour le mieux. Les copains qui sont arrivés dans la matinée (Dubut, Boniface) ont fait un peu la tête en apprenant mon acquisition, mais chacun se débrouille.

Je vais ce soir coucher dans un vrai lit !

Vallet est une petite ville de 5 à 6000 habitants, très belle église, rues agréables et population sympathique. Nous nous installons là pour le mieux, car il paraît que nous y resterons un bon moment. J'ai retrouvé mon sac qui était parti avec les camions et j'ai retrouvé aussi la cantine telle que je l'avais embarquée à Soissons. J'ai déposé la lettre pour Eugène en gare de Coulommiers, mais je lui écris à nouveau avec l'adresse d'ici. J'écris en même temps à Citron à Blandy.

Puis les jours se succèdent ici en toute tranquillité, au début je mangeais avec les hommes mais maintenant il y a un mess des sous-off. Je n'ai que quelques travaux à faire à la machine à écrire, la vie est plutôt monotone. Nous sommes bien installés car dans le pays nous avons trouvé tables, chaises, etc.

Nous avons des nouvelles par les gens du pays qui ont la radio. Naturellement la situation n'est pas brillante, les Allemands avancent toujours, nous ne savons pas ce que nous ferons si l'avance continue. J'ai dû faire réparer mes chaussures (3 francs) mais elles sont très bien. Je lave moi-même car les laveuses du pays profitent de la situation.

L'avance ennemie continue, beaucoup de personnes qui avaient évacué en Bretagne se voient obligées de descendre vers le Midi, aussi c'est incroyable le nombre d'autos, de camions, voitures, bicyclettes qui passent ici et qui descendent vers le sud. Il faut que nous assurions la circulation pour éviter les accidents et l'embouteillage. J'ai l'occasion de voir passer le dispensaire de Soissons avec Mlle Rouffiac et les infirmières que l'on connaissait. J'ai aussi vu le docteur Bonnenfant, le receveur de l'hôpital avec le fils Dufour. M. et Mme Dominique, ancien menuisier de Soissons.

Deux camions de Courouble qui avaient suivi le dépôt sont allés à Soissons dans l'espoir de ramener du matériel et des vêtements de la caserne, ils sont partis avec une douzaine de soldats du dépôt, dont Favry, notre voisin. Les camions ont été mitraillés au retour sur la route de Paris mais sans être atteints. Quant aux marchandises, tous les magasins avaient été ouverts par les soldats en déroute et pillés. Ils n'ont donc ramené que des choses que les soldats n'avaient pas emmenées et ont dû en laisser beaucoup. Les Allemands se sont chargés du reste.

Les Allemands cernent Paris. Ils se proposent de descendre sur la Loire, alors

(fin du journal du père)

jeudi 6 juin (le fils) :

Le docteur nous offre l'hospitalité. Il met à notre disposition une chambre à 2 lits et une autre pièce nous servant de bureau. Nous sommes accueillis par sa famille comme de vrais amis. Accueil que nous n'oublierons jamais. Malgré l'angoissante inquiétude de ne pas avoir de nouvelles de leurs parents, officiers qui sont au front, ils nous reçoivent avec sollicitude.

Dès notre arrivée à Bram, nous faisons des démarches afin de savoir où est Papa. Nous faisons connaissance avec le capitaine Berquet et sa femme. Celui-ci s'offre de téléphoner à Laval. Nous acceptons et le lendemain la réponse est négative : il n'y a pas de dépôt 21 à Laval.

Nos voisins de table, le commandant Ramel et le capitaine Deschamps, font à leur tour des démarches en écrivant au Bureau Central militaire de Paris, à Nantes, au commandant d'armes de Soissons, à la gendarmerie et au commandant d'armes de Laval. Le commandant Ramel reçoit des nouvelles de sa femme qui est à La Roche-sur-Yon. Elle lui donne des nouvelles d'un officier de la 2e région. Le commandant lui récrit immédiatement afin de savoir où se trouve la 2e région.

des petites traces

Alors que pour la troisième fois en soixante-dix ans la France est envahie et s'effondre, que dix millions de réfugiés sont jetés sur les routes, un quart de la population du pays, que les familles sont séparées, dans tout le Pérou vivaient en ce printemps de 1940 six millions de personnes. Et dix millions dans la seule capitale en ce mois de juillet 2015.

Installé dans le quartier de San Isidro à la Résidence, immobile à nouveau, enfermé dans l'appartement des hôtes qui ouvre sur le jardin, je reprenais la lecture de mes carnets depuis mon départ de Managua deux mois plus tôt : après une matinée à la lagune de Xiloa avec Sergio Ramírez, j'avais emprunté un vol à destination de San Salvador au milieu d'une théorie de prêtres en soutane.

Ceux-là se rendaient à la cérémonie de béatification de monseigneur Romero abattu pendant sa messe par un commando paramilitaire en 1980. J'avais relevé quelques nouvelles dans les journaux. Rien sur le projet chinois du canal. *El Diario de Hoy* du jeudi 21 mai 2015 parvenait à établir que la moyenne nationale des homicides de ce tout petit pays d'El Salvador était passée de quatorze à vingt et une victimes par jour. Le président de la Banque centrale du Guatemala frontalier, Julio Roberto Suárez, et le président de l'Institut guatémaltèque de Sécurité sociale, Juan de Dios Rodríguez, étaient arrêtés pour corruption. Ces journaux me paraissaient aussi anciens que ceux trouvés dans les archives de Monne, et que j'avais depuis deux mois trimbalés sur les routes à bord de la Passat.

Traversant au volant ces régions du nord et de l'est de la France ravagées par les guerres, j'avais souvent imaginé les combats plus anciens encore en ces mêmes lieux, avant l'existence de la France, pensé à la bataille des Champs catalauniques quelque part entre Troyes et Châlons-en-Champagne – non loin à vol d'oiseau de Valmy et de Verdun –, dont ne demeure au sol aucune trace. Au milieu du cinquième siècle – mille quatre cent quatre-vingt-neuf ans avant l'invasion allemande de mai 40 –, une coalition de Gallo-Romains, de Francs et de Wisigoths avait repoussé celle des Huns et des Ostrogoths menée par Attila. Tous ces peuples avaient disparu, comme ont disparu les Limas qui à la même époque avaient élevé Huaca Pucllana dont nous étions allés voir les ruines dans le quartier de Miraflores : grande pyramide pleine, en briques de terre et de paille de couleur pâle, disposées comme des livres dans des rayonnages et montant par paliers.

Des offrandes au fond de petits puits, coquillages, dents de requin, plumes, des squelettes de femmes et d'enfants ensachés. Au-dessus de cette fascinante beauté des religions mortes, le ciel uniformément blanchâtre et laiteux, plâtreux ou cotonneux, de cette couleur qu'on dit ici « panza de burro », « panse d'âne ». Jamais de bleu, jamais de soleil et jamais de pluie. Parfois le brouillard de la garúa comme un brumisateur. Tout cela qui fit écrire à Herman Melville que Lima est la ville la plus triste du monde. Et toutes ces civilisations éparpillées s'étaient épanouies, avaient fabriqué des armes, inventé leurs propres dieux, s'étaient éteintes sans soupçonner l'existence de celles qui leur étaient contemporaines et se combattaient sur les autres continents.

La grande et majestueuse Yersin avait réquisitionné au nom de la Confédération helvétique une bicyclette diplomatique française pour longer le Pacifique du haut des falaises. Peu encline à l'immobilisme et à la réclusion, elle sillonnait la ville et nous nous retrouvions à la terrasse du Cala au-dessus des galets gris et du vacarme des vagues, ou dans le quartier de Rímac au pied du Cerro San Cristóbal de l'autre côté du pont gardé par un blindé sur roues, ancien bourg colonial espagnol devenu cour des miracles, estropiés et chiens des rues, vendeurs de cocaïne au regard désazimuté, minuscule église où le bedeau interrompt l'étude d'un magazine pornographique pour encaisser nos piécettes d'un nuevo sol pour les cierges. Un soir plus au sud, pour une tournée des grands ducs avec Diego Trelles Paz et Alfredo Pita, dont les romans sont emplis de la violence inouïe de la guerre civile au Pérou au temps du Sentier Lumineux : peut-être l'appartenance à un peuple est-elle seulement la somme des traumatismes communs transmis de génération en génération.

Nous avions dîné à La Botica, Avenida Petit-Thouars, parlé jusqu'au milieu de la nuit dans l'arrière-salle d'une tienda de Barranco. Dans cette famille des marins héroïques Du Petit Thouars, c'est Abel-Nicolas Bergasse Du Petit Thouars qui avait ici donné son nom à l'avenue. Envoyé par le Second Empire au Japon lors des troubles de 1868, puis par la République aux Marquises en 1880, l'année du mariage d'Alexandre Pathey et de la petite fille en blanc, il avait empêché sur le chemin du retour le sac de la ville de Lima par les troupes chiliennes. Son oncle Abel Aubert avait pris possession pour le roi des Français des Marquises et de Tahiti en 1842, lui-même neveu d'Aristide Aubert parti en 1792, l'année de la bataille de Valmy, à la recherche de La Pérouse disparu, avant d'accompagner Bonaparte en Égypte et de mourir à la bataille navale d'Aboukir, le 2 août 1798, journée au cours de laquelle les boulets de la flotte anglaise de Nelson lui avaient successivement arraché les deux bras puis une jambe.

Nous allions gagner Cuzco puis Puno où j'espérais poursuivre cette collecte de ces petites traces, voir les lieux du botaniste Joseph de Jussieu, membre de l'expédition La Condamine dont j'avais, six mois plus tôt, suivi le parcours en Équateur, à Mitad del Mundo et dans la Cordillère. Après avoir mesuré un arc de méridien, les hommes s'étaient querellés puis séparés. La Condamine avait descendu le fleuve Amazone pour rentrer en France par Cayenne. Jussieu était passé au Pérou, avait poursuivi ses recherches jusqu'au lac Titicaca, avait regagné la France en 1771, après trente-six ans de voyage, et déposé ses collections au Muséum d'histoire naturelle comme s'il l'avait quitté la veille.

Ne comptant pas m'éloigner aussi longtemps de la Passat et reprendre mon tour de la France, nous avions invité à dîner avant notre départ Fabrice Mauriès que nous avions connu deux ans plus tôt consul général à Saigon et retrouvions ambassadeur à Lima. À l'Amoramar, après le pisco et les sopas de choclo, parce que le monde est divers et chatoyant, nous reprenions l'imbroglio des familles politiques péruviennes. Le président en exercice Ollanta Humala, qui était venu prendre un verre à la Résidence quelques jours plus tôt pour la fête du 14-Juillet, est le fils d'Isaac Humala, marxiste-léniniste fondateur de l'etnocacerismo. L'ambiance ne semblait pas au beau fixe dans la famille.

Le père déclarait dans le *Diario Correo* de ce 23 juillet : « Mon fils Ollanta est au Partido Nacionalista mais en réalité il est fujimoriste, parce qu'il gouverne avec la Constitution de ce délinquant de Fujimori. » Quant à son autre fils, Antauro, il était toujours en taule depuis sa tentative de coup d'État du 1er janvier 2005. Et Alberto Fujimori, qui avait gagné la présidentielle de 1990 contre Mario Vargas Llosa, était toujours incarcéré lui aussi. En ce mois de juillet 2015, les deux principaux quotidiens péruviens, *El Comercio* de centre droit et *La República* de centre gauche, donnaient sa fille Keiko Fujimori favorite des sondages pour la présidentielle de 2016.

Le corps diplomatique est une manière de France à lui tout seul, hors-sol, satellitaire, dont les fonctions, de plus en plus, se font économiques : il était difficile de vendre des produits du tout-venant ici où le salaire minimum était de 750 soles, moins d'un quart du français. Les projets portaient donc plutôt sur les technologies de pointe et surtout l'armement. En cette année 2015, sans doute était-il délicat de représenter un pays dont l'armée combattait en Afrique et au Moyen-Orient alors qu'au même moment des centaines de ses ressortissants combattaient dans les rangs des djihadistes de Daesh – et presque aucun dans ceux des Kurdes syriens laïcs et démocrates.

Nous avions évoqué à nouveau les attentats de *Charlie Hebdo*. Quelque chose s'était brisé là, qui marquait le début d'une période nouvelle. Par goût des listes et des recensions, j'avais dressé dans un carnet celle des attentats avérés et déjoués en France ces sept derniers mois. Après les douze meurtres des frères Kouachi le 7 janvier, puis, le lendemain, celui d'une policière à Montrouge et de quatre clients d'un supermarché casher par Amedy Coulibaly, Moussa Coulibaly avait agressé au couteau le 3 février des militaires en faction devant un centre culturel juif de Nice. Le 19 avril, Sid Ahmed Ghlam, qui projetait de tuer « cent cinquante mécréants » dans une église de Villejuif, avait assassiné une jeune femme dans ses préparatifs, Aurélie Châtelain. Le 26 juin dans l'Isère, Yassin Salhi avait décapité son patron Hervé Cornara, brandi la bannière de Daesh et lancé son fourgon sur des bouteilles de gaz entreposées dans une cour d'usine. On venait d'arrêter quelques jours plus tôt, la veille du 14-Juillet, quatre hommes qui projetaient d'attaquer un centre militaire dans les Pyrénées-Orientales et de filmer la décapitation d'un officier. Plusieurs milliers de djihadistes potentiels étaient placés sous surveillance.

Continuant de feuilleter les journaux péruviens, j'avais aussi relu, allongé sur le lit, les carnets du père et du fils recopiés à Soissons afin d'en visualiser les parcours. Le 20 mai 1940, la mère et les deux enfants sont amenés depuis la gare du Nord au gymnase Jean-Jaurès, dans le dix-neuvième arrondissement de Paris, au 87 de l'avenue. Ils passent la nuit sur la paille. Le fils de quatorze ans s'en plaint, qui n'a jamais manqué de draps. Le père est un briscard quinquagénaire, il en a vu d'autres, et se réjouit de dormir dans un grenier sanglé dans sa capote plutôt que dehors sous l'orage : « Enfin il y a beaucoup de paille et c'est l'essentiel. » Les voilà sur la paille et ça n'est plus une image.

Le lendemain, mardi 21 mai, on emmène les réfugiés déjeuner à la caserne des Tourelles dans le vingtième arrondissement, boulevard Mortier. La marche est de trois kilomètres environ, par la rue de Crimée le long des Buttes-Chaumont, puis sans doute par les rues de Belleville, Haxo puis Saint-Fargeau. « Conduits en rang comme de vulgaires prisonniers », écrit le fils. Dès qu'elle en aurait fini avec les réfugiés du Nord, la caserne du boulevard Mortier deviendrait, sous l'Occupation, un centre de rétention pour les étrangers juifs et les apatrides. C'est là qu'une fille de son âge, Dora Bruder, dont Patrick Modiano retrouvera la trace dans une petite annonce de *Paris-Soir*, serait internée avant de disparaître à Auschwitz. Après la Libération, la caserne Mortier accueillerait le siège du contre-espionnage. Elle prendrait le nom de La Piscine, du centre de natation qui la jouxte.

Comme un satellite voyant rouler sous lui la planète et consignant les millions d'événements quotidiens, ou tel cet historien selon Fénelon qui ne serait « d'aucun lieu ni d'aucun temps », immobile sur ce lit, les yeux fermés, je tentais de saisir la simultanéité du monde pendant ces quelques journées : à Mexico, le vendredi 24 mai 1940 à quatre heures du matin, est perpétré le premier attentat contre l'exilé Trotsky. Des hommes ouvrent le feu à la mitraillette sur la maison de Coyoacán. Son petit-fils Sieva, qui a l'âge du fils dans les carnets, et celui de Dora Bruder, est atteint d'une balle dans le pied. Quatre heures du matin au Mexique c'est déjà onze heures du matin en France. À cette heure-là, le père qui a marché toute la nuit de Charly-sur-Marne jusqu'à Coulommiers attend d'être évacué à bord d'un train de soldats vaincus vers la Bretagne. Ce jour-là du 24 mai 1940, un tremblement de terre de magnitude 8,2 tue ici, à Lima, 249 personnes. Alexandre Yersin attend dans sa chambre au sixième étage de l'hôtel Lutetia de prendre le dernier vol Air France pour Saigon. Ce jour-là du 24 mai 1940, la mère et les deux enfants viennent de passer leur première nuit à Bram. On leur avait dit qu'ils devaient descendre à Brame. Ils avaient entendu Brame. Ils avaient découvert dans la gare minuscule l'absence du e final. Ils sont à Bram, dans le département de l'Aude.

Depuis deux générations, depuis la petite fille en blanc et ses parents retour d'Égypte, ces trois-là sont les premiers à avoir franchi la Loire. Ils ne le savent pas encore mais ils sont à jamais déracinés. Lorsqu'ils retraverseront ce fleuve, ils seront à bord du *Saint-Christophe*, le bac de Mindin. Ils se rendront à Saint-Nazaire. Onze ans plus tard.

vers le sud

Passant de Soissons à Bram après un détour par Cuzco, j'avais choisi d'arriver là comme eux en été. De les retrouver éblouis par le soleil du Midi après la Picardie. Bram est en bordure de la D33, à mi-chemin de Carcassonne à l'est et de Castelnaudary à l'ouest, les deux capitales du cassoulet, aux deux recettes un peu différentes, donnant lieu à des querelles.

Dans la circulade, le vieux village en deux rues de cercles parfaits autour de l'église, où les maisons aux façades incurvées sont classées mais pour beaucoup à vendre, des commerces fermés, un cinéma en ruine. La France assemblait en cette année 2015 moins d'un pour cent de la population mondiale et le centre de beaucoup de villages était à l'abandon, les habitants enfuis vers les périphéries. L'image le lendemain mercredi, jour de marché, était différente, bruyante et colorée. J'avais acheté des fruits, des pêches et des abricots, demandé à un vieil homme, assis à l'une des deux petites tables au soleil devant le Café de la Place, face au supermarché et à la halle Claude-Nougaro, s'il savait où se trouvait autrefois l'hôtel de France de la famille Rancoule : il m'avait répondu en anglais qu'il n'en savait rien.

À l'intérieur et dans l'ombre, une décoration de râteliers à foin fixés aux murs de pierre restituait l'ambiance d'une écurie. Trois buveurs de pastis avaient interrogé pour moi un diacre rugbyman. La discussion avait glissé sur les deux familles Rancoule et Spanghero, lesquelles avaient fait la gloire du rugby bramais. Le Café de la Place n'était pas leur siège, mais le café Bénazet, dont tous s'inquiétaient de la santé du patron. On m'y donnait rendez-vous le lendemain. Au hasard de ces propos chaleureux, j'avais appris que l'ancien hôtel de France, transformé en logements sociaux, était à une centaine de mètres de là, à côté de la gare, et précisément rue de la Gare.

Après une nuit de train, la mère et les deux enfants sont accueillis à dix heures du matin par des scouts. Ils n'ont que quelques mètres à parcourir avec leur unique valise pour atteindre l'hôtel. Le reste des bagages est égaré. Quelque obscur centre de triage des réfugiés les avait envoyés ici au hasard. Au même moment, des milliers d'autres villages du Sud accueillaient des centaines de milliers d'autres rescapés. On ouvrait d'urgence des orphelinats qu'on espérait temporaires, pour plusieurs dizaines de milliers d'enfants perdus pendant l'exode, terrorisés par les sirènes des Stukas Junkers Ju87 qui mitraillaient en piqué. On les installe ici au château de Lordat. On tente de les réconforter.

Dans le journal du fils, on croise un curé, une femme de médecin, des officiers. La mère se dit épouse d'un professeur de gymnastique et sous-officier combattant. C'est alors de la bonne bourgeoisie. En 1940, on affiche encore sa classe sociale dans ses vêtements, son allure, on se reconnaît entre soi à cent mètres. Le docteur

Laboucarié les reçoit à tour de rôle à l'infirmerie, les requinque. Plus tard, il leur proposera de venir s'installer chez lui. Les officiers logés à l'hôtel essaient de localiser le père. L'armée elle-même est égarée dans sa retraite. Ils reçoivent au bout de quelques jours un courrier du chef de bataillon May, commandant les rescapés de la 3e DIM., depuis Gimont, dans le Gers : « Nous avons ici quelques éléments de la 3e DIM. que nous avons pu regrouper. Le sergent Paul Deville n'appartenait pas au 67e RI mais à une formation actuellement au Dépôt d'Infanterie N° 20 à Bussières-Galant dans la Haute-Vienne. » Bien sûr ce serait moins loin que Vallet, mais l'information est erronée.

Eux aussi envoient des fusées de détresse, reçoivent des nouvelles de plus malheureux. Ainsi ce camarade soissonnais du père disparu, le sergent-chef Lebailly, qui leur répond le 7 juin, depuis l'hôpital Saint-François-de-Sales d'Alençon, en Normandie : « Mes chers amis, votre lettre m'est parvenue d'Auray. Je vous remercie de me donner de vos nouvelles. Comme moi, comme ma femme et André qui sont dans la Mayenne, vous voilà évacués. Hélas quelle misère et moi aussi j'ai beaucoup regretté de ne pas vous avoir vus le 16. Si votre passage à Compiègne a été mouvementé et que Simonne l'a échappé belle, malheureusement il n'en est pas de même pour votre pauvre ami qui n'est plus maintenant qu'un grand blessé auquel il manque le bras droit à hauteur du dessus du coude. Pris sous le bombardement à Compiègne une balle de mitrailleuse m'a broyé le coude et quelques heures après je me réveillais sur un lit d'hôpital amputé du bras droit. 2 jours après j'étais à Alençon. Hélas je souffre beaucoup par moments, mais la guérison suit son cours normal et il faut le temps.

Le moral est bon il faut s'y résigner. Jugez de la peine de ma femme adorée et ce pauvre Denis auxquels il a bien fallu dire la vérité.»

Un mois jour pour jour après l'invasion allemande, ils apprennent que l'Italie fasciste déclare la guerre à la France envahie. On ordonne aux forts des Alpes pourtant victorieux la reddition. Douze jours plus tard, ils apprendront que l'armistice est signé à Compiègne, dans le même wagon que l'armistice de 1918.

Face à l'ancien hôtel de France de la famille Rancoule, j'étais entré dans un square dont les employés municipaux aux espaces verts et à l'arrosage ignoraient le nom, et dont j'obtiendrais plus tard à la mairie confirmation qu'il n'en porte pas. Au milieu se dresse le monument aux Morts sur lequel, à l'arrivée des réfugiés, figurait déjà le nom d'Antonin Rancoule dans la liste de 14-18, et pas encore celui de Jean Rancoule dans celle de 39-45. Celui-là deviendrait, pendant le séjour bramais du fils, son camarade de scoutisme. On avait gravé, depuis, les noms de trois autres enfants du village, l'un mort en Indochine, un autre au Maroc et un autre en Algérie.

Assis à l'ombre sur un banc, j'imaginais tout ce qu'allait voir pour la première fois un gamin pâlot du Nord, voir de ses yeux, et non plus dans les livres et sur des photographies: les vignes dans la chaleur de l'été, les cyprès, les pins, le soleil brûlant, les montagnes à l'horizon, à la sortie du village la route étroite bordée de hauts platanes qui coupe à angle droit le canal du Midi. Nous avions gagné l'île aux Oiseaux, guinguette en contrebas du pont. Des touristes anglais, assis dans des fauteuils pliants sur le roof de leur embarcation, écoutaient des airs d'accordéon. La patronne nous avait appris que les platanes le long du chemin de halage étaient malades et seraient bientôt abattus. Mais c'étaient encore, en cet été 2015, les platanes qu'ils avaient vus à l'été 40. Sans l'apparition de ce parasite, ils auraient pu vivre encore plusieurs siècles. Bonaparte avait vu ceux que nous pouvions voir cette année-là dans le jardin du Luxembourg.

Depuis leur chambre de l'hôtel de France, ils continuent d'envoyer des courriers, communiquent leur position sur la carte, essaient de trouver celle du père. Ils reçoivent une lettre de Madeleine, l'orpheline de l'autre guerre, la fille du frère Henri mort gazé en 1917. Avec sa mère Alix on l'avait évacuée vers Bordeaux. Elles sont déjà de retour à Soissons : « Votre maison est intacte aussi je suis passée devant en allant faire des courses, mais je ne suis pas rentrée, car madame Topin a refermé les portes et elle donne à manger aux chats. Toutes les maisons ayant été ouvertes et pillées, il y a sûrement du fouillis aussi chez vous, mais il n'y a que vous qui pourrez vous rendre compte des affaires qui vous manquent quand vous serez de retour. »

Ils ne seront jamais de retour. Ils ne verront jamais les quatre chatons nés le lendemain de leur départ, que le père mentionne dans son journal. Ils ne reverront jamais la chatte blanche que le fils avait photographiée avant de partir et que la voisine continue à nourrir. N'eût-elle été embarrassée de cette progéniture, ils auraient peut-être reconnu cette chatte blanche un matin, efflanquée, les coussinets en feu, allongée sur les marches de l'hôtel de France. Ça s'est vu déjà, cette fidélité, cet exploit géographique. À moins qu'elle n'eût choisi de suivre la trace du père jusqu'à Vallet – où il n'est déjà plus.

chez Jules

En ce mois d'août 2015, alors qu'un flot continu de réfugiés fuyant la guerre en Syrie atteignait les côtes de la Grèce et de la Turquie, Angela Merkel proposait à ses compatriotes d'accueillir un million d'entre eux en Allemagne et leur assurait que c'était possible. « Wir schaffen das. » En ce printemps de 1940, les réfugiés du Nord retrouvent à Bram des réfugiés du Sud. J'avais cherché les traces du camp des vaincus espagnols de la Retirada à la sortie du village, roulant au pas en direction de Montréal par la D43, dans un paysage austère de carrières, de vasières et de marais. Rien ne demeurait du camp. À l'endroit où s'alignaient autrefois les baraques en bois, un monument avait été inauguré le 12 mars 2009 par Georges Frêche alors président de la région :

> En ce lieu, du 16 février 1939 au 15 janvier 1941, plus de 35 000 républicains espagnols, victimes du fascisme, de la guerre et de la répression, furent internés.
> Nombre d'entre eux s'enrôlèrent par la suite dans la résistance pour continuer leur combat pour la démocratie.
> D'autres victimes des totalitarismes en Europe connurent ici l'enfermement.

Ce monument est élevé à la mémoire de ces femmes, de ces hommes, de ces enfants et en souvenir des 224 personnes qui trouvèrent la mort dans ce camp, dans des conditions inhumaines.

En ce mois de juin 1940 les Espagnols peuvent encore sortir du camp. On les croise dans les rues de Bram. Monne se souvenait d'un vieux père et de son fils qui portaient beau, de leur démarche altière, de leur regard de feu. Le père, disait-elle, on l'appelait le Cid, et le fils, bien qu'elle s'en défendît derrière son sourire de vieille dame, demeurait dans sa mémoire comme un premier amour impossible. Elle avait rougi peut-être, sous l'œillade ou le sourire du bel Espagnol aux cheveux noirs, la vierge blonde aux yeux bleus de bientôt dix-huit ans. Et cet émoi se conjuguait à ce mot magique de Midi qu'elle découvrait, aux noces de la vigne et du soleil. Ce trouble, elle ne peut alors le confier à personne, ce secret de jeune fille, ni à sa mère ni à son jeune frère, alors qu'ils sont encore sans nouvelles du père, et que le monde autour d'eux s'écroule.

À table, on leur apprend que l'Allemagne nazie bouscule devant elle toutes les armées et se répand sur la carte de l'Europe. Après la bataille de France ce sera la bataille d'Angleterre. À Londres, Stefan Zweig qui a fui l'Autriche est sur le point de gagner le Brésil. Il écrit dans son journal, le dimanche 16 juin : « Quoi qu'il en soit nous sommes perdus, notre vie est détruite pour des décennies », et le lendemain, lundi : « La France perdue, réduite en ruines pour des siècles, le pays le plus adorable d'Europe, pour qui écrire, pour quoi vivre ? » Ce même lundi 17 juin, le fils continue d'enregistrer la catastrophe dans son carnet : « Nous allons Maman et moi à Villasavary. Simonne, étant malade, reste à se reposer. Et là, aux informations de 12 h 30, le Maréchal Pétain nous apprend la triste nouvelle par laquelle il demande la cessation des hostilités. » Ce jour-là, dans la salle à manger de l'hôtel Rancoule, le commandant Ramel, dont la femme est à La Roche-sur-Yon en Vendée, leur annonce avoir enfin localisé le dépôt 21 à Vallet, au milieu du vignoble de muscadet.

Le soir même, le fils écrit à son père. C'est une carte postale de la Franchise militaire. Elle est oblitérée le lendemain 18 juin 40. Il dessine et colorie au verso les deux drapeaux français et anglais entrecroisés, écrit quelques mots, donne leur adresse à Bram, dans l'Aude : « Nous sommes toujours en bonne santé et espérons que toi aussi tu te portes bien. Cet après-midi (17 juin) nous avons été (Maman et moi, Simonne étant légèrement souffrante) à Villasavary afin de voir le percepteur pour l'allocation aux réfugiés. Nous avons entendu la triste allocution du Maréchal !!! Nous espérons être bientôt réunis sous des jours meilleurs espérons-le. Malgré ce coup, j'espère toujours que nous ne cesserons pas la lutte et que nous aurons la victoire. Dans l'espoir d'avoir de tes bonnes nouvelles nous t'embrassons tous trois de tout cœur. »

Au recto de la carte, une autre main a rayé l'adresse, « Centre de rééducation Dépôt 21 Vallet Loire-Inférieure », et l'a remplacée par : « Prisonnier de guerre Châteaubriant ».

Au-delà de la coïncidence de date – parce qu'ils n'apprendront que plus tard l'appel lancé ce 18 juin depuis Londres par le général de Gaulle –, ce qui me surprenait, dans les mots du fils de quatorze ans, était sa conviction de se savoir sur la même longueur d'onde que son père de cinquante ans, sa certitude que lui aussi souhaitait la poursuite des combats jusqu'à la victoire. Me surprenaient aussi ces deux drapeaux sur la carte sans enveloppe, lesquels auraient pu leur valoir quelque temps plus tard les pires ennuis, tant au fils qui les dessine qu'au père, qui conservera cette carte tout le temps de sa captivité, puisqu'elle m'est parvenue.

Rien de cela ne fait d'eux des héros. La censure n'est pas encore en place et les pleins pouvoirs ne seront donnés à Pétain que le 10 juillet. Me surprenait encore, à la lecture des archives de Monne et du carnet du fils, qu'il y eût ici, avant même le début des combats, tant d'officiers français à attendre au calme l'arrivée des réfugiés dans les petits villages ensoleillés du Midi, uniformes frais repassés et chevaux étrillés, vin rosé au restaurant de l'hôtel de France. Et parmi eux ce commandant Ramel, qui rédige cette note infâme et devance ainsi les ordres de Vichy, note que je trouverais plus tard sur Internet :

Camp de Bram, le 23 juin 1940

NOTE DE SERVICE

Depuis deux jours des évasions se sont produites parmi les réfugiés des baraques 9 et 13. Deux d'entre eux ont été arrêtés et ramenés au camp et emprisonnés.
Pour faire cesser ces évasions, je suis amené à prendre des mesures restrictives contre les réfugiés suspects réunis dans la seule baraque 13 ; il leur sera, jusqu'à nouvel ordre, interdit de sortir de la baraque.
Je ne tolérerai pas que des réfugiés suspects venus demander un refuge hospitalier en France profitent de ses malheurs pour tenter d'aller semer le trouble dans le pays.

C'est pourquoi je donne l'ordre aux sentinelles de s'opposer par la force à toute évasion. Tout individu en état de rébellion sera abattu comme un chien.
Au surplus, je donne connaissance aux réfugiés de cette baraque de la note de service 558/2 de ce jour qui s'applique à tous les réfugiés et internés présents au camp. L'attitude des réfugiés de la baraque 13, leur respect des règles de discipline au camp dicteront, à l'avenir, ma conduite à leur égard.
Le Chef d'Escadron RAMEL, Commandant le Camp
(tampon – *Camp de réfugiés espagnols*, et signature)

Qu'est-ce qui lui prend, à ce Ramel, d'utiliser une telle formule, « abattu comme un chien » ? Le soir au dîner fanfaronne-t-il ? Se vante-t-il d'avoir bouclé les Espingouins dans leurs baraques ? Monne rougit-elle, est-elle prise d'un léger tremblement, prétexte-t-elle un nouveau malaise pour poser sa serviette et quitter la table, aller se réfugier dans sa chambre ? Elle ne le verra plus jamais, le jeune homme à la mèche de cheveux noirs en aile de corbeau qui accompagnait son vieux père dans les rues du village.

En fin de journée, j'avais poussé la porte de Chez Jules. L'établissement se terre en retrait de la rue principale de Bram, tronçon de la D4 jouxtant la circulade, et prenant brièvement le nom de rue Charles-de-Gaulle jusqu'à la sortie du village. Le lieu semblait à l'abandon depuis des années, mais sa façade délabrée pouvait être un camouflage, un subterfuge destiné à le dissimuler à la curiosité des touristes anglais et des non-fumeurs. Dans l'obscurité, quatre joueurs de belote et une femme étaient assis autour d'une table en marbre blanc ponctuée de verres de pastis et de cendriers. Au milieu de la salle carrelée trônait un grand poêle dont le tuyau montait à la verticale jusqu'au plafond très haut. Banquettes de moleskine rouge le long des murs. Deux types assis au comptoir de bois, derrière lequel officiait Bernard, rencontré la veille au Café de la Place.

Après que la seule cliente était parvenue à soustraire son mari à l'enfer du jeu, la partie de cartes s'était interrompue, et nous n'étions plus que sept comme à l'échouage dans un angle du vaste local. Tous partageaient l'inquiétude de Bernard quant à l'avenir du temple, et l'interrogeaient sur la santé du patron. Celui-là, Julien Bénazet, tenait toujours le café à quatre-vingt-dix ans, mais quelques jours plus tôt il était tombé et on l'avait hospitalisé. Bernard lui rendait visite. Au retour il ouvrait le bistrot, par solidarité avec les habitués, et de client se faisait tenancier.

On m'indiquait au mur un article de *La Dépêche du Midi* paru cinq ans plus tôt, illustré d'une photographie du quasi-légendaire Bénazet derrière sa pompe à bière. Il y a peu encore, me disait-on, il attelait son bateau à sa 306 Peugeot décapotable et prenait le volant en direction des plages de Narbonne pour aller naviguer seul. Il est né ici, dans ce bistrot que tenait son père, en 1925, la même année que le fils à Saint-Quentin. Sans doute les deux adolescents se sont-ils croisés, dans les rues du village ou à la boulangerie, ou dans les expéditions scoutes de Jean Rancoule, pendant les deux ans que les réfugiés avaient passés ici, jusqu'à l'été 1942.

Bernard me demandait si j'avais trouvé l'ancien hôtel Rancoule. On me montrait derrière le comptoir les coupes et les fanions des clubs sportifs bramais, rappelait le souvenir des deux Rancoule, Henri qui fut ailier du XV de France et son fils Jean-Michel du Stade toulousain. On évoquait aussi Dante Spanghero, le maçon du Frioul émigré à Bram en 1936, dont les six fils, tous de deux mètres de haut et de plus de cent kilos, avaient joué au club local avant d'évoluer, pour deux d'entre eux, Walter et Claude, en équipe nationale et d'emporter le Grand Chelem en 1968. On se lamentait de l'apparition du professionnalisme. Qui jouerait aujourd'hui dans le club d'un village de trois mille habitants ? De fil en aiguille, on me demandait si ça rapportait autant que le rugby, de faire l'écrivain.

Parce qu'il me semblait qu'ils ne la connaissaient pas, j'avais ressorti la blague éculée selon laquelle je disposais d'assez de droits d'auteur pour vivre jusqu'à la fin de mes jours, à condition de mourir l'année prochaine. J'avais remis une tournée de pastaga, mentionné une phrase du journal du fils écrite ici le mardi 25 juin 1940 : « Le docteur Laboucarié et sa famille font preuve une nouvelle fois de gentillesse en mettant leur cuisine à notre disposition. Nous faisons ainsi notre cuisine et ne mangeons plus à l'hôtel. » Le nom du docteur Laboucarié n'était pas inconnu de ces Bramais, dont l'un se souvenait qu'il faisait avant guerre, entre ses consultations, commerce de « vignes américaines ».

Le temps filant à mesure des petits jaunes, le tutoiement s'était installé dans la joyeuse bande. Afin de m'instruire des splendeurs du passé, Bernard était allé chercher pour me les présenter des couverts en argent et de la vaisselle en porcelaine au monogramme du café Bénazet, ainsi qu'une clef de la porte du fond, laquelle ouvrait sur une immense salle de bal poussiéreuse sous verrière. Là se produisaient autrefois des orchestres de tango, de paso doble et de java, se tenaient de grands tournois de loto. Rien n'était plus aux normes et la salle était condamnée. Un billard toujours suspendu au plafond par des poulies et des cordages. J'avais pensé que Mathieu Amalric, que nous avions retrouvé avec Véronique Yersin six mois plus tôt à Venise pour rendre hommage à Daniele Del Giudice, dont il avait adapté au cinéma *Le Stade de Wimbledon*, aurait pu repérer cette salle hors du temps pour des scènes de son film *Tournée*, tout comme il avait choisi d'en placer certaines sur le port de Saint-Nazaire.

Nous étions revenus au comptoir et Bernard emplissait les verres pour une dernière rasade. Il pestait contre l'invasion pourtant pacifique des Anglais, qui achetaient tout par ici, et ne buvaient même pas de pastis. Nous versions un peu d'eau et regardions louchir le breuvage national. Dès août 40, le gouvernement de Vichy avait interdit le pastis. Cette prohibition avait par la suite conféré à la boisson anisée quelque haute vertu républicaine et patriotique. Lors de l'invasion de la zone sud en 1942, après que les officiers français avaient quitté l'hôtel Rancoule, et que les Espagnols, fuyant leurs baraques, avaient sauvé leur peau en s'éparpillant dans la nature, les officiers allemands, négligeant l'austère hôtel de France, avaient réquisitionné à leur propre usage les dix chambres du café-cabaret Bénazet.

Deux maires de Bram se sont appelés Rancoule et Bénazet. L'aïeul homonyme du bistrotier, Julien Bénazet, l'avait été avant la Première Guerre, de 1896 à 1908. Jacques Rancoule, du Parti radical, avait assumé ces fonctions de 1919 à 1941. C'est de sa main que sont signés, le 23 octobre 1940, les certificats de domicile des trois réfugiés, « chez M. le Docteur Laboucarié », ainsi que leurs documents d'identité. Son tampon est encore celui de la République pourtant abolie. Monne y est ainsi décrite : « cheveux blonds, yeux bleus, nez rectiligne, teint clair, dix-huit ans ».

Ainsi qu'elle plut au jeune Espagnol.

un beau collabo

> samedi 15 juin : Je vais à Fanjeaux, chef-lieu de canton, où je passe avec succès les épreuves du Certificat d'Études.
>
> *Journal du fils*

Ce jour-là, Monne accompagne son jeune frère. Tous deux quittent Bram de bon matin vers le sud, attifés de leurs vêtements du Nord ils marchent une dizaine de kilomètres en ligne droite, sur la D4 qui traverse la plaine au milieu des blés mûrs, regardent Fanjeaux loin devant, comme en plein ciel. Soixante-quinze ans plus tard, j'étais debout au bord de la route, à hauteur de La Chevalinière, à mi-chemin de Bram et de Fanjeaux. Invisible, je voyais glisser leurs fantômes le long des champs de sorgho rouge, céréale qu'on ne cultivait pas encore dans ces contrées en 1940.

Au pied du raidillon ils font une halte, lèvent les yeux, grimpent avec leurs souliers de citadins les lacets qui les élèvent jusqu'au belvédère. Pris de vertige ils se tiennent au parapet, découvrent la chaîne des Pyrénées à l'horizon du sud et la Montagne noire à celui du nord. Le jeune garçon trempé de sueur entre dans l'école, ouvre le sac de sa sœur qui lui sert de cartable, sort la règle et le porte-plume. Comment fait-il pour ne pas être ébloui par tout cela et la grandeur du paysage, moins d'un mois après avoir quitté Soissons sous les bombes ? Comment pense-t-il encore à l'examen, à réciter devant la carte suspendue les départements et les préfectures de la France éternelle mais envahie ? A-t-il appris déjà que l'Aude est un fleuve qui coule ici du sud au nord vers la Méditerranée, quand l'Aisne qui baigne Soissons est une rivière, qu'ils avaient longée dans leur fuite à l'arrière du camion jusqu'à Compiègne où elle se joint à l'Oise, laquelle coule vers le sud, et verse ses eaux dans la Seine en amont de Paris, avant qu'elle se jette au Havre dans la Manche ?

Pour l'épreuve de chant, les mains dans le dos, c'est toujours en juin 40 *La Marseillaise* qu'entonne le futur baryton et pas encore *Maréchal nous voilà*. Les instituteurs font grâce aux jeunes réfugiés de l'histoire locale. De celle du vicus Eburomagnus qui deviendra le village de Bram sur la longue voie romaine de Narbonne à Toulouse. Et ici à Fanjeaux de la croisade contre les Albigeois au treizième siècle. De la sauvagerie des catholiques envers les cathares.

C'est au volant qu'avec Yersin nous avions entrepris l'ascension du village haut perché, dont les remparts protégeaient au Moyen Âge plus de trois mille âmes et sans doute à présent quelques dizaines de résidences secondaires. Nous visitions l'église paroissiale où trône la sacrée poutre, dite du Miracle du feu. Le prédicateur catholique Dominique de Guzmán avait défié en duel incendiaire d'ordalie l'évêque cathare de Castres, Guilhabert. Les ouvrages de l'hérétique se consumèrent quand ceux du papiste demeurèrent intacts puisque Dieu les aimait. Guzmán devint ainsi saint Dominique. Ces querelles de clochers, balivernes des croyances et broutilles théologiques feraient s'esclaffer un enfant de six ans un peu éveillé. Elles répandirent la guerre et la torture dans tout le Languedoc. J'avais recopié la veille ces phrases affichées sur le parvis de l'église Saints-Julien-et-Basilisse au centre de la circulade de Bram :

> En 1210, au cours de la croisade contre les Albigeois, le castrum de Bram connut un siège de trois jours au terme duquel les villageois furent capturés par les armées du nord. Cet épisode donna lieu à un acte particulièrement barbare : le chef des croisés, Simon de Montfort, fit couper le nez et crever les yeux à une centaine de vaincus. À un seul il fut laissé un œil, afin qu'il puisse guider ses compagnons sur le chemin de Cabaret (actuellement Lastours) dans le but d'impressionner les défenseurs de ce château qui résistait encore.

Près de l'église de Fanjeaux, un antiquaire ou un brocanteur offrait à la vente tout un fourbi d'objets et de tissus, de vaisselle, de vieux journaux et de magazines. J'avais acquis pour cinquante centimes d'euro un numéro de *L'Illustration* du 21 septembre 1940 que j'avais lu le soir à La Chevalinière. On y voyait des photographies aériennes des bombardements de Londres par la Luftwaffe. Un article anodin consacré au ski nautique, sport que les Parisiens pratiquaient avec insouciance sur la Seine au milieu de la capitale paisible et des Allemands débonnaires. Un reportage géographique à Aden Arabie dans lequel n'apparaissait ni le nom de Rimbaud ni celui de Nizan mort en mai sur le front près de Dunkerque.

Jacques de Lesdain signait un pamphlet à la gloire du nazisme, rappelait qu'avant guerre en France « les israélites avaient tout envahi. Le ministère Blum fut presque totalement juif et maçon. Dans la rédaction d'un grand journal d'information on comptait jusqu'à quinze plumes israélites. [...] C'est alors que le national-socialisme inscrivit en tête de son programme leur expulsion et la restitution d'une partie de leurs biens ». Le chaos historique exacerbe des penchants qu'il est difficile de déceler. La catastrophe est le fil du rasoir. Docteur en droit, diplômé en sciences politiques, diplomate en Chine, explorateur de la Mongolie et du Tibet, coureur automobile au Brésil et à Monaco, Jacques de Lesdain ne manquait ni de courage physique ni de culture encyclopédique. Il aurait fait un beau héros et fut un salaud. Enfui à Sigmaringen avant la Libération, condamné à mort par contumace, il poursuivit jusqu'en 1968 sa carrière de journaliste à *L'Osservatore Romano*, le journal du Vatican.

l'attente

Au même moment se dressent des hommes de bien qui de la catastrophe auraient pu se laver les mains, se foutre comme de l'an quarante.

Début janvier 1939, Gilberto Bosques descend au Havre l'échelle de coupée du *Normandie*. Celui-là a combattu pendant la révolution mexicaine. Il est envoyé consul à Paris par le président Lázaro Cárdenas avec mission de venir en aide aux républicains espagnols. Le Mexique ouvre grand ses portes. Deux ans plus tôt, à l'initiative de Diego Rivera, s'y étaient réfugiés Trotsky et sa femme Natalia Ivanovna. Frida Kahlo les avait accueillis dans sa maison bleue de Coyoacán. Frida est à Paris au printemps de 39, prend contact avec les exilés de la Retirada. Après la déclaration de guerre, Bosques leur délivre des visas et organise l'embarquement de milliers d'entre eux à destination de Veracruz.

Lorsque les Allemands entrent dans Paris, le consulat se replie sur Bayonne, ville envahie à son tour le 15 juin 40 pendant que le fils passe son certificat d'études à Fanjeaux, que de Gaulle est à Rennes en chemin pour Londres. Bosques s'installe en zone libre à Marseille, négocie avec Vichy le soutien du Mexique aux trois cent mille réfugiés répartis dans des camps comme celui de Bram. Et le bel Espagnol de Monne a peut-être, grâce à Bosques, passé sa vie à Puebla ou Acapulco. On aimerait imaginer que les choses furent ainsi, que celui-là conserva dans sa mémoire l'image d'une jeune Francesa blonde aux yeux bleus croisée dans les rues d'un village.

Bosques étendra son assistance aux juifs et aux antifascistes. Nommé ambassadeur, il annoncera la rupture des relations diplomatiques après l'invasion de la zone sud. Les Allemands déportent l'ensemble du corps consulaire mexicain. Assigné à résidence à Bad Godesberg près de Bonn, il continuera de mener le combat depuis son exil avec le soutien de la légation suédoise. Encore celui-là agissait-il en accord avec son gouvernement. C'est de sa propre initiative que le plus obscur Aristides de Sousa Mendes, héroïque consul du Portugal à Bordeaux, avait décidé d'enfreindre les lois de son pays.

Dès le lundi 17 juin, alors que Pétain forme son gouvernement et que la frontière avec l'Espagne va bientôt fermer, Sousa Mendes délivre à tour de bras des visas et des passeports. Déchu de ses fonctions par le ministère de Salazar, qui envoie des hommes l'arrêter et le rapatrier, il continue de signer des sauf-conduits à quiconque veut se soustraire à l'Occupation et gagner Lisbonne. Il meurt dans la misère en 1954. En 1966 est fait Juste parmi les nations. Depuis des années, j'alignais dans un carnet les noms de ces héros positifs qui alimentaient mon optimisme chancelant. Ces deux-là y figuraient. J'en cherchais d'autres.

C'était encore l'été.

Ouvrir une carte Michelin détaillée à couverture jaune, déplier son accordéon sur la table d'un café suffit à l'ivresse. À sa lecture on voit tous ces villages, ces «petites routes secondaires, les plus belles du monde» selon Fernand Braudel, qui «suivent les sinuosités et parlent le langage précis du relief», ces virages surlignés du vert émeraude des panoramas, le vert pomme des forêts, le bleu des lacs.

Avec Yersin nous empruntions au hasard les vermicelles blancs des chemins vicinaux entre les fermes et les prés où déclinait la lumière des soirs d'août, dormions à Sévérac-le-Château dans la maison de La Singulière sur la source de l'Aveyron, dans le village d'Aubrac sur le plateau où elle allait donner une conférence sur l'*Art incendiaire* de Kevin Salatino qu'elle venait d'éditer chez Macula. J'étais assis au premier rang. Elle portait un gilet vert sur un chemisier un peu bariolé comme un Pollock, une perle noire à son cou. Lorsque sans s'interrompre elle avait enlevé ce gilet, devant ses longs bras dorés de maîtresse des flammes, ses mains qui passaient dans ses cheveux noirs, on oubliait un peu Salatino puis revenait fasciné aux gravures projetées des feux d'artifice, par lesquelles les rois d'Europe divulguaient la grandeur martiale de leur pouvoir, mimaient la guerre et la canonnade éternelle que je retrouvais chaque jour à la lecture des archives. Elle était parvenue à évoquer son œuvre fétiche qui est le *Rhinocéros* de Dürer.

Nous flânions sur le Massif central, allions à Millau acheter chez Fabre des gants de pécari, descendions dans les gorges du Tarn, dînions à Espalion, visitions la haute cathédrale de briques rouges d'Albi dressée après la victoire sur l'hérésie, dormions au Mercure-Cathédrale de Rodez qui jouxte le café Riche où s'asseyait Artaud pendant la guerre pour gribouiller ses lettres, avant de regagner l'asile psychiatrique du docteur Ferdière pour la soupe. Je souhaitais laisser passer du temps avant de retrouver la mère et ses deux enfants. Après la tension des jours qui ont suivi leur arrivée, l'inquiétude, les nuits sans sommeil, les cauchemars, ils connaîtront à Bram l'ennui de l'attente. Ils sont reconnaissants aux Laboucarié de les héberger mais ils ne sont pas chez eux. C'est la routine venant, qu'on croit avoir sous la main dans un tiroir telle paire de ciseaux et qu'on se souvient que le tiroir, les ciseaux, la commode, tout cela n'est pas dans la pièce à côté mais à Soissons rue Charles-Périn.

Pour l'instant ils mangent à leur faim, c'est le début de la guerre. La mère et la fille préparent les repas. Le fils de toute sa vie ne saura cuire un œuf. Celui-là achève ainsi son journal qu'il n'ouvrira plus : « Lundi 15 juillet : Une carte postale de Papa nous apprend qu'il est prisonnier de guerre au camp de Châteaubriant en Loire-Inférieure. Du 15 juillet au 5 octobre : Nous n'avons plus de nouvelles par suite de l'arrêt du trafic postal de la zone libre à la zone occupée. » Ils savent que pendant l'autre guerre le père était resté plus de trois ans en Bavière, que l'occupant commence à envoyer les prisonniers vers l'Allemagne.

Pendant ces vacances d'été le fils devient scout. Il retrouve les garçons qui les avaient accueillis à la descente du train. Il entretiendra jusqu'après la guerre une correspondance avec l'un d'entre eux, Maurice Castagné. Ils battent la campagne. Jean Rancoule est le chef de troupe. On verra plus tard à Bram une rue Jean-Rancoule. Son nom sera gravé sur le monument aux Morts.

Début septembre, j'avais suivi seul le soleil et m'étais installé à Lisbonne chez José Manuel Fajardo. Après avoir travaillé dans l'appartement pendant la journée, nous descendions en métro vers le Rossio, où la statue de Dom Pedro empereur du Brésil est peut-être une statue de Maximilien empereur du Mexique, mise au rebut après son exécution. Comme celle du général Morazán à Tegucigalpa est peut-être celle du maréchal Ney fusillé. À la descente du ferry pour Cacilhas, nous marchions en direction du Ponto Final. Derrière les baies vitrées du restaurant de poisson O Farol, des navires porte-conteneurs glissaient sous le grand pont du 25-Avril. Une inscription au milieu des azulejos sur les murs faisait remonter l'ouverture de l'établissement à 1890. La ritournelle des éphémérides avait repris. L'année de naissance du père et de la mère. Conrad et Brazza cette année-là sur le fleuve Congo. Le suicide de Van Gogh qui aurait pu peindre les eaux vertes du Tage. Après le déjeuner j'avais attrapé le ferry, puis un taxi à la gare maritime pour l'aéroport. Pendant ces quatre derniers mois, j'avais épluché quatre-vingts ans des archives de Monne, de 1860 à 1940. Je m'apprêtais à lire la suite, parce qu'un matin de janvier 1941, après huit mois d'attente…

on frappe à la porte

… et il se tient là debout dans l'embrasure. Il est vêtu de la même vareuse que huit mois plus tôt, lorsqu'il avait un peu pédalé derrière le camion qui s'éloignait sur la route de Compiègne. Encore une fois il rentre de la guerre avec ses quatre pattes intactes. La bataille de France fut brève. On se figure parfois une retraite éperdue, une course folle vers la mer. Près de soixante mille soldats français laissèrent leur vie dans ces feux d'artifice. Après huit mois de captivité, ses camarades du camp de Châteaubriant ont été déportés en Allemagne pour laisser la place aux prisonniers politiques. On l'a jugé trop vieux et trop peu menaçant, à cinquante ans passés :

> Le Prisonnier de Guerre DEVILLE Paul, Sergent réformé par la Commission de Réforme du 25/11/1940, reconnu DU (inapte au Service) par les Autorités Allemandes et inscrit sur les listes des DU au Stalag N° 1834-A est renvoyé dans ses foyers à Bram (Aude).
> Il devra se présenter au plus tôt à la Gendarmerie en vue de sa démobilisation.
>
> Nantes, le 8 janvier 1941
> Le Médecin-Colonel GODARD
> Directeur du Service de Santé de la XIème Région

Avec ce papelard il s'est mis en route vers le sud, a franchi sans encombre la ligne de Démarcation. Il a marché depuis la gare et frappé à la porte des Laboucarié. Le médecin lui a serré la main puis les a laissés seuls, tous les quatre, dans la cuisine. Même s'ils sont des taiseux du Nord, qui jamais n'adopteront les effusions méridionales, ils ont bien dû ce jour-là se serrer dans les bras. Ils font le vœu de ne plus jamais se séparer. Il en a suffisamment rêvé de ce moment, dans ses courriers qu'il écrivait depuis son grabat castelbriantais :

« Je n'ai jamais rien reçu de vous puisque sans doute vous écriviez au secteur postal et que celui-ci est supprimé depuis que nous sommes ici. Enfin soyez rassurés car je me porte bien quoique nous avons passé des moments terribles. [...] Je commençais à désespérer, je vous croyais mitraillés sur la route de Compiègne. Il m'était impossible de dormir la nuit tellement j'avais des cauchemars, aussi maintenant j'espère que c'est fini. Sans vous avoir auprès de moi je vous sais en sécurité c'est le principal et le reste m'importe peu. Vous d'abord et advienne que pourra. [...] Pourquoi êtes-vous si loin que s'est-il passé ? [...] J'espère que vous n'avez pas l'intention de filer en Espagne car alors je sais ce qu'il me resterait à faire. On demande des volontaires au front. Enfin je dis des bêtises, je suis tellement content de vous savoir là que je crois rêver. Au revoir, à bientôt mes trois chéris et un gros baiser à chacun de vous. Confiance et Courage et Vive la France. »

Tout ce qu'il rapporte du camp c'est son journal de guerre et un portrait de lui au crayon, dessiné par l'un de ses codétenus, en paisible fumeur de pipe, coiffé de son calot militaire.

Le lendemain au réveil il se souvient qu'il est ici, dans le Midi. Il interroge Eugénie. Pourquoi n'est-elle pas remontée dans l'Aisne avec les enfants ? Ils sont assis devant un bol de chicorée, le café a disparu. Elle ne veut plus voir ces lieux maudits. Pour la troisième fois en deux générations le déferlement des Boches, les obus, les flammes, les pillages, les viols. Jamais la guerre n'est venue jusqu'à Bram. Des hommes d'ici sont morts sur le front, mais jamais leurs enfants ne sont partis à l'école comme les siens avec un masque à gaz, n'ont passé les nuits d'alerte terrés dans une cave. La moitié de la France est occupée et la façade atlantique jusqu'au Pays basque, l'Italie a envahi le Sud-Est. Ils sont au milieu de ce qui demeure en paix. Elle restera ici. Même si les Allemands évacuaient Soissons. Elle n'a plus confiance.

C'est une bien longue tirade pour cette femme, que je n'entendrai prononcer que quelques phrases pendant les quinze dernières années de sa vie, déplaçant le matin son corps trop grand du lit vers un fauteuil Louis XV, qu'elle quittait le soir pour regagner sa chambre. Je ne connais pas le détail de ses propos mais elle est inflexible. Jeune fille, du temps de Chailly, elle a pansé des blessés de guerre à Fontainebleau. Jeune mariée, à Soissons, elle a travaillé au Comité Américain pour la France Dévastée de Dorothy Schoonmaker. Où sont-ils d'ailleurs ceux-là ? Attendent-ils de créer un Nouveau Comité Américain pour la France à Nouveau Dévastée ? Peu de mots lui suffisent. Monne et Loulou resteront ici auprès d'elle. Il sait bien que ce sphinx en majesté est le chef de la famille. Déjà, en 1930, c'est elle qui avait décidé de l'expédition jurassienne, de l'achat de la Renault 6 CV. Elle n'a jamais aimé le Nord. Il serait inutile de la contredire. Le magot égyptien est depuis longtemps évaporé mais c'est un peu comme si, chaque semaine, la petite-fille du céréalier beauceron dînait avec Lesseps à la table du prince Moustapha Bey.

Lui qui avait attendu d'être renvoyé à la vie civile en 1919, puis à nouveau en 1939, se rend au Centre de démobilisation de Carcassonne le 23 janvier 1941. Il y reçoit un « acompte de démobilisation de deux cents francs ». Ils remercient le docteur Laboucarié, louent une petite maison meublée à la sortie de Bram, route de Limoux. Avec l'aide des voisins il apprendra à tenir un potager. La mère et la fille gagneront trois sous avec des travaux de couture. Le fils livré à lui-même n'a pas repris l'école, comme s'il se contentait de son certif et du scoutisme. Le père se met au jardinage pour la première fois de sa vie mais que pourrait-il faire d'autre ? Avant 14 il avait été ouvrier de fonderie mais nulle usine alentour. Il envoie des courriers comme des bouteilles à la mer à l'Inspection académique de Carcassonne :

« J'ai assuré pendant plus de dix ans les cours des établissements libres, séminaires, pensionnats et écoles à Dôle et à Soissons. D'autre part en 1919 j'ai été nommé moniteur de l'éducation physique des écoles communales de la région sud de Melun par M. Petit, Inspecteur primaire, à la suite d'un stage à l'École de Gymnastique de Joinville-le-Pont. Comme instruction Brevet élémentaire. Deux diplômes d'éducation physique avec médaille de vermeil du ministère de la Guerre. Je viens donc vous demander si vous avez dans votre département un emploi en rapport avec mes aptitudes. »

Il retourne à ses poireaux, apprend à manier la bêche et le plantoir, prépare au printemps les semis, plante des pieds de tomates. Pas de gymnase à Bram où le seul sport pratiqué est le rugby. Ils ont laissé tout ce qu'ils possèdent dans la maison de la rue Charles-Périn. Il écrit à des amis à Soissons et à la voisine madame Topin. Tout pourrait avoir disparu, les archives et les vieux journaux et le chameau en bois d'olivier de Jérusalem et l'histoire s'arrêter là. On verra que non. Finalement c'est vers l'armée qu'il se tourne, et j'ai retrouvé ce brouillon d'une lettre envoyée au colonel Pascot :

« Nous sommes réfugiés et décidés à rester dans le Midi en raison de la santé de ma femme. Mes enfants de 15 et 18 ans ont suspendu leurs études. Aussi m'étant adressé au Secrétariat de la Jeunesse et des Sports, ceux-ci me répondent qu'en raison de mon âge ils ne peuvent rien pour moi, la limite d'âge pour les stages étant 42 ans et j'en ai 50.

J'ai cependant suivi la colonne à pied de Soissons à Coulommiers environ 120 km, ensuite de Vallet à Châteaubriant soit 80 km, ce qui ne m'a pas empêché après un mois de captivité d'organiser un cours d'éducation physique tous les matins dans le camp.

Je possède depuis 1920 mon brevet de moniteur général passé à Paris au gymnase Jappy, devant l'Association des sociétés de gymnastique de la Seine. D'autre part après la guerre de 14-18 j'ai fait un stage à l'École de Joinville qui m'a permis d'être nommé moniteur au titre militaire dans la subdivision de Melun et détaché dans les écoles de la région sud de Melun par l'Inspection primaire. J'ai aussi à partir de 1920 pratiqué et enseigné le sport et j'étais en dernier lieu moniteur de la Société de gymnastique et de préparation militaire au patronage Jeanne-d'Arc de Soissons.

J'ai passé un brevet sportif populaire en 1937 (4e échelon) c'est-à-dire à 47 ans.

Vous pouvez constater par là, mon colonel, que je suis dans le mouvement sportif depuis toujours et que s'il fallait faire un stage pour me mettre au courant des conditions nouvelles d'enseignement, je me sens encore dans une condition physique capable de supporter les épreuves.

La guerre ayant passé dans mon pays où nous avions tout laissé, il ne nous reste qu'à faire une croix sur le passé et recommencer une nouvelle vie, décision indispensable pour permettre à nos enfants de trouver à leur tour une situation d'avenir. »

à Antibes

Ces courriers ne furent pas vains. L'École de gymnastique et d'escrime de Joinville est un sésame qui a déjà bouleversé sa vie. Les valeurs sportives sont les seules que Vichy reprendra du Front populaire. Il reçoit une réponse du Commissariat général à l'Éducation et aux Sports dirigé par le joueur de tennis Jean Borotra, vainqueur de Roland-Garros et de Wimbledon : « En réponse à votre lettre du 29 avril, je dois vous faire savoir que le prochain concours se tiendra les lundi et mardi 5 et 6 mai à Montpellier. Rendez-vous lundi 5 mai à 8 heures du matin Enclos-St-François rue Lunaret. Vous êtes dans les conditions pour l'âge étant donné vos services militaires, quant au titre universitaire en est exempté celui qui professe depuis 1933 ce qui doit être votre cas, mais nous croyons que ceci est réservé aux professeurs des établissements d'État sans que ce soit formellement précisé. Dans tous les cas, le Commissariat statuera sur votre cas et si vous êtes en bon état physique vous pouvez toujours vous présenter. »

Un dimanche il reprend le train, se rend à Montpellier, loue une chambre d'hôtel où le soir il pratique ses exercices d'assouplissement. Pendant ces deux jours il subit les épreuves, rencontre les formateurs de l'École de Joinville repliés au Collège national de moniteurs et d'athlètes dans le Fort Carré à Antibes. Ceux-là recueillent ses souvenirs de Joinville-le-Pont en 1919, des formateurs d'alors depuis longtemps à la retraite, des champions sportifs de l'époque parmi lesquels son héros Gabriel Maucurier. À l'été on le convoque pour un stage de trois mois, de juillet à septembre. À cinquante ans il voit la mer pour la première fois, et les palmiers et les bateaux à l'ancre. Sans la capitulation munichoise il n'aurait jamais vu la Méditerranée mais peut-être la Baltique. Si le ministère de la Guerre avait envoyé l'armée française mourir pour Dantzig et sauver la Pologne. Peu après son arrivée, il expédie une carte postale pour les dix-neuf ans de Monne. C'est une photographie noir et blanc colorisée de *La Chaîne des Alpes, vue prise de l'Hôtel Josse* :

Ma chérie,
11 juillet 1940 – Loin de vous et sans nouvelles !
11 juillet 1941 – Loin de vous mais plein d'espoir
11 juillet 1942 ? Confiance en nous et en la Providence.
Bons baisers d'anniversaire, Paul

Le mois suivant, c'est à son fils qu'il envoie une vue du Fort Carré devant les Alpes aux couleurs acidulées, le bleu ciel de la mer et le rose bonbon de la neige sur les sommets :

Antibes 8 août 1941, Mon cher Paul, Mes félicitations pour tes progrès en natation, et bons baisers pour ton anniversaire, Paul

Pendant qu'ils sont en sécurité à Bram, vivotent avec la pension de réfugiés, que son fils nage dans le canal du Midi, le père serre les dents. Il fait de son mieux pour suivre le rythme au milieu des jeunots. Malgré les blessures de l'autre guerre, le coude fracturé et les orteils qui lui manquent. Les mois de dénutrition en captivité. Comme à Châteaubriant il est le plus vieux et à nouveau ce sont les chambrées d'hommes, comme à la caserne et dans les camps, les odeurs de sueur et de baume bengué. Que savent-ils de la guerre au milieu de cette année 1941 ? Pas grand-chose s'ils lisent les journaux censurés. Il est peu probable qu'ils aient accès à la radio clandestine. Quelques mots suffiraient à leur donner une idée de la catastrophe :

En janvier, la Thaïlande avait attaqué le Protectorat français du Cambodge, bombardé la ville de Battambang et l'aérodrome d'Angkor. Les Britanniques avaient arraché en février la ville somalienne de Mogadiscio aux Italiens mais l'Afrikakorps de Rommel progressait vers Benghazi et l'Égypte. Les Allemands étaient parvenus à Athènes en avril. On déportait de partout les juifs vers les camps d'extermination. Les premières rafles en France avaient eu lieu en mai. Après son grand tour de l'Afrique depuis Brazzaville, de Gaulle avait gagné Jérusalem depuis Le Caire, rétabli la République à Beyrouth et à Damas après avoir chassé avec les Anglais les troupes de Vichy. En juin l'armée britannique avait envahi l'Irak et l'armée allemande pénétrait sur le territoire soviétique. Pendant que tout le monde avait le dos tourné, le Pérou avait attaqué l'Équateur et occupé la province d'El Oro. Le Japon débarquait ses troupes en Indochine et sur les îles du Pacifique. En août l'Allemagne avait envahi l'Ukraine et mettait le siège devant

Stalingrad. La Chine privée de l'aide soviétique dans sa guerre contre le Japon se tournait vers les Alliés. Les États-Unis réfléchissaient encore.

Au milieu de cette planète en flammes, de jeunes hommes vigoureux et bien nourris suaient sang et eau dans le cadre enchanteur des Alpes-Maritimes pour se battre à la course, bondir au cheval d'arçons, lancer une balle dans un panier. On conçoit ce que peut avoir de ridicule une légère blessure sportive mais la vie des hommes est parfois chamboulée par des faits dérisoires. Pendant quelques jours Paul ne voit plus que d'un œil, rien de grave, ainsi que l'atteste ce certificat manuscrit :

> Je soussigné Gaston R *(illisible)*, docteur en médecine de la Faculté de Paris, médecin-chef réserviste du Collège National de Moniteurs et d'Athlètes à Antibes, Chevalier de la Légion d'Honneur, Croix de Guerre, certifie avoir donné mes soins à Monsieur Deville Paul, âgé de 50 ans, au cours d'un stage suivi par l'intéressé en qualité de Professeur auxiliaire.
> Celui-ci avait été victime d'un accident au cours d'une partie de basket-ball, le 16 septembre 1941 vers 17 heures. À l'examen nous avons constaté une plaie superficielle de la cornée droite sur 10 heures. Aucune autre atteinte de l'œil n'a été décelée par l'examen clinique. Il est actuellement complètement guéri sans taie apparente.
> En foi de quoi je délivre le présent certificat sur papier libre (loi de 1898), Antibes le 24 septembre 1941.

La veille, le 23 septembre, était installé à Londres le Comité national de la France libre. Ces sportifs l'ignorent. C'est la fin du stage. Ils échangent leurs adresses. Paul espère avoir donné satisfaction. Il est un peu inquiet. Il se demande si cette blessure ne va pas le disqualifier, s'il a su se montrer à la hauteur. Le lendemain, avec son bandeau sur l'œil, il se penche sur une troisième carte postale :

> Antibes 25 septembre 1941. Contrairement à ce que je pensais nous sommes libres à partir de samedi midi. J'espère donc prendre le train de 2 H 15 à Antibes pour être à Bram le dimanche à 6 H 15 du matin. Pensez à ouvrir la porte du bas. Bons baisers, Paul

loin d'elle

> L'ébranlement des trains ne te caresse plus :
> Ils passent loin de toi sans s'arrêter sur ta pelouse,
> Et te laissent à ta paix bucolique, ô gare enfin tranquille
> Au cœur frais de la France.
>
> VALERY LARBAUD, « L'ancienne gare de Cahors »

Il se retourne sur sa couchette du train de nuit via Marseille, essaie de dormir. Le pansement sur l'œil le gêne. Des soucis l'assaillent. À nouveau le voilà sur la paille. Il ne possède plus rien de son passé, ni les photographies, les médailles, les livres. Tout ça dans une maison à l'abandon. Il se demande si son fils s'est occupé du potager depuis trois mois, s'il ne devrait pas faire un tour à Soissons. Lorsqu'il s'assoupit, toujours des éclairs des deux guerres emmêlées, de ses années de prison, de cette partie de basket, d'Eugénie dont les cheveux ont blanchi. Il revoit le visage d'Annie à vingt ans. Elle vit peut-être toujours à Paris. Sa dernière lettre était cachée dans ses papiers. Le seul objet sauvé est cet inutile sucrier en argent que Monne dans la panique du départ avait emporté avec elle jusqu'à Bram. Pourquoi pas non plus la copie de *L'Angélus*. Bientôt le sucre lui aussi aura disparu.

Je cherchais le sommeil dans la chambre 21 de l'hôtel Terminus à Cahors où, dieu marionnettiste, je préparais leur arrivée dans la région. Une porte vitrée ouvrait sur une terrasse équipée de fauteuils et d'une table basse où reposaient une bouteille d'alcool à moitié vide et un cendrier plein. J'avais laissé cette porte ouverte et écoutais le petit concert des mouches en automne. Taba-Taba était parti courir le long des rails en moulinant des bras au fond de mon cerveau. Avoir écrit la veille le nom d'Antibes réactivait un été de paix dans les connexions de l'hippocampe. Une traversée de la France à la nage par fortes chaleurs. Ces images étaient plus récentes que celles de Paul. Elles avaient, ainsi que le breuvage, vingt-cinq ans d'âge. Comme avaient pour Paul, cette nuit-là dans le train, vingt-cinq ans d'âge les images du camp de Würzburg où il recevait les lettres d'Annie.

À quelques kilomètres d'Antibes, non loin de Cannes, le château de La Napoule est un vaisseau néo-gothique échoué au bord de la mer, dont les vagues battent la coque à longueur de nuit. Ses cales sont emplies d'œuvres monumentales et phalliques. Le parc n'en est pas non plus dépourvu. Pendant tout un automne, celui de 1989, j'y avais occupé une chambre avec fenêtre en ogive où j'avais appris la chute du mur de Berlin. Avec le peintre Yan Pei-Ming, dont l'atelier occupait une autre aile, nous avions trouvé un téléviseur et pleuré devant les images des Trabant sous la porte de Brandebourg. Nés au milieu de la Guerre froide, l'un en France et l'autre en Chine, il nous semblait vivre en direct, auprès des Berlinois, la fin de la Seconde Guerre mondiale.

Deux jours plus tard, j'avais assisté à la cérémonie d'anniversaire de l'Armistice devant le monument aux Morts qui jouxte le château. De l'autre côté de cette rue étroite menant à la plage, une jeune femme éparpillait des diapositives sur le parquet d'une villa ceinte de baies vitrées. Nous nous retrouvions sur le sable en fin d'après-midi. Je l'accompagnais le temps de quelques brasses et remontais m'asseoir, observais au hasard de la houle ses cheveux blonds, ses bras luisant du crawl à l'horizon. La nageuse se matérialisait longtemps après, apparition olympique et scintillante qui remontait sur son front des lunettes en caoutchouc, secouait ses cheveux et m'aspergeait de gouttelettes d'eau froide en riant.

Après que nous avions écumé d'autres rivages, des îles de Lérins à Portofino ou Saint-Jean-Cap-Ferrat et jusqu'à Gênes, j'avais reçu la nageuse dans la maison du général Mangin à Marrakech route de la Targa, à la sortie du Guéliz, ville peu balnéaire, où elle trouvait chaque après-midi une piscine avant de rentrer dîner toute fraîche sur la terrasse. De notre retour à l'été 1990 dans la Villa Arson de Nice, demeuraient les images d'une maison-bulle orange accrochée à l'Esterel, dans laquelle Jean-Pierre Mocky avait tourné des séquences de *La Machine à découdre*. Peut-être aussi dans mon sommeil les seins immenses de Patricia Barzyk. Le hasard de contorsions et de reptations au long de boyaux cimentés amenait vers une piscine creusée dans le rocher, dont les bords biseautés dessinaient un horizon d'eau douce en apesanteur sur la mer. Autour de nous flottaient des bouteilles de champagne russe. Nous avions appris là, début août, l'entrée des troupes irakiennes au Koweït.

Par ces privilèges concédés aux artistes ou qu'elle s'octroyait à l'esbroufe, nous étions reçus dans la Villa Ephrussi de Rothschild, au musée Picasso du château Grimaldi d'Antibes fermé pour travaux. Nous déplacions des tableaux du maître posés au pied des murs, partions nager à Juan-les-Pins. Depuis la mer se voyait le Fort Carré d'Antibes. Cette nuit-là m'apparaissaient à Cahors ces corps brunis de soleil qui nous entouraient dans la fête de leur propre jeunesse, le miracle continu des vagues. Nous avions passé l'été suivant en Provence vers Bonnieux où nous était parvenue, le 19 août, l'annonce du coup d'État à Moscou. Nous écoutions la radio. Une amie polonaise imaginait l'armée russe sortir de ses frontières. Depuis six mois avait commencé la guerre du Golfe. Depuis quelques semaines, les combats en ex-Yougoslavie. Nous étions partis vers la Bretagne.

Les journées étaient caniculaires et nous parvenions, par un jeu d'étapes très courtes, à nous baigner chaque fin d'après-midi tout au long de la diagonale. Dans le lac de Saint-Ferréol au pied de la Montagne noire, dans la Dordogne à La Roque-Gageac, dans la Charente au hasard d'un pont traversé. À notre arrivée à L'Océan, nous avions repris une partie de tennis sur la terre rouge du vieil hôtel Normandy. Dans la confusion du demi-sommeil, j'étais sur la plage de L'Océan vingt-cinq ans plus tard et Véronique Yersin me disait ses études sur la Crucifixion. À dix-huit ans ses départs, ses tours du monde d'aventurière solitaire de l'Inde à l'Amazonie. D'un coup nous dormions à l'hôtel Métropole place de Brouckère. Dans le vent glacial elle m'indiquait les lieux qui avaient été les siens à Bruxelles après avoir quitté le Cabinet des estampes de Genève pour diriger Macula à Paris. Nous arrivions au chalet valaisan dans la neige et la glace et allumions un feu, marchions sur le port de Saint-Nazaire. Jamais encore je n'ai trouvé le courage de l'emmener au Lazaret, de lui montrer l'escalier de la porte monumentale où un petit monstre s'asseyait auprès d'un cinglé amnésique. À mon réveil dans cette chambre à Cahors, Taba-Taba était rentré de sa fugue nocturne, s'était assis au fond de mon cerveau et reprenait sa litanie.

un été à la ferme

Ceux-là de la petite bande des quatre sont encore loin de l'Atlantique. Ils ne verront pas ses plages avant dix ans. Le gymnaste reçoit à Bram la lettre d'un camarade envoyée depuis Nîmes le 13 octobre 1941 : « Reçu ta lettre du 11. Comme toi rien à signaler depuis notre départ d'Antibes. Si ce n'est un télégramme de Vichy que j'ai reçu vendredi à 11 heures du soir et dont voici la teneur : Prière de me préciser urgence télégraphiquement classe et traitement actuels. Ce bleu qui est jaune officiel me laisse supposer que l'on s'occupe de nous à Vichy et que d'ici le 15 ou au plus tard à la fin du mois nous serons nommés. Reçu lettre de Luch me faisant part de la réponse du colonel Pascot. Santé bonne. Un point noir les 275 g. de pain sont un peu minces, comparativement à ce que nous avions au collège. T'écrirai dès que j'aurai du nouveau. »

En ce mois d'octobre commence l'attaque contre Moscou, le plus considérable engagement militaire de tous les temps. Sept millions d'hommes s'affrontent dans la neige et la glace. Hitler prévoit de raser la capitale jusqu'à ses fondations, de la remplacer par un lac artificiel. Le 22 de ce même mois, en représailles à l'assassinat d'un officier dans les rues de Nantes, les Allemands fusillent vingt-sept otages du camp de Châteaubriant. Vingt-deux Soissonnais sont arrêtés en novembre, accusés de gaullisme, d'espionnage et de complot contre l'armée d'occupation. Pétain prend encore le temps de faire déboulonner à Dôle la statue de Grévy, d'acheter à Madrid une Résidence de France avec parc et villa mauresque pour plaire au général Franco, près duquel il avait été ambassadeur jusqu'à la guerre. En zone libre rien ne se passe, l'hiver approche. Paul n'a plus grand-chose à faire au jardin. Le rationnement se fait plus dur. On interdit aux boulangers de vendre le pain du jour, qu'ils doivent laisser rassir ou chancir pour en freiner la consommation. Toujours aucune nouvelle de l'Inspection académique.

En décembre, les Japonais attaquent par surprise la base de Pearl Harbor à Hawaï. Nombre de navires américains sont détruits. Le *Normandie* est bloqué au quai de la French Line à New York depuis l'été 39. Les États-Unis font valoir leur droit d'angarie, le rebaptisent *USN La Fayette*. Le 9 février 1942, pendant les travaux destinés à transformer le paquebot en transport de troupes, des étincelles de soudure mettent le feu à des gilets de sauvetage en kapok jetés en vrac au milieu du grand salon. Les pompiers s'égarent dans les coursives. L'incendie gagne, sans qu'on puisse cette fois soupçonner le pauvre Larbin. Les bateaux-pompes déversent des tonnes d'eau sur les ponts supérieurs. Il fait moins trente. L'eau gèle. Le bateau gîte. Au milieu de la nuit *USN La Fayette* chavire. Une photographie montre le plus grand paquebot du monde vainqueur du Ruban bleu démantibulé à l'aube, allongé sur la glace comme un grand poisson mort à l'étal. Ses cheminées sont disloquées. Contre son flanc, le scarabée d'un minuscule bateau-pompe l'asperge encore du jet croisé de ses antennes.

On combat sur les océans, dans le ciel, sur terre et sous la mer, autour des îlots du Pacifique et des glaces des pôles. La situation est indécise et les forces s'équilibrent. Des mouvements de résistance apparaissent. Le village de Bram n'est toujours pas occupé. La vie de Paul s'enlise. Rien n'avance. Il écrit à Soissons. La maison de la rue Charles-Périn est sous-louée par l'intermédiaire du Service des réfugiés de Laon, les meubles entassés dans la mansarde. La voisine madame Topin, qui nourrit les chats, en signe l'inventaire devant un agent de police et maître Henri Bureau, notaire au 7 de la rue de l'Hôpital. Plus tard ils reçoivent une carte postale de madame Verneret, 10 rue Carnot, avec un timbre à l'effigie du Maréchal: « Votre maison est occupée par des personnes bien qui habitaient le quartier. Vos affaires ont été garées, seule la bibliothèque qu'on n'a pu transporter est restée sur place. Mme Topin avait garé chez elle bien des choses enfin on a fait pour le mieux et si vous revenez vous retrouverez vos souvenirs. » Il sait bien qu'Eugénie ne cédera pas. La maison leur est à présent inaccessible, et cette vie-là effacée.

Au printemps, une convocation lui redonne espoir. Il passe une visite médicale le 18 avril 1942. Il est maigre comme un clou mais ça va: « État général bon, poids 58 kg, taille 1m70. Sujet de bonne complexion physique. Indemne de toute affection tuberculeuse. Fait à Carcassonne sur papier libre, pour être joint en exécution de la loi au dossier de M. Deville Paul, Professeur d'éducation physique. Dr Georges Daudé, Inspecteur de la Santé de l'Aude.» Au moins lui reconnaît-on le titre et la fonction mais l'année scolaire s'achève. Il peut espérer un poste à la rentrée prochaine. Le père et le fils décident de chercher du travail.

La France est encore paysanne et la terre manque de bras. Les hommes sont rares. Soixante mille sont morts au combat. Les prisonniers de guerre ont été envoyés en Allemagne. En cet été 42, le père réformé est trop vieux, le fils de seize ans trop jeune pour le service du travail obligatoire. Ils rejoignent une ferme à Lacapelle-Biron dans le Périgord. Nulle trace de la façon dont ils ont progressé vers le nord-ouest, sur ces deux cents kilomètres de l'Aude vers le Lot-et-Garonne. En train peut-être jusqu'à Cahors, où un camion serait venu charger la main-d'œuvre des saisonniers à la gare, devant l'hôtel Terminus.

On voit le père et le fils en bras de chemise sur des petites photographies noir et blanc aux bords dentelés. Dans un pré en pente douce, ils chargent du foin à la fourche dans une charrette attelée de grands bœufs. Les citadins découvrent l'odeur enivrante de l'herbe coupée qui est celle du bonheur, une manière de révolution culturelle à la chinoise, un retour vers la campagne ou l'Âge d'or. Ils ouvrent grand leurs poumons, respirent dans *Les Travaux et les Jours* d'Hésiode, du temps que «Chronos régnait dans le ciel. La terre leur fournissait tout ce dont ils avaient besoin. Ils vivaient heureux et sans soucis, errant à leur guise, sans biens ni maisons, ne connaissaient pas la guerre. Ils prenaient leurs repas en commun, en compagnie des dieux et des bêtes. Ils mouraient sans vieillesse, comme on s'endort». En juillet, ils aident à la moisson.

Depuis Cahors, j'empruntais au volant de la Passat des petites routes désertes bordées de châtaigneraies. Paysage à mesure plus sombre et humide que dans le Midi. De loin en loin les clairières des scieries, les empilements de grumes devant les hangars. Deux ans plus tôt, des gamins avaient découvert par hasard la grotte de Lascaux plus au nord dans la vallée de la Vézère, où dix mille ans avant Hésiode des chasseurs avaient peint leur grand poème polychrome. À Lacapelle-Biron, des maisons de pierre à colombages où le soir d'été pose un ocre badigeon. À nouveau la beauté de ces milliers de villages éloignés que nul plan d'urbanisme n'a tracés, des maisons dont nul architecte n'a conçu les plans, bâties à l'aide des matériaux trouvés alentour, les pierres du sol et les poutres des forêts, les tuiles façonnées et cuites au four. Sur la place devant l'église des joueurs de pétanque. Devant le monument aux Martyrs, le café Le Palissy, où les clients m'avaient indiqué la direction du Bérail.

C'est une grosse ferme à un kilomètre du bourg, à hauteur d'une borne sur la route au milieu de la forêt, qui délimite les départements de la Dordogne et du Lot-et-Garonne. Je voyais les champs où le père et le fils avaient travaillé côte à côte sous le soleil, maigres et musclés par le maniement des outils, imaginais la complicité de ces deux ouvriers agricoles qui passent ensemble l'été pour la première fois depuis 39, avant que le père ne fût mobilisé le 1er septembre. À l'été 40 l'un était à Bram et l'autre à Châteaubriant, l'été dernier le père seul à Antibes. Et lorsqu'on en appelle un, les deux tournent la tête, qui portent les mêmes nom et prénom. En ce mois de juillet c'est encore la paix à Lacapelle-Biron. À Paris plus de dix mille juifs sont arrêtés, emprisonnés au Vélodrome d'Hiver et à Drancy avant de partir pour les camps. En août le fils est photographié seul au milieu des paillers le jour de ses dix-sept ans. En septembre il est berger, mène un troupeau de moutons à la pâture. C'est à Bram où sont encore la mère et la fille que parvient l'affectation du gymnaste.

Le père en est averti par le principal du « Collège de Moissac et École d'Agriculture d'Hiver annexée », lequel lui demande de gagner son poste au plus vite. Ce sont à nouveau les images des réfugiés avec leur barda sur le dos ou posé près d'eux au bord de la route, avant d'être hissé dans la benne d'un camion ou sur le toit d'un autocar. Le père montre la feuille tamponnée au chauffeur :

Mairie de Lacapelle-Biron

CERTIFICAT

Le Maire de la Commune de Lacapelle-Biron certifie que :
M. Deville Paul réfugié dans ma commune a dû changer de domicile et qu'il est autorisé à transporter :
50 k de pommes de terre
4 k haricots
20 k châtaignes
à Moissac
Les denrées ont été récoltées par lui-même.
En Mairie, le 8-10-1942

à Moissac

Le père et le fils descendent de quatre-vingts kilomètres vers le sud. Ils se présentent au collège. Quelques jours plus tard, ils vont accueillir à la gare la mère et la fille qui ont voyagé en train d'est en ouest. L'unique valise suffit à transporter les quelques vieux vêtements et le sucrier en argent. Ils louent un appartement boulevard Pierre-Delbrel et le meublent, règlent une facture le 15 octobre 1942, établie par Georges Bacou, 12 rue de la République, pour un total de 1 970 francs, correspondant à la livraison de leurs achats : « un buffet bas, une table à volets, une table carrée et quatre chaises ».

Ils ne comptent pas recevoir mais rester tous les quatre assis sur ces quatre chaises autour de la table, près des sacs de pommes de terre, de châtaignes et de haricots. Malgré ces provisions, ils connaîtront bientôt comme leurs voisins les privations et la faim. Plus jamais, après le rationnement, ils ne voudront retrouver le goût du navet ni du rutabaga. Ils découvrent la ville de huit mille habitants au milieu des vignes de raisin chasselas, entourée de collines. Autre chose que le village de Bram. Les enfants vont reprendre leurs études. À peine sont-ils arrivés à Moissac que les Alliés débarquent en Afrique du Nord. Les troupes allemandes franchissent en rétorsion la ligne de démarcation. Le 11 novembre 1942, un mois après leur arrivée, c'est la fin de la zone libre. La mère et les enfants voient pour la première fois l'uniforme de l'occupant. Au sud-est, l'Italie repousse sa frontière jusqu'à Toulon. Les troupes mussoliniennes occupent Antibes et le Fort Carré.

Par les hasards de la guerre, Paul intègre l'enseignement public. Outre ses cours à Moissac, on lui demande d'organiser des tournois sportifs à la ronde, des championnats de basket et de football, des concours de gymnastique à Lauzerte ou La Réole, à Caussade où il avait été soigné de ses blessures au début de l'autre guerre, à Auvillar, Réalville, Castelsarrasin, jusqu'à Montauban et Toulouse. Il va sillonner la région pendant plus de trois ans.

Depuis le quinzième siècle, le moulin de Moissac est une haute bâtisse posée sur l'eau. J'avais réservé la chambre 208 de cet hôtel de demi-luxe. Une porte-fenêtre donnait à la verticale sur un quai de pierre où cheminaient de doctes hérons gris. De l'autre côté, le pont routier Napoléon quitte la ville en direction de Castelsarrasin. Plus loin, le pont-canal du Cacor permet au Canal latéral à la Garonne de franchir le Tarn. Ce canal se connecte à Toulouse au canal du Midi pour former le canal des Deux-Mers de l'Atlantique à la Méditerranée. Il est fascinant de voir un cours d'eau croiser à angle droit un autre cours d'eau quelques mètres au-dessus. J'avais déjeuné à L'Uvarium près de l'écluse, pavillon octogonal qui abrite le siège moissagais de la Fédération française des stations uvales.

Un petit pont en dos-d'âne permet de gagner à pied le boulevard Delbrel bordé de marronniers qui étaient déjà là en 1942, et la plupart des maisons aussi, en pierres blanches et briques toulousaines, maisons reconstruites après la crue qui avait ici noyé cent vingt personnes en mars 1930. La catastrophe faisait les grands titres des journaux, ils l'avaient apprise à Saint-Quentin. La montée des eaux, à la confluence du Tarn et de l'Aveyron, sur un sol déjà gorgé de pluie, avait entraîné la rupture d'une digue. Le flot torrentueux charriant les arbres arrachés, les vaches et les chevaux morts, était entré dans la ville. La rue de l'Inondation prend boulevard Delbrel, monte vers les halles offertes par les Parisiens aux Moissagais sinistrés. Au 12 de la rue de la République, où officiait en 42 le menuisier Bacou, se tenait en 2015 la Maison de la Mutualité.

Ce Pierre Delbrel au parcours politique chaotique eut davantage de constance géographique. Né à Moissac, élu du Lot, régicide mais plaidant le sursis, opposé au 18-Brumaire, exilé en Suisse sous la Restauration, il était revenu mourir à Moissac qui lui devait bien un boulevard. Je situais leur adresse à hauteur du palais de justice, parce que Monne voyait de la fenêtre des soldats allemands en faction. Si c'était encore un palais de justice, ce grand bâtiment aux vitres manquantes, remplacées par des ajouts de contreplaqué. Dans un massif de fleurs en face, trônait le buste en bronze du poète républicain Camille Delthil, du temps que chaque petite ville française honorait son poète, et cette strophe de lui gravée :

> Et lorsque des mille ans et des mille ans encore
> Auront passé sur moi sans pouvoir m'abolir
> Avec des yeux d'enfant je reverrai l'aurore
> Dont je n'aurai plus souvenir.

Son fils fut maire de Moissac au début de la guerre et plus tard déchu par le régime de Vichy. Grâce à lui, les scouts des Éclaireurs israélites de France avaient pu s'installer ici. Plus tard il avait soutenu la Résistance. Jean Hirsch, qui se présente comme « le plus jeune résistant français », pour avoir été agent de liaison à neuf ans, décrit dans ses Mémoires l'organisation mise en place : « C'était un miracle. Moissac reste, pour moi, une commune faite de gens hospitaliers, une ville de silence, complice et capable de tolérance pour éviter le pire à des centaines d'enfants juifs pris dans la tourmente de l'horreur nazie. » Des Moissagais furent élevés au rang des Justes. En bas du pont Napoléon, était apposée sur le mur de pierre une plaque aux deux héros du réseau clandestin, Bouli et Shatta Simon.

Un peu égaré, je cherchais la mairie et interrogeais un couple de vieux Arabes assis sur un banc, lesquels me disaient ignorer tout de sa localisation. Devant eux défilaient des pèlerins de Compostelle, surtout de jolies pèlerines en short aux cuisses musculeuses, gros bâton de marche à la main et sac au dos. J'étais allé revoir ce cloître de l'abbatiale où l'on m'avait traîné enfant à l'occasion d'un crochet sur la route pour les Pyrénées. Selon la légende, l'abbaye avait été fondée par Clovis au sixième siècle après qu'il avait repoussé les Wisigoths vers l'Hispanie. Chapiteaux de calcaire blanc et murs de briques rouges et ce cèdre immense, un peu excentré sur le carré du cloître, que j'avais vu sans doute une cinquantaine d'années plus tôt, qui forcément était là, enfoui dans quelque connexion neuronale jamais réactivée de l'hippocampe.

Quelques semaines après leur installation, le 3 janvier 1943, alors que le sort du monde se joue sur les bords de la Volga à Stalingrad, où les Soviétiques ont lancé depuis novembre leur contre-offensive, pendant que les Britanniques à la bataille d'El-Alamein coupaient la route de l'Égypte aux troupes de Rommel, leur interdisaient Alexandrie et le canal de Suez, ils reçoivent une carte postale de madame Topin leur apprenant la disparition de la chatte blanche: «Excusez-moi de ne pas avoir répondu à votre carte je suis si occupée je dois vous dire que j'ai comme pensionnaires 7 fillettes alors voyez la vie est si dure qu'il faut se débrouiller. Que font vos grands enfants ont-ils un bon emploi et vous monsieur Deville, je pense que vous madame ça va mieux, peut-être n'avez-vous plus l'intention de revenir, je me suis permis ainsi que la cousine de nous servir des fils de coton que j'ai retrouvés chez vous. Vos souvenirs sont toujours chez moi et le carillon est dans ma chambre il marche bien. C'est toujours loué chez vous et même sous-loué votre chatte a disparu de chez Mme Hérault elle était si bien.»

Cette chatte blanche les aura attendus deux ans et demi. Tout le reste pourrait bien disparaître aussi. Paul charge un ami, un certain Guillaume, de louer pour lui un coffre au Crédit lyonnais de Fismes, entre Soissons et Reims, dans la Marne. Il lui demande de prendre contact avec madame Topin et de se rendre à Soissons, de récupérer tout ce qu'il pourra d'objets, de papiers, de livres, et de déposer tout ça dans ce coffre. Sans le zèle de ce Guillaume, les archives ne me seraient pas parvenues, ou très incomplètes, parce qu'un tri aurait été effectué. On aurait jeté les vieux journaux et les factures de bois, de fromage, de vin ou de lunettes du père de l'instituteur Alexandre Pathey depuis le Second Empire. Qui pourrait avoir l'idée de conserver ça ? Qui pourrait infliger à un descendant la lecture d'un tel fourbi ? Quel descendant aurait l'idée de compulser un tel fourbi ? Monsieur Guillaume rassemble tout, la vaisselle et les cahiers d'écolier, le petit chameau en bois d'olivier, les liasses de papier et les bijoux d'Eugénie, les livrets militaires et les piles de journaux et les dix-neuf volumes de l'*Histoire de France* de Michelet. Il emplit deux grands coffres au Crédit lyonnais, dont Paul va devoir payer la location depuis Moissac.

Ils n'auront égaré que ce colis emporté par la mère dans le camion, enregistré à la gare de Liancourt après leur passage par Compiègne et que mentionne le journal du fils. Monne l'avait réclamé. Les employés de la gare avaient fui eux aussi. Elle avait reçu à Bram cette lettre, mystérieusement à l'en-tête de l'hôtel Chabrignac à Miers-Alvignac dans le Lot – *Gare Rocamadour, confort moderne, garage, téléphone 7* –, le 29 juillet 1940 : « Mademoiselle, Je viens de recevoir à l'instant votre lettre, aussi je m'empresse d'y répondre immédiatement. Je suis désolée d'apprendre que vous avez perdu un colis, mais je suis dans l'impossibilité à l'heure actuelle de vous donner le moindre renseignement à ce sujet, car depuis le 11 juin j'ai quitté Paris avec ma famille. Je suis heureuse que vous alliez bien ainsi que toute votre famille, et que vous soyez dans une belle région. Avez-vous des nouvelles de votre père ? Peut-être est-il démobilisé ? Votre frère a-t-il été reçu à son examen ? Je vous quitte car c'est l'heure du dîner. Veuillez présenter mes respects à votre mère. Meilleur souvenir, Simone J *(illisible)*. »

Monne est du genre entêté. Ça n'est pas parce que c'est la guerre mondiale qu'on va lui piquer un carton. Elle ne jettera l'éponge qu'après avoir reçu, le 10 novembre, une ultime réponse négative de la Division des recherches de la SNCF repliée à Bordeaux. Je ne saurai jamais ce que contenait ce colis. Peut-être seulement des vêtements.

Début février 43, la capitulation du maréchal Paulus devant Stalingrad marque le tournant de la guerre. Cent mille soldats allemands sont faits prisonniers. On apprend ces nouvelles sur Radio Londres. Le même mois, la deuxième loi sur le Service du travail obligatoire renforce les maquis.

Le fils n'est pas encore concerné. On envoie vers l'Allemagne la classe 42. Il est de la 45. Au collège il peine à rattraper son retard. Son nouvel ami, Michel Duthil, est plus jeune de deux ans. Avec lui il reprend le scoutisme. À Bram, il a passé son brevet de secourisme, un brevet de morse. Il sait fabriquer un poste radio à galène, allumer un feu, marcher sans boussole en forêt, toutes compétences des scouts catholiques qui peuvent être utiles aussi dans un maquis communiste. Alors que Michel se voit déjà à la faculté de médecine, le fils hésite. Il s'inscrit aux cours par correspondance de l'École du génie civil de Nice, 3 rue du Lycée, retire un dossier auprès de l'École privée d'enseignement maritime de cette même ville, 21 boulevard Franck-Pilatte, section T.S.F., lui qui n'a toujours pas vu la mer : « L'École prépare officiellement à l'examen d'Élève-officier au Long-Cours. Les cours sont d'une ou deux années suivant la force des candidats. Les bacheliers mathématiques sont admis en 2e année ».

Monne reprend plus facilement ses études. Sur sa première carte d'électrice, établie plus tard à Moissac en 1945, alors que les femmes viennent d'obtenir le droit de vote, figure la profession d'institutrice. C'est elle aussi, au hasard de ses actions de bonnes œuvres, qui entre en contact avec la Résistance, son rôle modeste consistant à disposer dans un certain ordre des pots de fleurs devant sa fenêtre. Le fils aurait préféré un maquis gaulliste, ce sera un maquis communiste, dans le département du Lot. Ces multiples inscriptions à des cours par correspondance avaient peut-être aussi pour objet de justifier son absence de Moissac.

Quant au père, il continue de dispenser ses cours. Il est alors moins dangereux de s'occuper des programmes de sport que d'histoire. On enseigne la gymnastique en maillot et pantalon blancs, étincelants comme les voiles des premiers dériveurs. Tenue impeccable, veste et cravate pour les jurys de concours. Vichy se préoccupe de l'étiquette. Tout manquement à l'élégance est susceptible de porter atteinte à la stabilité de l'État. Il reçoit cette lettre de Charles Malard, inspecteur de l'Éducation générale des sports, envoyée de Montauban le 1er octobre 1943 :

> Le Commissaire Général a le regret d'être contraint de prier MM. les Directeurs et Chefs de Services de bien vouloir rappeler à tous les fonctionnaires du Commissariat Général placés sous leurs ordres qu'ils ont le devoir élémentaire de donner l'exemple de la tenue dans les cérémonies publiques et les manifestations sportives. Tout particulièrement lorsqu'ils occupent gratuitement des places dans des tribunes officielles. Deux Hauts-fonctionnaires auraient retiré leur veste dernièrement au stade Jean-Bouin.

À partir de l'hôtel du Moulin-de-Moissac, où une petite bourgeoisie bien habillée se donnait de grands airs, j'avais entrepris ces derniers jours d'arpenter la ville à pied, de m'éloigner du quartier piétonnier pour gagner les faubourgs. Le raisin et les pèlerins ne pouvaient apparemment suffire à l'économie locale.

Chacune de ces villes françaises de quelque dix mille habitants dans lesquelles j'avais séjourné ces derniers mois était entourée d'une même ceinture de laideur, de superficie équivalente ou supérieure à la ville elle-même, ponctuée de centres commerciaux et de ronds-points, de panneaux publicitaires géants et de parcs d'attractions où d'horribles clowns en plastique maintenaient en s'esclaffant le bon peuple dans l'ânerie et l'infantilité. En bordure de ces zones se terraient de plus lugubres encore où survivaient les exclus. Dans l'un de ces bistrots, devant lequel stationnait de guingois un chariot de supermarché, j'avais entendu le mot « cassausse » pour « cas social », qui semblait être devenu une injure populaire.

En ces lieux où ne demeuraient comme semblant d'activité que les services sociaux dédiés aux chômeurs et aux vieux dans la dèche, fleurissait l'extrémisme. Face à la délinquance, l'émergence du communautarisme, des manifestations voyaient côte à côte ouvriers et petits patrons, employés, agriculteurs, dans la recomposition pré-insurrectionnelle d'un peuple d'en bas. On me confiait qu'en cette année 2015 les héritiers du régime de Vichy se déchiraient déjà pour la course aux investitures, dans cette deuxième circonscription du Tarn-et-Garonne qui leur semblait gagnable aux prochaines élections législatives, après que la ville était passée de gauche à droite aux dernières municipales. Partout aux fenêtres étaient accrochées des pancartes d'agences immobilières. Les quelques retraités du Nord qui s'étaient installés ici se sentaient piégés. Depuis l'hôtel, en direction du centre par la rue du Pont, tout était à vendre ou à l'abandon, qui peut-être fut à vendre, et puis on avait laissé tomber. Plus loin des panneaux annonçaient que les rues du quartier touristique étaient « protégées sous vidéosurveillance ». Je retrouvais les phrases de Jean Hirsch copiées quelques jours plus tôt. Je pris moi aussi le chemin du maquis.

dans la forêt

Son départ est secret. Il faut sortir de Moissac avec très peu de choses, son sac de scout, un bon couteau, marcher jusqu'au rendez-vous convenu près d'un village. Les camions assignés par les Allemands aux tournées de réquisition dans les fermes servent aussi de transport de maquisards. Une cinquantaine de kilomètres en direction du nord-est et de Cahors, du Tarn-et-Garonne vers le Lot. Un premier camp de triage au hameau de Vayrols, où les volontaires sont répartis dans les groupes. Celui de Jacques Chapou, Capitaine Philippe, s'installe en décembre 1943 au camp de Caylus, où avaient été internés des républicains espagnols, où s'installera plus tard la division SS Das Reich. Le fils est orienté non loin vers le village de Lalbenque, où le mécanicien André Courtès prend en charge les nouveaux arrivés pour les guider vers la forêt.

Une cinquantaine d'années plus tard, il effectuera le pèlerinage vers ce village devenu le marché aux truffes le plus célèbre de France, retrouvera les lieux, l'église, mais ses souvenirs sont imprécis. Au même moment, l'historien anglais Harry Roderick Kedward vient ici mener son enquête (*In Search of the Maquis*, Oxford University Press, 1993), et rencontre Pierre Labie dont la mémoire est plus précise, d'avoir passé sa vie ici, d'avoir côtoyé les survivants. Labie décrit l'action de leurs commandos mobiles d'une trentaine de maquisards, leurs actions de guérilla, le sabotage des voies ferrées jusqu'à Capdenac, mentionne les noms de résistants lalbenquois, celui du boulanger Maurice Cloud, de Paul et de Lili Rey. Agent de liaison, celle-ci avait été arrêtée, déportée au camp de Ravensbrück.

Dans le flamboiement des jaunes et des roux de l'automne, je parcourais ces milliers d'hectares de chênes nains et de truffières sur des routes à peine plus larges que la Passat, par les lieux-dits, parfois des chemins caillouteux, sans croiser un autre véhicule pendant des kilomètres, vers l'est jusqu'à Cajarc et Figeac par Saint-Cirq-Lapopie, vers le nord jusqu'à Gramat et Rocamadour, au milieu de cette forêt de la Braunhie intégrée au Parc régional des Causses du Quercy. À Lalbenque, j'emboutis une aile arrière sur un banc de pierre placé là depuis des siècles dans l'angle mort du rétroviseur, et qui n'attendait que ça, modeste vengeance contre les générations d'humains qui lui avaient imposé leur séant. Non loin, derrière la mairie, une venelle dite rue du Maquis. En face, l'église Saint-Quirin dont le curé, devenu le confesseur du fils, lui écrira après la Libération.

De ces six premiers mois de 1944, il conservera des détails plutôt qu'une vision d'ensemble. D'avoir attrapé la gale, qui démange entre les doigts, fumé sa première cigarette, après qu'un de leurs groupes avait pillé la Manufacture des tabacs de Figeac. Des discussions le soir avec ses camarades, tirant sur leur clope devant les flammes et tisonnant, sur le christianisme et le communisme. Ils sont presque des enfants encore. Les Francs-Tireurs et Partisans ont été créés par le Parti communiste fin 41 après l'entrée en guerre de l'Union soviétique. Le Parti veut faire oublier son attentisme et son respect jusque-là du pacte de non-agression Molotov-Ribbentrop. Dès février 44, les maquis FTP sont intégrés aux FFI, les Forces Françaises de l'Intérieur, mais chaque groupe conserve sa hiérarchie et son obédience. Lui défend le gaullisme. Leurs propos sont fraternels, même si ses camarades s'étonnent de le voir se rendre à la messe à Lalbenque dès qu'il le peut. La Résistance coupe en deux tous les pans de la société : autant de traîtres et de collabos que de héros à la fois chez les paysans et les aristos, dans la bourgeoisie et dans le prolétariat.

Les mois d'hiver ils ont eu froid, rassemblés la nuit au fond des granges autour des feux. Les chênes nains sont en bourgeons, bientôt en feuilles. Ils se lavent dans les ruisseaux, nettoient les gamelles, reprennent les marches d'entraînement, le maniement des armes et des explosifs. Ils découvrent le corned-beef parachuté. Ils disent « les boîtes de singe ». C'est presque du scoutisme encore. Puis le 6 juin, les Alliés débarquent en Normandie.

Dans toute cette région plus au sud c'est l'explosion de la barbarie. Les massacres de civils. Pendant que son fils est au maquis, le père reçoit le 4 juillet un courrier de monsieur Lignières, inspecteur d'académie et directeur départemental de la Croix-Rouge française de la jeunesse. Il faut s'attendre à de nouvelles exactions de la part des troupes allemandes et protéger les élèves :

> J'ai l'honneur de vous faire connaître que sur la proposition de Monsieur Brunetier, Inspecteur primaire, Directeur

local de la C.R.F.J. à Moissac, je vous désigne en date de ce jour comme adjoint à Monsieur le Directeur local pour vous occuper des affaires intéressant la C.R.F.J. dans les écoles libres des cantons de Moissac, Lauzerte, Montaigu, Bourg-de-Visa, Valence d'Agen et Auvillar.

une traînée de feu

Ce Reich qui devait durer mille ans s'effondre. Les troupes stationnées dans le sud depuis la fin de la zone libre sont appelées en renfort vers le nord. Une partie du 4e régiment SS Der Führer de la division Das Reich quitte Moissac pour la Normandie. Ordre est donné aux maquis de ralentir sa progression. Les colonnes perdent des hommes et du matériel dans les accrochages, quittent les routes principales, se lancent à la recherche des terroristes. Ces soldats s'en vont affronter les Américains sous le déluge des bombardements, ils sont perdus dans la campagne, découvrent au détour d'un virage devant eux la paix agreste, immémoriale, le labeur de la terre. Les villageois savent qu'ils vivent en zone occupée depuis des mois mais voient pour la première fois des uniformes, des véhicules blindés au pied du clocher. C'est juin, l'apothéose du soleil sur les blés, la grande aménité du paysage, et peut-être aussi le calme et la beauté les rendent fous, ceux-là qui partent pour la mort. On fusille les hommes, achève des femmes et des enfants au revolver, incendie.

Pendant des semaines se succèdent embuscades et représailles. Dès le lendemain du Débarquement, le mercredi 7 juin, les FTP tentent de libérer la ville de Tulle en Corrèze et 18 cheminots sont tués. Le lendemain jeudi, les hommes de la division Das Reich exécutent plus de 40 résistants à Issendolus, près de Gramat, dans le Lot. Ils gagnent Tulle le vendredi, raflent tous les hommes de seize à soixante ans, pendent 99 habitants et en déportent 149. Le lendemain samedi, le village d'Oradour-sur-Glane dans la Haute-Vienne est encerclé, 642 personnes brûlées vives dans l'église ou abattues. Le même jour à Ussel en Corrèze 47 maquisards FTP sont fusillés. Massacres à Rouffilhac, Murat, Mouleydier, Villemur-sur-Tarn, Saint-Sozy. Les maquis ne cessent de harceler les Allemands qui ne cessent de martyriser les civils. C'est la grande question de la violence dans l'Histoire résolue depuis la Révolution française. Le droit ne s'installe pas par les moyens du droit. L'action terroriste illégale peut n'être pas illégitime.

Vingt ans plus tard, accueillant les restes de Jean Moulin au Panthéon, Malraux rendra hommage à ces maquis du Lot et montrera au héros torturé mort en juillet 43 ce qu'il n'a pu voir: «Regarde glisser sous les chênes nains du Quercy, avec un drapeau fait de mousselines nouées, les maquis que la Gestapo ne trouvera jamais parce qu'elle ne croit qu'aux grands arbres. Regarde le prisonnier qui entre dans une villa luxueuse et se demande pourquoi on lui donne une salle de bains, il n'a pas encore entendu parler de la baignoire. Pauvre roi supplicié des ombres, regarde ton peuple d'ombres se lever dans la nuit de juin constellé de tortures. Voilà le fracas des chars allemands qui remontent vers la Normandie à travers les longues plaintes des bestiaux réveillés: grâce à toi, les chars n'arriveront pas à temps.»

Ces phrases qui résonnent depuis cinquante ans sont la France comme ses rivières et ses monuments, comme celle aussi d'Auguste Comte nous rappelant que la société est composée de plus de morts que de vivants, et peut-être aussi de tous ceux qui n'ont pu exister, n'ont pu naître parce que sont morts ceux qui allaient devenir leurs parents, les descendants fantômes des vingt-sept mille morts du seul 22 août 14 et des cent cinquante mille morts de juin 1944. La fureur déchaînée dans la sérénité de juin, les chemins creux ocellés de lumière dorée, les chants d'oiseaux, les odeurs du foin et la fragilité du coquelicot : la mémoire de ces massacres est solaire, du sang rouge sur l'herbe jaunie, comme sur le front de l'Est elle est hivernale, les cadavres raidis, gelés dans la neige. La division Das Reich avait pris part à l'invasion de la Russie en 41, elle rejoint la Normandie fin juin 1944. On laisse en arrière la colonne Jesser continuer la besogne des meurtres.

Le 15 août, les Alliés débarquent en Provence, remontent la vallée du Rhône. Le fils terroriste a fêté la semaine dernière au maquis ses dix-neuf ans. Il est malade et attend d'être soigné. À Moissac, boulevard Delbrel, la sœur et les parents ont pensé à Loulou et regardé sa chaise vide. Le 17 août, la garnison allemande évacue Cahors coincée dans une boucle du Lot avant d'être assiégée, se replie sur Montauban. Mal en point, il suit son groupe qui sort de la forêt, laquelle est ici, en effet, une végétation de maquis hérissée de cabanes en pierres sèches, coniques du toit. Ils marchent sur une vingtaine de kilomètres, franchissent le pont Louis-Philippe, se joignent aux autres groupes et remontent le boulevard Gambetta. Le capitaine Philippe est mort en juillet et c'est le capitaine Camille qui avance en tête des FTP. Même en piteux état, le fils est là, marche au pas. Il veut savoir ce que ça fait, de défiler en vainqueur quand on n'a pas vingt ans.

J'avais laissé la Passat au garage de l'hôtel Terminus, qui fut jusqu'en ce mois d'août 44 le siège de la Feldgendarmerie, avais rejoint la foule boulevard Gambetta natif de Cahors. Assis à la terrasse du café Gambetta, je voyais les spectres de ces jeunes hommes sur toute la largeur du boulevard marcher en rangs vers la mairie. À mon côté Gambetta lui-même, de bronze et impassible, debout près d'un canon sur son socle gravé, regardait passer la jeunesse de France le long des acclamations et des petits drapeaux tricolores.

Le 20 août, les FTP fusillent quelques miliciens et collabos. Le fils est à l'hôpital où on le requinque. Il se souviendra d'y avoir dévoré des côtelettes de mouton. Je levais mon verre à sa guérison, observais devant moi la publicité Johnnie Walker – Keep Walking –, laquelle évoque assez précisément le dessin du marcheur solitaire de William Blake, et aussi l'autre Walker, William Walker, Guillaume Marcheur, blessé à la jambe et perdu dans les jungles du Honduras, et derrière cette bouteille, dans un miroir du café, je voyais un couple muet s'enfiler des verres sans se regarder, sans dire un mot, et retrouvais la terrible phrase d'*Un amour de Swann*, «il se taisait, il regardait mourir leur amour». Comme si on avait le droit d'être aussi malheureux dans une ville en paix, libérée par Loulou, ou peu s'en faut.

Il apprend à sa sortie de l'hôpital qu'il n'est plus un terroriste. Depuis le 10 juin les FFI ont été intégrés à l'armée française. Le voilà soldat. On lui donne un uniforme et le grade de caporal. Puisqu'il est militaire il choisit l'aviation. On l'accepte à la condition que les FTP le démobilisent. Ses chefs refusent. En prévision des négociations qui suivront la Libération, chaque mouvement veut conserver ses troupes et peser à proportion. Parce que tout de même caporal ça la fout mal, pourquoi pas maréchal des logis, c'est à Toulouse qu'il passera ses vingt ans, dans un cours de formation d'officiers.

En ce mois d'août, il découvre *Les Jours heureux*, le programme du Conseil national de la Résistance publié le 15 mars, à mettre en œuvre dès la victoire. En septembre, c'est en permission qu'il rejoint Moissac libérée le 19 août. Emprunte-t-il comme moi ce chemin par Caussade, puis Mirabel et Lafrançaise, par cette route où le paysage, à la sortie d'un lacet, s'ouvre d'un coup sur des dizaines de kilomètres en direction du sud? Mais ce serait faire un détour. Sans doute descend-il vers la vallée du Tarn par la départementale directe et la cité médiévale de Lauzerte, par cette voie sinueuse où des roches pointent au milieu des vignes. Il est de retour pour les vendanges. Chaque année qu'il lui reste à vivre, il attendra, comme un rituel, l'apparition sur les marchés du chasselas de Moissac.

Après avoir remonté trente ans en quarante kilomètres, de 44 à 14, par la D820, j'étais retourné voir le village de Caussade où son père était arrivé le 5 septembre 1914. Un bout de route bordée de platanes centenaires avait échappé à la destruction. Les tilleuls de la place de la Libération étaient trop jeunes. Lui n'avait rien vu, le père, touché à Longuyon au bras et au pied, il ne pouvait utiliser des béquilles. On l'avait porté sur un brancard à la sortie d'un fourgon, allongé sur un lit.

Partout en France, des hôpitaux auxiliaires apparaissaient alors par génération spontanée. Trois pour ce seul village de Caussade. Ses papiers militaires ne donnaient pas de précisions. Le seul déjà en fonction à cette date était avenue de Paris, pouvait accueillir trente-cinq Poilus. Mais peut-être le blessé avait-il été déplacé par la suite vers l'un des deux autres, plus spacieux, au château Treilheu ou à l'usine Bouzinac. Ils étaient tous morts et je ne pouvais les interroger. Les traces sont préférables, papiers, courriers, factures, irréfutables, quand le récit du souvenir est souvent trompeur. Demeuraient beaucoup d'incertitudes sur ces détails, où se glissaient l'enquête et l'imagination. Au bout de deux mois on l'avait renvoyé à Dreux en garnison, puis à Verdun sur le front. Lorsque trente ans plus tard on lui avait demandé d'organiser des manifestations sportives à Caussade, peut-être lui-même était-il incapable de retrouver le lieu où il avait été soigné au début de la Première Guerre.

La Deuxième n'est pas finie mais les combats s'éloignent. Paris a été libérée le 25 août. Pétain et ses sbires parmi lesquels Jacques de Lesdain sont à Sigmaringen. Dans les semaines qui suivent l'Armée rouge franchit le Danube, la division Leclerc libère Strasbourg, les Américains pénètrent en Allemagne à Aix-la-Chapelle. Depuis Moissac ils écrivent pour prendre des nouvelles de ceux qu'ils ont perdus de vue pendant la longue traînée de feu et de sang. Ils reçoivent une lettre écrite le 16 novembre à Lacapelle-Biron par monsieur Sérougne :

« Chers amis, Nous avons bien reçu votre lettre du 25-10 laquelle nous est parvenue le 10 novembre. Nous avons été heureux de recevoir de vos bonnes nouvelles. Nous nous demandions en effet si vous aviez pu réussir à échapper à la tourmente.

Enfin c'est fait et tant mieux. Nous voilà délivrés de ces sales boches.

Vous avez eu de la chance d'être à Moissac. Si vous aviez été à Lacapelle vous ne vous en seriez sans doute pas tirés à si bon compte. Le 21 mai nous avons eu la visite de ces gaillards. Ils étaient paraît-il une division composée en grande partie de SS et de la Gestapo. Avant le jour ils avaient occupé tout le pays. Lacapelle était cernée; personne ne pouvait s'échapper. Tous les hommes ont été arrêtés et gardés sous la menace des mitrailleuses toute la journée. Enfin le soir ils ont relâché ceux qui avaient moins de 18 ans et plus de 60, mais tous les autres (une quarantaine) ont été raflés y compris M. le Curé et aucune nouvelle d'eux n'est encore parvenue.

La providence a voulu que je ne sorte pas de chez moi ce jour-là, faute de quoi je serais moi aussi avec les autres quelque part en Allemagne, car ils avaient établi des barrages sur toutes les routes et tous ceux qui passaient étaient arrêtés et conduits à Lacapelle. Ils ont aussi visité la campagne où ils ont volé des sommes d'argent, des victuailles et des vélos. Nous avons eu une réelle chance. Ils ne sont pas venus chez nous. Caumières a été sérieusement malmené parce qu'ils ont trouvé chez lui un revolver et il y a des doutes qu'ils l'ont fusillé.

Mais le plus terrible s'est passé à Vergt-de-Biron. Un nommé Abouly a été martyrisé. Ils l'ont complètement déshabillé puis pendu par les pieds et rossé avec un piquet de vigne jusqu'à ce qu'il a été mort. Cela paraît-il parce qu'il avait chez lui un dépôt d'armes parachutées.

Un cousin à moi a été tué d'une balle de revolver dans la nuque. Il était accusé de ravitailler le maquis. Le milicien qui avait signalé tout cela aux boches a payé de sa vie ses tristes méfaits. Arrêté par le maquis il a dû d'abord creuser sa fosse puis il a subi le même sort que le malheureux Abouly.

La Dordogne en général a beaucoup souffert. Vous le savez sans doute plusieurs villages importants ont été brûlés et la population martyrisée ou déportée, entre autres Mouleydier et Rouffignac près Bergerac. Quant aux maquis ils étaient nombreux dans nos parages. Nous en avons eu tout près de chez nous. Un groupe a logé quelque temps à Lavayssière. Bérail a été occupé par un hôpital auxiliaire. Maintenant tout est parti. Il n'y a plus rien. Nous vivons dans la tranquillité et l'attente du retour des malheureux déportés. Quant aux patrons de Bérail nous n'avons pas beaucoup de nouvelles d'eux. Mme Ferret a été amputée. J'ai vu récemment M. Pierre qui est toujours à St-Chaliès. »

La lettre s'achève sur les inquiétudes millénaires et météorologiques des paysans : « Ici il fait un temps déplorable pour ne pas dire catastrophique. Il pleut presque sans arrêt. Nous n'avons pas encore commencé les semailles de blé et les ¾ des pommes de terre sont encore dans les champs. La récolte se fait dans de très mauvaises conditions. La récolte de vin a été bonne mais la qualité est en général médiocre. »

Lorsque je m'étais rendu à Lacapelle-Biron où le père et le fils avaient passé l'été 42, j'avais photographié le monument aux Martyrs inauguré en 47 sur la place devant le café Le Palissy. On y apprend ce que l'auteur de la lettre ignorait encore en novembre 44 : sur les quarante-sept Capelains arrêtés en mai, vingt-quatre ne sont jamais rentrés des camps. Parmi ceux qui étaient morts ici dès le 21 mai, figuraient gravés les noms de Jean Sérougne, sans doute ce cousin abattu d'une balle dans la nuque, et de Raymond Caumières, chez qui avait été trouvé un revolver.

Le fils reçoit un mot écrit le lendemain, 17 novembre 1944, par le curé de Lalbenque : « Mon cher Deville, je suis heureux que vous ayez pu tranquillement rentrer dans vos foyers. La plupart des jeunes de Lalbenque en ont fait autant. Le calme règne ici aussi et on s'est remis au travail tout simplement. Je crois que les FFI comptent en effet beaucoup de blessés, ou pire par accidents. »

des petites traces

> Je suis immobile dans une chambre d'hôtel
> Pleine de lumière électrique immobile…
>
> VALERY LARBAUD, « Nevermore… »

Comme chaque fois depuis mai dernier, après avoir plongé dans le passé de la France comme au fond de la mer en apnée, je remontais m'asseoir sur la grève d'une chambre d'hôtel lointaine, tentais de retrouver mon souffle et un point de vue satellitaire, de voir tout ça de loin, d'éviter la myopie du gallocentrisme.

Depuis 1860, tous les événements sur la planète sont connectés. En ce mois de novembre 1944, alors que cette traînée de feu de la Dordogne à la Normandie puis l'Alsace précède le bouquet final de l'explosion de l'Allemagne, c'est encore dans le Pacifique la bataille des Philippines. Les Américains ont pris les Marshall et Peleliu. Les Japonais lancent leurs premières attaques suicides d'aviateurs kamikazes en piqué sur les navires. En Indochine, les Américains bombardent Phnom Penh et Saigon. Depuis la Birmanie, les Japonais et leur allié Chandra Bose attaquent l'Inde et les troupes britanniques. Le 9 mars 1945, l'armée d'occupation de l'empereur Hirohito prend le contrôle total du Vietnam, du Laos et du Cambodge. Au Tonkin, les officiers français sont décapités au sabre, trois mille soldats tués en deux jours, les civils enfermés dans des camps et torturés. Ces victimes seront reconnues cinquante ans plus tard « mortes en déportation ».

En ce printemps de 1945, on se soucie peu en métropole de ces soldats perdus de Vichy, et de ces coloniaux en costume blanc qui pendant les cinq ans de guerre se l'étaient coulée douce rue Catinat à l'ombre verte des caroubiers, assis à la terrasse du Continental devant leur vermouth-cassis. En cet automne de 2015, cherchant à savoir s'il existait encore un peuple français, un peuple allemand ou un peuple japonais, je me rendais en Allemagne et au Japon.

Après avoir séjourné seul à Biarritz et avec Véronique à Bastia, fêté à l'équinoxe les quatre mois de ce projet monnesque, dormi pendant les vendanges dans le Maine-et-Loire, à Savennières au château des Vaults, j'avais quitté l'Anjou pour l'hôtel Manhattan de Francfort, puis le Ritter à Heidelberg, l'Advena à Mayence. Les journaux annonçaient les premières frappes aériennes russes sur la Syrie. J'avais pris le train pour l'aéroport de Francfort et dans un couloir de celui-ci croisé Boualem Sansal. Nous avions bu un café, il était en transit pour Paris venant de Leipzig. Je n'avais jamais dormi à Leipzig ni marché dans ses rues. Ce nom était un coup de poignard.

Pendant le court vol pour Vienne, j'essayais de retrouver les villes allemandes où j'avais dormi, de revoir les hôtels et les lits dont je gardais le souvenir, l'Advokat de Munich, le Zur Zonne de Marbourg, le Central de

Göttingen et l'Astor de Kiel, le Savoy et l'Ellington de Berlin et d'autres à Rostock, à Hanovre, à Brême, à Ratisbonne. Et pendant la route pour la vallée de la Wachau, longeant le Danube après le Neckar et le Rhin, je me livrais à la même recherche pour les villes autrichiennes, dans cette tentative vouée à l'échec d'épuiser l'atlas, de pouvoir un jour, allongé les yeux fermés, retrouver, à la seule évocation de leur nom, dans la sonorité de celui-ci, des visages, des lieux, des timbres de voix dans le kaléidoscope de la mémoire, à Graz, à Salzbourg, à Innsbruck, à Krems. À mon arrivée à Spitz, c'étaient encore les vendanges. Des tracteurs passaient devant l'hôtel Lagler avec leurs bennes emplies de raisin.

Trois jours plus tard, depuis le dix-septième étage du Motel-One derrière la gare de Vienne, j'observais tout en bas le campement des réfugiés syriens, soudanais et érythréens qui espéraient monter dans un train pour l'Allemagne. J'avais dormi le lendemain à l'hôtel Maritim de Stuttgart et trois jours plus tard à Tokyo dans le quartier d'Iidabashi, où l'Institut français mettait à ma disposition le studio dit Roland-Barthes. Un futon sur le sol parqueté. Les portes coulissantes quadrillées de bois blond tendues de papier blanc opaque devant la baie vitrée du sol au plafond. La pièce était orientée plein est, à l'aube inondée d'une lumière si aveuglante que le sommeil devenait impossible, et qu'il n'y avait plus qu'à se mettre à écrire, pourquoi pas *L'Empire des signes*. Depuis le petit balcon, je voyais passer les trains, nuit et jour le long du canal, entendais leur glissement sur les rails comme au Terminus de Cahors.

Depuis trente-cinq ans que je tournais en orbite dans ce réseau, je comptais sur son soutien pour relever ici les petites traces françaises. Peu après mon installation chez Barthes, j'avais retrouvé lors d'un dîner Nicolas Bergeret à présent conseiller à Tokyo, que j'avais fréquenté plusieurs années à Saigon où il secondait le consul général Fabrice Mauriès, que j'avais revu en juillet ambassadeur à Lima. On m'avait accompagné tout d'abord au Meiji-jingu, sanctuaire shintoïste du début de l'ère Meiji et de l'ouverture du Japon en 1868. Cette année-là, Loti et Brazza entraient à l'École navale de Brest et le capitaine Abel-Nicolas Bergasse Du Petit Thouars était envoyé ici par le Second Empire, avant de s'en aller préserver Lima des attaques chiliennes, et de voir son nom donné à une grande avenue de la capitale.

Le 8 mars 1868, onze marins français de la frégate *Dupleix* avaient été découpés en petits morceaux par des samouraïs dans le port de Sakai près d'Osaka. L'ambassadeur Léon Roches, qui venait d'Algérie, où il avait été le secrétaire et l'ami d'Abd el-Kader, avait exigé des excuses et des réparations. Vingt samouraïs furent condamnés au seppuku. Du Petit Thouars avait assisté à la cérémonie, attendu le onzième hara-kiri et gracié les suivants. On avait élevé deux monuments aux vingt-deux victimes de l'incompréhension entre les peuples, l'un à Sakai pour les onze Japonais et l'autre à Kobe pour les onze Français. Je marchais sur la grande allée au milieu de la forêt du parc Yoyogi, après avoir franchi le torii en bois de cèdre au linteau recourbé vers le ciel : à main droite, un mur de petits barils ou bonbonnes de saké enveloppés de papiers calligraphiés, à main gauche un mur de tonneaux de chêne où vieillissaient les meilleurs crus de la Bourgogne, romanée-conti et gevrey-chambertin, réunion symbolique de ces breuvages propitiatoires et des relations apaisées de nos deux peuples. En cet automne japonais, profusion de chrysanthèmes colorés, nuées de grands corbeaux au-dessus des arbres. Devant le temple de bois brun près du comptoir des amulettes, une petite louche dans un bassin pour se purifier les mains et les laver du sang de l'Histoire.

Le soir, depuis la baie d'un restaurant haut perché au-dessus du carrefour de Shibuya, je surveillais Taba-Taba assis près de la statue du clébard Hachiko. Il regardait à chaque feu rouge le déferlement des milliers de piétons qui se croisaient en vagues à toute allure sous les grands écrans vidéo, les néons clignotants à chaque étage des tours de verre, immobile, inclinant lentement le buste et le relevant, Taba-Taba-Taba / Taba-Taba-Taba, et en arrière-plan le passage aérien et sifflant des trains et des métros. Je ne pouvais qu'imaginer la vie de Taba-Taba dont je ne saurai jamais rien. Pourquoi n'aurait-il pas connu le Japon avant de perdre la raison ?

Quelques jours plus tard, j'avais pris le train pour Kamakura, vu le grand Bouddha érigé au treizième siècle et contemporain de la croisade de Simon de Montfort contre les cathares. Pendant qu'à Bram on coupait des nez et crevait des yeux, on en faisait de même à Kamakura, siège du pouvoir féodal de Yoritomo premier shogun. On cherchait là-bas l'extase dans la prière et ici le satori du zen. Le Japon inventait sa propre civilisation loin à l'écart des autres peuples, seul, indifférent, ignorant celle des Khmers qui parvenait alors à son apogée angkorienne, celle des cavaliers de Gengis Khan qui touchait aux rives de l'Indus, celle de l'islam des Almohades alors installés au sud de l'Espagne.

Au milieu du dix-neuvième siècle, la civilisation européenne était la première à se répandre sur l'ensemble du globe et l'isolement japonais lui devenait insupportable. Après le capitaine Du Petit Thouars, la France avait envoyé Louis-Émile Bertin créer la marine militaire japonaise en 1886, puis en 1918 la Mission militaire française de l'aéronautique dirigée par le colonel Jacques-Paul Faure.

Au sein de cette dernière, Roger Poidatz, spécialiste de la photographie aérienne, avait écrit sous le pseudonyme de Thomas Raucat un roman dont l'action est à Enoshima, *L'Honorable Partie de campagne*. J'avais depuis Kamakura emprunté le tortillard pour me rendre sur cette île où des familles déjeunaient de civelles et de méduses et de coquillages. Assis sur une terrasse en surplomb devant la mer, je voyais les pins accrochés à la falaise, leurs étages d'aiguilles très vertes en paliers horizontaux à l'extrémité de chaque branche au parcours torturé, je cherchais des noms de romanciers aviateurs, en trouvais peu, Romain Gary et Joseph Kessel, Saint-Exupéry, André Malraux et Daniele Del Giudice.

Près de moi était peinte cette mise en garde, « Beware of Hawks », laquelle assemblait, sous ce terme générique d'aigles, deux variétés de rapaces qui semblaient en effet agressifs et cupides, le milan royal et le faucon pèlerin. Ces oiseaux fondaient en piqué sur les goûters des enfants comme de petits chasseurs Zéros. Les pilotes japonais furent de bons élèves. Quinze ans après le départ de la Mission française, ils détruisaient la flotte américaine à Pearl Harbor. Quelques dizaines d'années plus tard, les puissances occidentales suréquipaient les monarchies arabes du Golfe en Rafale et missiles, attendaient que les armes se retournent contre elles. Depuis Tokyo, j'avais pris l'avion pour Hokkaido tout au nord et Sapporo, étais redescendu à Yokohama avant mon départ pour Toulouse où j'allais retrouver Loulou. La première catastrophe pour le Japon fut le siège de ce port par la marine américaine en 1854 pour exiger l'ouverture du pays. La France et l'Angleterre faisaient plier la Chine en 1860 pour les mêmes raisons, saccageaient le palais d'Été à Pékin. En 1941 le Japon détruisait la flotte américaine. La Chine prenait son temps. La capitulation du Japon avait été signée devant MacArthur et Leclerc à l'été 45 à bord du *Missouri* mouillé en rade de Yokohama. L'US Navy s'était installée à Yokosuka, base militaire à une trentaine de kilomètres plus au sud dans la péninsule de Miura. Ce port et son arsenal avaient été conçus par Louis-Émile Bertin, génial inventeur du « caisson Bertin » destiné à cloisonner les coques et améliorer la flottaison des navires, et qui était arrivé au Japon, en 1886, depuis le chantier naval de Saint-Nazaire.

à Toulouse

C'est à présent la paix en France mais la Deuxième Guerre est aussi longue à arrêter que la Première. L'armée allemande a signé sa reddition à Reims, le lendemain le Reich capitulait à Berlin. Quelques poches résistaient, celles de Brest, Lorient et Saint-Nazaire où des troupes étaient encerclées. La guerre du Pacifique se poursuivrait jusqu'aux bombardements atomiques du mois d'août. Le lundi 18 juin 1945, Loulou achète le quotidien *La Victoire*, organe du Mouvement républicain populaire (MRP) gaulliste paraissant à Toulouse. En gros caractères, le cinquième anniversaire de l'Appel du Général depuis Londres. En pages intérieures, la vie matérielle des Français affamés, l'organisation du rationnement :

> INSCRIPTION POUR LA GRAISSE DE PORC
> Il est rappelé aux consommateurs des six centres urbains du département qu'ils doivent se faire inscrire chez le charcutier de leur choix en vue d'une distribution de saindoux d'importation. Cette inscription se fera en échange du ticket n° 24 de la contremarque départementale urbaine.

On apprend aussi qu'à Zagreb le dictateur croate Ante Pavelić, que Malaparte nous montrait assis devant un plein panier d'yeux humains offert par ses valeureux Oustachis, vient d'être condamné à mort, sentence qui ne sera jamais appliquée, puisqu'il s'enfuira pour l'Argentine où Juan Perón l'accueillera à bras ouverts. L'inquiétude principale des gaullistes est le Moyen-Orient, et la situation à nouveau tendue avec les Anglais. Dès l'arrivée de la France libre à Beyrouth en 1941, le général Catroux estimait la situation proche d'un nouveau Fachoda. Elle empire avec la paix. Dans ses Mémoires, de Gaulle rappellera les ordres donnés par lui en ce mois de juin 1945 : « S'ils menacent de faire feu sur nous, dans quelques circonstances que ce soit, nous devons menacer de faire feu sur eux. S'ils tirent, nous devons tirer. Veuillez indiquer cela très clairement au commandement britannique, car rien ne serait pire qu'un malentendu. »

Le journaliste de *La Victoire* note qu'en ce 18 juin « la Ligue arabe, intransigeante en présence de démarches séparées, serait plus disposée à accepter des conditions garanties conjointement par les trois grandes puissances occidentales. En tout état de cause, il apparaît que les milieux officiels britanniques manifestent un désir de plus en plus vif d'aboutir rapidement à un accord concret avec la France afin d'empêcher que la crise syrienne ne dégénère en un soulèvement général du monde arabe contre les pays occidentaux ayant des intérêts dans le Proche-Orient ». Plus loin, un entrefilet mentionne que « des incidents sanglants se sont produits à Alep où une femme a été tuée, trois civils et un soldat français blessés ».

Soixante-dix ans après, en 2015, alors que je lisais ce journal de 1945, la Syrie était à feu et à sang. Les djihadistes de Daesh avaient proclamé un Califat dont les contours imprécis effaçaient, pour la première fois depuis un siècle, les frontières des accords Sykes-Picot.

Dès le mois de mai 1916, pendant la bataille de Verdun, préparant le démantèlement de l'empire ottoman, la France et la Grande-Bretagne, en concertation avec le tsar de Russie, avaient confié à Mark Sykes et François Georges-Picot la délimitation des prochaines zones d'influence. Paris obtiendrait mandat sur le Liban, le nord de la Syrie, Damas et la province de Mossoul. Londres sur la Palestine, la Transjordanie, Bagdad et la Mésopotamie. Après la révolution d'Octobre, les Bolcheviques avaient trouvé une copie de cet accord secret. Ils en avaient informé Istanbul et le chérif Hussein de La Mecque : contrairement aux promesses de Lawrence d'un grand royaume arabe après la prise d'Akaba, les puissances se partageaient déjà les lambeaux turcs. Cette année 2015 marquait le retour militaire des Russes au Proche-Orient, et leur alliance probable avec la Turquie.

Soixante-dix ans avant, en 1945, alors que Loulou tourne les pages de ce même exemplaire, on compte partout sur la planète les dizaines de millions de morts dont on ne connaîtra jamais le nombre exact. Plus de vingt-cinq pour la seule Union soviétique. Des Russes m'avaient plusieurs fois rappelé ces chiffres lorsque j'avais traversé leur pays de Moscou à Vladivostok, regrettant l'amnésie des Français qui continuaient à penser que les États-Unis étaient les seuls vainqueurs de la guerre. La remarque, me disait-on, n'était pas idéologique mais arithmétique : sur l'ensemble du conflit, soixante morts soviétiques pour un mort américain.

Loulou replie *La Victoire* dans sa caserne toulousaine. Il fait partie de ces jeunes résistants dont le statut a été régularisé par le général de Gaulle dès l'automne 1944 : « Nous décidâmes d'abord, par décret du 23 septembre, que les hommes restant sous les armes auraient à contracter un engagement en bonne et due forme pour la durée de la guerre. De ce fait, la situation des maquisards se trouvait légalement réglée. » Depuis un mois la guerre est finie. Il hésite, postule à une formation de l'École militaire d'Uriage près de Grenoble. Il pourrait aussi retourner à la vie civile, mais pour y faire quoi ?

Dans deux mois il aura vingt ans.

J'ignorais où se trouvait cette caserne. J'ignorais aussi où se trouvait la prison dans laquelle Malraux avait été enfermé un an plus tôt, après son arrestation en juillet 44 à Gramat dans le Lot, pendant que Loulou était encore dans la forêt. On avait trimbalé le prisonnier à Figeac, Villefranche-de-Rouergue, Albi, Revel, entrant dans Toulouse à la nuit tombante il avait reconnu la place Wilson. J'avais souvent dormi par ici, dans des petits hôtels ou chez des amis, une fois au Crowne Plaza sur la place du Capitole avec Yersin.

Mon dernier passage un an plus tôt, à l'invitation du libraire Christian Thorel, m'avait valu un article très remarquable dans le quotidien *Présent*, journal de « droite nationale et catholique », en date du 4 novembre 2014, sous la plume de Françoise Monestier – alors que déjà, comme on s'en doute, j'avais retrouvé le calme de mon appartement bourgeois de Saint-Germain-des-Prés, robe de chambre en soie rouge et fume-cigarette en ivoire, ricanant après avoir semé le désordre en province, appelé au terrorisme urbain, harangué les foules, les avoir poussées à l'émeute et aux exactions, puis gagné en catimini l'aéroport de Blagnac et sifflé du champagne dans le salon des premières –, mais Françoise Monestier voyait clair dans mon petit manège, il ne fallait pas la lui faire, les preuves étaient suffisamment accablantes :

VU À TOULOUSE

En ce jour de Toussaint, soleil et chaleur sont au rendez-vous. Rues pleines de monde, terrasses prises d'assaut, ambiance bon enfant en ce début d'après-midi. Il suffira d'une bande de traîne-patins et d'émeutiers parfaitement entraînés à la guérilla urbaine pour transformer le centre de Toulouse en camp retranché : vitrines brisées, mobilier urbain endommagé, abribus cassé, distributeurs automatiques défoncés à coups de masse, poubelles incendiées en plein milieu des rues étroites proches de l'église de La Dalbade. Le visage des émeutiers est souvent masqué et, quand il ne l'est pas, on aperçoit des barbes mal taillées, des cheveux longs et autres horribles bouts de tissus attachant d'improbables coiffures. Tout ce beau monde court vite, traite les flics de « porcs », « d'assassins » et harcèle méthodiquement les forces de l'ordre.
Plusieurs groupes ont ainsi pris possession de la rue toulousaine, poursuivant systématiquement les CRS, leur jetant des cannettes de bière quand ce n'était pas des pierres. Bref, on retrouvait la violence de 1968 dans les rues. Oui, sauf qu'aujourd'hui, les bandes venues du Mirail, des Izards ou d'Empalot, enfin de tous les quartiers chauds de Toulouse, sont aussi sur le terrain, donnant une nouvelle dimension au terrorisme urbain.
Deux jours avant ces émeutes, l'écrivain Patrick Deville lisait, dans une librairie branchée de Toulouse, des passages de *Viva* son nouveau livre dans lequel deux exilés sont élevés au rang d'icônes : Malcom (sic) Lowry et Léon Trotski. L'ombre de ce dernier planait incontestablement ce samedi dans les rues de Toulouse.

Dix ans avant les maquis du Lot, Malraux était allé rencontrer Trotsky à Saint-Palais près de Royan, avait publié un bel article dans *Marianne*, « je sais, Trotsky, que votre pensée n'attend que de la destinée implacable du monde son propre triomphe. Puisse votre ombre clandestine, qui depuis presque dix ans s'en va d'exil en exil, faire comprendre aux ouvriers de France et à tous ceux qu'anime cette obscure volonté de liberté rendue assez claire par les expulsions, que s'unir dans un camp de concentration, c'est s'unir un peu tard ». Après guerre il écrira : « Le seul personnage que le général de Gaulle appelât alors dans ma mémoire, non par ressemblance mais par opposition, à la façon dont Ingres appelle Delacroix, c'était Trotsky. »

Ces deux-là ont en commun d'être des héros plutarquiens, à la fois eux-mêmes et davantage qu'eux-mêmes : « Le dédoublement touche sans doute la plupart des hommes de l'Histoire, et des grands artistes : Napoléon n'est pas Bonaparte, Titien n'est pas le comte Tiziano Vecellio, et Hugo, lorsqu'il pensait à celui qu'il avait d'abord appelé Olympio, l'appelait certainement Victor Hugo. » Churchill, de Gaulle et Trotsky avaient été les lecteurs les plus lucides de la fin des années trente mais ce dernier était assassiné dès août 40. « En face des *Vies parallèles*, il serait bien intéressant d'écrire une histoire de ce que l'humanité a perdu, quand ce qu'elle a perdu a laissé sa trace. »

des jeunes garçons

Alors que toutes les archives jusqu'à mai 40 sommeillent dans les coffres du Crédit lyonnais de Fismes dans la Marne, Monne amasse les suivantes, conserve les factures et les courriers. Une liasse réunit les lettres reçues à cette période par son frère. Avant de s'engager dans le maquis, avant même de rejoindre le collège de Moissac, il avait écrit depuis Lacapelle-Biron à ses amis scouts qu'il laissait à Bram. Il leur décrivait sa vie à la ferme et les travaux des champs, le troupeau de brebis dont il était le berger.

Ce sont presque des mômes encore, perdus dans la guerre, qui bientôt auront l'âge d'y être mêlés, la miment déjà dans l'innocence de leur jeunesse et leurs activités de campeurs et de randonneurs. Ils se retrouveront un peu par hasard dans le parti des vainqueurs ou dans celui des traîtres. D'autres n'en reviendront pas. Il demande des nouvelles de ce Jean Rancoule dont j'avais lu le nom gravé à Bram sur le monument aux Morts, et dont je retrouvais parfois la signature adolescente sur des documents scouts d'avant guerre.

Le fils a reçu peu après son arrivée à Moissac, à l'automne 1942, juste avant la fin de la zone libre, cette lettre de leur ami commun Maurice Castagné :

« Cher Loulou,

Je viens de recevoir ta lettre qui m'annonce que tu es encore de ce monde toi et ta famille, car depuis que tu étais parti je te croyais mort étant sans nouvelles. Puisque je te parle de nouvelles en voici : d'abord il y a dimanche prochain à Bram une grande kermesse au profit des enfants du nord qui se trouvent au château de Lordat, les autorités civiles et militaires seront présentes, il y aura dans les 150 musiciens, tu parles quelle fête, dommage que tu ne sois pas là, on se serait bien amusé, enfin c'est la vie !! Parlons maintenant de Jean Rancoule, à mon avis je crois qu'il perd la "boule", façon de parler, je vais t'expliquer ça. Comme nous étions très copains nous avons décidé de faire des sorties, genre scout, tous les deux, nous en avons fait déjà quelques-unes, tu en as peut-être entendu parler, ça a bien marché pendant deux ou trois mois, mais ensuite il a diminué le nombre des sorties pour arriver à ne plus en faire, je n'y faisais pas attention car il devait étudier pour pouvoir être reçu au bac. Il avait fait beaucoup de projets, tel que reformer la troupe, formation des CP etc. etc. Seulement je m'apercevais qu'il changeait souvent d'idées, tellement qu'il y a un mois il avait renoncé à former une troupe scoute pour en former une d'éclaireurs, il m'a demandé si je pouvais le suivre, je lui ai dit que je verrais, car ça demandait réflexion.

Ensuite il y a quelques semaines, c'était pour la fête des mères, il m'a dit qu'il n'était plus catholique, ça alors, j'en suis tombé à la renverse, et je n'ai pas su que lui répondre, puis plus tard j'ai appris par diverses personnes de Bram qu'il y avait 15 jours qu'il n'était pas allé à la messe et qu'il se faisait beaucoup de jeunesse, enfin il se faisait beaucoup parler de lui, tellement qu'il avait eu un froid avec ses parents. Heureusement qu'il a été reçu au bac. C'est ce qui les a réconciliés, c'est tout ce que je sais sur lui jusqu'à présent, et ça suffit, tu vois que j'avais raison de te dire qu'il n'avait pas tout son bon sens, et ce n'est pas étonnant qu'il ne t'ait pas écrit. Mais quand même je n'aurais pas cru tout ça de lui. Maintenant assez de parler des autres, à nous. Tu disais que tu avais un tas de brebis à garder et bien moi avec les vaches ce n'est pas plus rigolo, j'en ai une quinzaine qui ne sont pas des plus commodes, quant à la chaleur ici tout sèche jusque les personnes faute de pluie, il y a un mois qu'il n'a pas plu, tu peux croire que nous en avons besoin et elle tarde à venir. Je te félicite de ton entrée au scoutisme de Moissac et de ta nomination d'AST. À Bram je crois que si la troupe n'est pas tombée peu s'en manque, il vaudrait mieux qu'elle soit dissoute et qu'on n'en parle plus. Une autre nouvelle : nous ne restons pas à J. *(illisible)*, on part à la Toussaint. Mon père veut s'en aller parce qu'on ne lui fait faire que du mauvais travail, je te dirai plus tard où j'irai. Quant à ma famille elle se porte pour le mieux et ce n'est pas le travail qui nous manque le plus. Je me lève chaque matin à 4 h 30 "vieille" et quand j'arrive à la fin de la journée à 8 h 30 toujours "vieille", il me tarde d'aller au lit. Je ne vois rien de plus à te dire à part qu'il fait un vent marin des plus brûlants, les haricots en prennent. Là-dessus je te quitte en t'envoyant une fraternelle poignée de main gauche. Mes amitiés à tes parents et à ta sœur, Ton ami. »

Dans ces moments de la Libération, à l'été 45, il reçoit ce courrier un peu énigmatique d'un autre, qui laisse à penser que leur petit groupe fut déchiré lui aussi entre pétainistes et gaullistes, maquisards et miliciens :

« Quant au scoutisme je m'y suis remis à plein, j'ai formé une troupe à Alzonne avec un CT de Montpellier en garnison ici. Elle est bien lancée et j'espère que nous ferons du bon travail. À Bram tu penses qu'avec l'arrestation de Charles la troupe était tombée, nous y sommes allés dimanche dernier pour essayer de la renflouer et je crois que nous y réussirons. À la dernière journée de Province c'est-à-dire en février dernier je ne t'ai pas vu à Toulouse et j'espère te voir aux prochaines. De Jean Rancoule il y a longtemps que je n'ai pas eu de ses nouvelles, il est toujours à Graz et c'est assez souvent bombardé, en parlant de Jean, je dois te dire que son copain André Estempe a été enfermé comme milicien. Et quant à son mariage je crois qu'il n'a plus besoin d'y penser, car sa fiancée, la Cheftaine "Amen" a été tondue, on a trouvé des photos compromettantes où elle est en compagnie d'Allemands. Son père a été condamné à 5 ans de prison. Je crois que c'est un mal de famille ! Dans la région les "Boches" ont fait du mal comme tu l'as su, à Carcassonne ils ont brûlé tout un quartier il y a eu 27 morts, et une compagnie de Mongols qui passait ou plutôt qui déguerpissait en a fait encore plus ils pillaient tout, violaient les femmes, tuaient les maris, faisaient les pires tortures, c'était dégoûtant, enfin ils sont partis, tant mieux. Nous avons eu aussi le 17 août les Anglais qui sont venus mitrailler un train Boche en gare à Alzonne. »

Le 15 octobre 1945, alors qu'il espère encore partir pour l'école militaire des FFI à Uriage, il reçoit à nouveau une lettre de son ami Castagné :

« Mon cher Paul, Comme mon frère te l'a écrit je suis soldat. Actuellement à Béziers, après mon engagement pour l'Afrique du Nord, où j'attends mon départ. Je me suis engagé dans les spahis, mon régiment se trouve à Rabat, j'en ai pris pour 3 ans, et si le métier me plaît j'y resterai. Je n'ai pas suivi les sections de PM pour la bonne raison que je n'avais pas le temps. Actuellement l'on s'embête continuellement, car nous ne faisons rien du matin au soir, que manger et dormir. De temps en temps je vais avec un copain que je me suis fait au Foyer du Soldat où nous jouons au ping-pong ou aux dames, chaque soir nous avons une permission de spectacle et allons au cinéma. Tu peux te rendre compte que pour le moment notre vie de soldat n'est pas bien militaire. C'est très bien pour ta marche en avant dans la PM et j'espère que tu feras un superbe officier. Quant à moi j'ai encore mes pelotons à suivre, et je n'espère pas être sergent avant deux ans.

Voici à présent quelques nouvelles du pays. En ce moment la troupe d'Alzonne est tombée, tu peux comprendre le motif. J'ai conduit ma troupe jusqu'à mon départ, car lorsque j'entreprends quelque chose je ne le laisse qu'en cas de force majeure. Jean Rancoule n'est pas encore arrivé et l'on croit qu'il sera mort. Prions pour lui. Dire que pendant qu'il se faisait casser la figure par les Boches ou les "Français", d'autres Français qui ne méritent pas ce nom trahissaient leur pays dans le même village. Charlot est actuellement à Bram, il travaille toujours à la distillerie. Je ne le vois que rarement et ne m'occupe pas trop de lui. Je dois te dire qu'en ce moment je ne m'occupe pas de grand monde car le monde en général me dégoûte, la mentalité présente est plus que basse, et nous aurons beaucoup à faire pour la remonter. La politique est en train de nous tuer et fait plus de mal que la bombe atomique. Je me demande pourquoi, puisque tu aimes tant que cela le métier militaire, tu ne t'engages pas, ce serait une occasion de servir la France. Car notre pays a besoin de types loyaux, francs, et qui aient le sens de l'honneur, ne reste pas en arrière et rentre dans l'armée.

Voici mon adresse au cas où tu voudrais m'écrire, ce que j'espère tu feras : CDI 176, CHR Caserne Du Guesclin, Béziers, Hérault. »

Et ceux-là, qui à la différence de Jean Rancoule ont survécu à la guerre, iront pour certains perdre leur âme dans les guerres coloniales du Tonkin ou des Aurès. Dès le 8 mai 45, les émeutes de Sétif étaient le prologue de la guerre d'Algérie, au mois d'août le Vietminh s'était emparé du Nord-Vietnam après la capitulation japonaise et Hô Chi Minh avait proclamé l'indépendance. On envoyait le général Leclerc à Saigon. Déjà la révolte grondait à Madagascar.

Dans cette liasse, se trouvait encore une lettre reçue par Monne. Après cinq ans d'absence, des réfugiés rentrent chez eux, découvrent les ravages de la guerre :

« Dieuze, le 22 novembre 1945, Mademoiselle Simonne et votre famille, Bientôt un mois que nous avons quitté Moissac sans pouvoir oublier le long séjour qui nous a permis d'apprécier cette charmante petite ville et toute l'affection des amis qui nous entouraient. J'ai un peu tardé à vous écrire la déception que nous réservait l'arrivée dans notre pauvre Lorraine en ruines ; je ne puis vous dire combien nous fûmes désolés les premiers jours à la perspective de vivre désormais dans notre petite ville presque entièrement démolie, cependant la joie de revoir nos parents atténua cette peine et fut notre consolation en nous retrouvant tous en famille.

Notre retour s'effectua dans de bonnes conditions, nous avons eu l'occasion de passer presque une journée entière à Paris où nous avons admiré quelques principautés de notre capitale. Mes parents avaient déjà bien installé notre maison, malheureusement nous n'avons rien retrouvé de ce qui nous appartenait autrefois, puisque notre boulangerie fut entièrement démolie : ce fut là encore une bien grosse peine que nous réservait le retour ! J'ai retrouvé quelques amies qui s'efforcent à me réadapter à cette nouvelle vie car la mentalité des gens du pays a tellement changé et la jeunesse tellement évolué que l'on ne se reconnaît plus entre compatriotes après ces cinq années d'exil.

Ainsi croyez-moi, mademoiselle Simonne, mes pensées sont bien souvent à Moissac que je ne pourrai jamais oublier. Il ne fait pas encore excessivement froid, mais nous avons déjà regretté notre beau soleil méridional. Espérant toute votre famille en bonne santé, veuillez leur transmettre mon meilleur souvenir. Je serais aussi heureuse d'avoir de vos nouvelles, quand pensez-vous quitter Moissac ? Je vous prie de croire à mon entière sympathie, Aline B *(illisible).* »

Quitter Moissac, ils y songent à leur tour.

Le père et le fils, chacun de son côté, essaient de rejoindre une école au passé prestigieux, l'un dans le département de l'Isère et l'autre dans celui du Tarn, l'un pour y étudier et l'autre pour y enseigner.

Sorèze & Uriage

Ce passé-là est récent : en à peine cinq ans, le château d'Uriage au pied des Alpes avait abrité le pire et le meilleur de la France vaincue. De 1940 à 1942, il fut le siège de l'École nationale des cadres de la jeunesse du régime de Vichy. Sous couvert de révolution morale, son fondateur, Pierre Dunoyer de Ségonzac, avait assemblé autour de lui des intellectuels parmi lesquels Hubert Beuve-Méry, futur fondateur du quotidien *Le Monde*, Gilbert Gadoffre, fondateur à la Libération de l'École nationale d'administration. Même s'ils sont fidèles au Maréchal, ils sont patriotes. Cette collaboration feinte les avait amenés peu à peu à soutenir la Résistance. « Serre la main que tu ne peux mordre ; tu la couperas plus tard. » Cette phrase était attribuée à Xavier de Virieu, auteur plus tard, pour les maquis du Vercors, d'un *Manuel à l'usage des corps francs* qui est un traité de guérilla.

Devant ces dérives, regrettables à ses yeux, le gouvernement Laval ferme l'école et le château est confié aux tortureurs de Joseph Darnand. On y ouvre l'École nationale des cadres de la Milice. Grenoble libérée en juin 44, Xavier de Virieu y installe l'École des cadres FFI, laquelle devient l'École militaire d'Uriage. Il s'agit de rassembler avant la victoire les combattants de l'Armée secrète et les FTP, de créer une armée populaire rénovée dans l'esprit de la Résistance. Avec le rêve de retrouver l'enthousiasme de Valmy, les stagiaires alternent combats sur le front de Lorraine et retour à l'École pour les survivants. L'enseignement y est humaniste et communautaire, associe une formation physique et culturelle proche de l'hébertisme. L'entraînement sportif est confié au champion de France du cinq mille mètres René Breistroffer. Le fils attendra plusieurs mois sa convocation. Elle ne viendra pas. Cette union sacrée des maquisards communistes et de la vieille aristocratie militaire chrétienne ne plaît pas trop au général de Lattre de Tassigny dont dépend l'École. Déjà, plus d'un an après les femmes, les soldats ont obtenu le droit de vote. L'état-major met fin à l'intégration des résistants. Dès la Libération on réduit les effectifs des corps d'armée.

Le père de son côté aura bientôt cinquante-cinq ans. Si c'est un peu la fin de l'adolescence pour un romancier il en va autrement des sportifs. Il apprend qu'on cherche à Sorèze un professeur de gymnastique. Le passé de cette école est davantage considérable et lointain. C'est depuis mille ans qu'elle est la France dans ses multiples convulsions. Une métonymie du pays tout entier où peuvent se lire, comme les strates géologiques sur la paroi d'une falaise, les tumultes et les brisures de l'Histoire.

Adossée à la forêt de la Montagne noire et ouvrant sur la plaine, l'abbaye est posée au sommet d'une pente douce, au bas de laquelle coule la rivière Soricinus devenue l'Orival. Sa fondation légendaire est attribuée à Clovis en 506 comme celle de Moissac à cent cinquante kilomètres de là. On pourrait aussi poser une caméra fixe et filmer, depuis la rue Lacordaire, en contre-plongée et à vitesse accélérée, l'arrivée des bâtisseurs avec leurs charrettes, tailleurs de pierre, marchands, charpentiers. Ces hautes flammes sur l'écran c'est la razzia des Sarrasins en 732. Relevée à l'époque carolingienne, fortifiée, l'abbaye Sainte-Marie prend son essor au treizième siècle pendant la guerre contre les cathares, alors que les vocations catholiques contraintes ou sincères sont nombreuses. Après la Saint-Barthélemy elle est à nouveau incendiée, cette fois par les protestants en 1573. Ses bâtiments sont détruits ainsi que ses archives. Reconstruite elle devient un séminaire que son supérieur dirige depuis l'abbaye Saint-Germain-des-Prés. Des troupes à cheval défilent dans le village. Au dix-huitième siècle, l'abbaye est transformée en École royale militaire.

Si elle accueille des élèves français, son recrutement est aussi cosmopolite. En ces murs se côtoient de jeunes garçons espagnols et italiens mais aussi indiens et syriens, américains du Nord et du Sud, antillais, cubains et portoricains. On y envoie des enfants bien nés depuis le Pérou, le Chili ou le Paraguay. Sous la férule du prieur dom Raymond Despaulx, l'Ancien Régime entend former des élites militaires et politiques francophiles dans le monde entier. On y apprend la science des armes et les lettres, l'escrime et l'équitation. L'École du monarque de droit divin abrite une loge maçonnique.

À l'été de 1791, dom Despaulx refuse de prêter serment à la Constitution. Les religieux bénédictins partent en exil, parmi eux Arnaud Dulau devient à Londres le premier éditeur du *Génie du christianisme* de Chateaubriand. Depuis Valmy le peuple se défend seul. Les écoles militaires sont supprimées le 9 septembre 1793, leurs biens mis aux enchères. Sous Bonaparte Sorèze retrouve son prestige, éduque les rejetons de la noblesse d'Empire et des fils de peu particulièrement brillants. On y produit pour l'Empereur comme à la chaîne des généraux et aussi des ingénieurs, des magistrats, des préfets, des académiciens, des évêques. Sous la Restauration, ses professeurs s'ouvrent aux idées nouvelles de Saint-Simon.

L'un de ses plus fervents disciples, Anacharsis Combes, reprend l'éloge du passé de l'École : « Pendant les vingt-deux années de la direction de dom Despaulx, elle atteignit bientôt à une célébrité extra-continentale, servit de lien entre la France et les Colonies d'un côté, la Péninsule et les États américains de l'autre. » Par-delà les vicissitudes de l'Histoire, Combes prône la continuité du génie français : « Ce fut donc comme maison d'éducation que ce point encore inaperçu de la province de Languedoc dut acquérir une renommée d'abord européenne et bientôt universelle. » Cette « renommée va encore aujourd'hui inviter les habitants de Philadelphie, de Lima, des bords du Mississippi, et ceux de l'île de France à nous envoyer leurs enfants malgré les difficultés de communication ».

On voit sur l'écran l'arrivée du révérend père Henri-Dominique Lacordaire à Sorèze. Sa voiture à cheval franchit le grand porche. Les sabots ferrés claquent sur les pavés. On lui fait visiter l'abbaye. L'homme unit en lui toutes les interrogations de son siècle. Avocat, journaliste, polémiste, prêcheur à Notre-Dame de Paris, libéral, défenseur de la liberté de la presse et de l'enseignement, prôneur de la séparation des Églises et de l'État, soutien de la révolution de 1848, député de la République siégeant à l'extrême gauche puis démissionnant, opposé au coup d'État de Louis-Napoléon Bonaparte, élu plus tard à l'Académie au fauteuil de Tocqueville, il décide de se retirer du monde, prend la tête de l'École en 1854 : « Je comparais les premières années de ma jeunesse à ce parc splendide, à ces musiques, à ces eaux, à cet air libre qui m'entouraient de toutes parts et j'enviais le sort de ces jeunes gens que je voyais s'épanouir au milieu de tant de beautés. »

Lacordaire fonde en ces années du Second Empire la congrégation enseignante de Saint-Dominique, laquelle quittera le Collège au début du vingtième siècle pour s'y rétablir après la Première Guerre. Pendant la Seconde, l'abbaye vient d'héberger une annexe repliée de Saint-Cyr et de brièvement renouer avec son passé militaire. Le sabre s'en va et le goupillon reprend ses quartiers. En cette année 1945, la dépouille de Lacordaire repose dans la chapelle de l'École.

Celle-ci entend à la Libération retrouver le rayonnement qui lui fit au siècle précédent former Nubar Pacha devenu Premier ministre de l'Égypte, et pendant l'entre-deux-guerres Gabriel d'Arboussier qui deviendra ministre du Sénégal après l'indépendance. L'École qui s'apprête à rouvrir accueillera dans son internat des enfants de familles françaises domiciliées hors de la métropole, des enfants du corps diplomatique et des enfants de notables d'Afrique et d'Asie. À tous ces jeunes gens, classés selon leur âge en Collets jaunes, puis bleus puis rouges, il faut un professeur de gymnastique.

En ce mois d'août 1945, une correspondance s'établit entre Paul-Marie en vacances scolaires à Moissac et Marie-Louis Deysson prieur de Sorèze, lequel passe l'été au Pian-sur-Garonne en Gironde où il prépare la première rentrée de l'après-guerre. Ces échanges vont donner lieu à ce qu'il est convenu d'appeler d'âpres négociations.

Malgré son âge, le père compte sur le double sésame de l'École normale de gymnastique et d'escrime de Joinville-le-Pont et de son passé dans les institutions catholiques. Ce serait l'apogée de sa carrière. Professeur d'éducation physique et maître d'armes. Mais il n'entend pas lâcher cette fois la proie pour l'ombre. Il conserve le souvenir du contrat de Creil mal négocié, qui l'avait mis sur la paille quinze ans plus tôt. On ne va pas lui refaire le coup. Il ne s'imagine pas redevenir commis voyageur.

Après qu'il a posé sa candidature, il reçoit cette réponse engageante le 11 août : « J'ai l'honneur de vous accuser réception de votre lettre du 7 courant. Je pourrais disposer en votre faveur d'un emploi de professeur d'éducation physique aux conditions suivantes : 30 000 frs d'honoraires fixes pour l'année scolaire plus les leçons particulières, une somme de 15 000 frs serait retenue par l'École si vous preniez la pension complète. La semaine comporte dix heures de cours. Le professeur assure la préparation au baccalauréat sportif et un entraînement rétribué pour les élèves qui désirent y participer. Je désirerais savoir si votre situation de famille vous permettrait de prendre pension à l'École ou demanderait une installation à l'extérieur. L'âge de votre fils m'intéresserait. Selon le cas, la gratuité des cours scolaires lui serait accordée. Si ces conditions vous agréent, je vous serais reconnaissant d'une réponse prochaine. Les références personnelles que vous me signalez seraient jointes utilement à votre dossier. »

Seulement voilà : toutes ces références demandées, les diplômes et les brevets qu'il a conservés sont au Crédit lyonnais dans les coffres à près de mille kilomètres de Moissac. Il ne dispose que du certificat de stage à Antibes en 1941, sollicite des attestations dans les établissements du Tarn-et-Garonne où il est intervenu depuis trois ans. C'est l'été. Tout est fermé. On perd du temps. Le 20 août : « Je me permets de vous signaler que je garde encore à votre disposition l'emploi de professeur d'éducation physique proposé par ma lettre du 11 courant. Je vous serais reconnaissant de bien vouloir me faire connaître si je puis espérer votre accord pour cette fonction à la rentrée d'octobre. Vous voudrez bien m'excuser de cette démarche que les circonstances m'obligent à renouveler auprès de vous. »

Et puis aussi ils ne veulent plus se séparer, veulent rester tous les quatre. Il faut prévoir un déménagement. Que pourraient faire les enfants à Sorèze ? Le 23 août, par retour du courrier : « Je reçois à la fois votre lettre du 22, directement, et celle du 18 par le détour de Sorèze. En raison de votre situation de famille je consentirais à modifier comme suit mes propositions : 30 000 frs d'honoraires fixes pour l'année scolaire d'octobre à juillet inclusivement, les leçons particulières vous seraient assurées pour un montant minimum de 15 000 frs, ce chiffre pouvant être nettement dépassé. Si vous preniez pension à l'École, je ramènerais le prix de pension à 10 000 frs au lieu de 15 000 (soit logement, nourriture, chauffage, éclairage et blanchissage). »

Cette lettre plus longue est accompagnée de quelques notations générales : « Sorèze compte 1 800 habitants. C'est une localité semi-rurale avec les possibilités de ravitaillement normal et de logement à un prix peu élevé. L'École a plus de 230 élèves dont la plupart sont internes – salle de gymnastique couverte, terrain avec agrès ou autres très appropriés existent à l'École. On peut y faire du travail intéressant. Un grand bassin de natation permet aussi ce sport. On vient à Sorèze soit par une micheline qui arrive à Revel (5 km), ou par un autocar quotidien qui part à 10h de Castelnaudary pour être à Sorèze avant midi.»

Monne a conservé aussi un brouillon daté du 27 : «Monsieur le Supérieur, J'ai bien reçu votre lettre avec les renseignements que je vous avais demandés. Ma famille et moi-même constatons que vous apportez toute votre bienveillance pour que la situation que vous proposez soit en rapport avec nos besoins matériels indispensables. Aussi nous vous en sommes très reconnaissants. La proposition que vous nous offrez pour ma femme ou ma fille sera à envisager par la suite, cette dernière ayant son brevet élémentaire a fait la classe à Moissac pendant deux ans dans une institution libre, et de ce fait pourrait vous rendre service dans un travail de bureau, même quelques heures par jour. Naturellement, en attendant de trouver un logement, je partirai seul et prendrai pension à l'École comme vous me l'offrez. Par cette lettre je m'engage à assumer l'emploi de professeur de gymnastique dans votre École aux conditions que vous m'avez fixées. Je vous serai reconnaissant de bien vouloir me confirmer l'accord de votre côté en me faisant savoir en même temps la date à laquelle je dois être présent à l'École. Je joins à ma lettre les références demandées, qui je l'espère vous donneront satisfaction.»

Dès la fin du mois, l'affaire est conclue par cette réponse du 29 août : «J'ai pris connaissance de votre lettre du 27 août et des références très favorables que vous avez bien voulu y joindre. Je vous confirme donc notre accord suivant les conditions du 23 août. En attendant de trouver un logement à Sorèze, vous pourrez prendre pension à l'École, ainsi que je vous l'ai proposé. La rentrée aura lieu dans les premiers jours d'octobre. Une circulaire vous en précisera la date vers le 15 septembre. Je vous engagerai alors à venir un peu plus tôt pour vous installer et prendre contact avec la maison. »

Le gymnaste quitte seul le département du Tarn-et-Garonne pour celui du Tarn plus à l'est, se met en route avec une valise, gare de Toulouse puis gare de Revel puis autocar pour Sorèze, prend son poste le 1er octobre, écrit dès le lendemain à son fils que le Collège lui propose un emploi. Le fils s'empresse d'accepter, « et si je suis appelé pour Uriage dans quelque temps, à ce moment Simonne reprendra ma place. Si cela peut s'arranger ce serait épatant, car moi, on peut m'appeler dans 8 jours, dans 15, ou dans 3 ou 4 mois, peut-être plus. Dans ce cas je pourrais loger avec toi dans la même chambre et manger à l'École, et comme nous serions libres à peu près aux mêmes heures, nous pourrions nous promener ensemble ». Ensuite tous les quatre se retrouveraient : « En tout cas fais ton possible pour nous trouver une maison le plus tôt possible car si tu t'ennuies là-bas, il n'y a pas que toi. »

Le fils se voit confier le poste de sous-économe de l'École. Son supérieur est le père Grange. Il a quinze ans de plus que lui, soit trente-cinq ans. Il deviendra son meilleur ami.

à Sorèze

La dernière fois que j'avais dormi dans ce village, c'était une quarantaine d'années plus tôt, en 1976, et assez inconfortablement, à bord d'une 2 CV Citroën stationnée place Dom-Devic. Je venais d'obtenir le permis de conduire les automobiles. J'avais rendez-vous avec le père Grange.

En cette année 2015, avec Véronique Yersin nous allions dormir dans l'abbaye transformée en hôtel depuis l'an 2000 : les dominicains avaient quitté l'École en 1978 et celle-ci, confiée à des laïcs, avait peu à peu périclité, puis fermé ses portes en 1991, après trois siècles d'activité.

La chambre 112 était équipée d'une cheminée, d'un lit en alcôve et d'un bureau pour l'étude, ensemble austère, autrefois thurne d'un élève déjà gradé sans doute, Collet rouge, après des années de dortoir parmi les Collets jaunes puis les bleus. La fenêtre donnait sur le terrain de gymnastique, portiques et échelles de métal peints en rouge sur l'herbe verte, entouré des grands arbres du parc. Plus loin la rivière déversait dans le bassin de natation une eau froide descendue de la Montagne noire. Glissait un cygne solitaire et devant lui, au ralenti, le fantôme d'un athlète vêtu de blanc grimpait aux agrès, pirouettait aux anneaux. Je savais depuis longtemps qu'il ne fallait pas importuner les dieux marionnettistes et leur faisais confiance, tout spécialement dans l'organisation de mes rendez-vous posthumes avec le gymnaste.

À l'hôtel des Francs de Soissons, bâti sur le terrain démilitarisé du récent parc Gouraud, ceux-là m'avaient attribué la chambre 125, moins prisée que celles avec vue sur les flèches de Saint-Jean-des-Vignes, mais qui ouvrait, par-delà le local à poubelles, sur les bâtiments de l'ancienne caserne où le gymnaste avait passé les nuits de mai 40, et je voyais de mon lit son fantôme en uniforme assis sur son grabat. Cette fenêtre de la 112 était la seule à parfaitement encadrer le champ de gymnastique. Je ne doutais pas non plus que toutes ces rénovations immobilières opportunes eussent été entreprises à seule fin de me faciliter la tâche.

Après que j'étais allé revoir, dans la cour des Collets rouges, les noms gravés sur les colonnes des arcades, et dans la pierre celui du père et du fils, que m'avait à l'époque indiqué le père Grange en levant le bras, j'avais montré ce nom Deville à Yersin, puis nous avions marché dans l'herbe jusqu'au fond du parc et Notre-Dame-de-la-Paix qu'imploraient les militaires. L'orage grondait. Nous étions revenus vers la galerie des Illustres pour longer les bustes, parmi lesquels celui de Simón Bolívar, dont j'avais suivi la trace en février dernier jusqu'à Guayaquil en Équateur.

Lors d'une conférence donnée ici en 1958, l'ambassadeur du Venezuela à Paris avait soutenu l'hypothèse de la venue du héros à Sorèze en 1802, l'avait reprise dans l'étude qu'il avait rédigée pour le *Boletín de his-*

toria y antigüedades de Bogotá, *Un año misterioso de la vida del Libertador*, année pendant laquelle Bolívar avait sillonné l'Europe de l'Angleterre à l'Espagne, de la France à l'Italie. On avait ajouté son buste dans la galerie. Son passage à Sorèze était cependant contesté par les travaux ultérieurs de Paul Verna dans *Bolívar en Sorez y otros lugares de Francia*, publié à Caracas en 1984. Si Bolívar connaissait l'École de réputation, c'est son rival Francisco de Miranda, premier maître du Venezuela, général révolutionnaire dont le nom est à Paris gravé sous l'Arc de triomphe pour avoir combattu à Valmy, qui est venu plusieurs fois visiter ici ses neveux et payer leur pension.

Un autre général révolutionnaire, Maximilien Caffarelli, dont le nom est aussi sous l'Arc, étudia en ce lieu ainsi que ses quatre frères et fut de la campagne d'Égypte. Après des travaux scientifiques et de génie civil au Caire et à Alexandrie, il avait participé à la prise de Jaffa. Lui dont la jambe gauche avait été arrachée par un boulet quatre ans plus tôt dans l'armée de Sambre-et-Meuse avait perdu son bras droit et trouvé la mort au siège de Saint-Jean-d'Acre. Son frère Auguste, fait général à Marengo par Bonaparte encore Premier consul, puis Grand Aigle à Austerlitz par l'Empereur, avait lui aussi son nom gravé parmi les braves. Les autres frères furent évêques et préfets. Un siècle et demi plus tard, les élèves chantaient encore ici leurs louanges. J'avais trouvé dans les archives de Monne les paroles de *La Sorézienne*, qu'on entonnait avant *La Marseillaise* dans un souci de continuité historique :

> Si nos aînés furent de Louis Seize,
> Les défenseurs et les derniers amis ;

Si Bonaparte a trouvé dans Sorèze
Vingt généraux et cinq Caffarelli,
De leurs exemples écoutant la parole,
À notre tour grandissons notre École !

Bonaparte lui aussi voulait de la France tout assumer « de Clovis au Comité de salut public ». Au-delà du terrain de gymnastique, dans un renfoncement ceint d'un mur en pierres à la limite du parc, se cachait le petit cimetière des pères. Pour chacun un étroit lit de gravier et une croix blanche dressée, une minuscule plaque scellée au mur. « Fre Marie Dominique Grange 1910-1979 ». Je le revoyais assis devant moi en 1976 dans un bureau-bibliothèque, vêtu du scapulaire blanc sur sa tunique blanche et coiffé du capuce. L'orage éclatait. Nous regardions la fenêtre laissée grande ouverte de la 112 où la pluie entrait à pleines volées. Taba-Taba affolé par l'orage courait en tous sens mais j'étais seul à le voir et c'était bien ça le problème.

Le village médiéval aux ruelles pavées, à forme de croissant, sur la pente autour des murs de l'abbaye deux fois plus étendue que lui, avait peu changé depuis les relevés des compoix. La voie principale qui fut de Castres était devenue du Maquis, bordée de maisons à colombages, étages en encorbellement. Leur première adresse à Sorèze fut rue de Puyvert où ils étaient voisins du peintre Georges Artemoff, dont la vie à elle seule est une histoire de l'art et de la Russie et de l'exil. Ils avaient déménagé pour la rue Lacordaire. Ces deux rues parallèles montaient chacune vers une porte de l'École, assemblaient une dizaine de maisons sur quelques dizaines de mètres. Jamais ne figurait sur les enveloppes un numéro, inutile au facteur. Je ne pouvais savoir depuis quelle fenêtre ils observaient, le matin, s'il faisait gris ou bien soleil.

La petite bande des quatre à nouveau rassemblée vit sur les deux salaires du fils sous-économe et du père au plus haut de sa carrière. Même si la plupart des produits sont encore rationnés la vie reprend. Au printemps de 1946, lorsqu'un dominicain de l'École leur apprend qu'il part en mission vers l'Égypte, la mère, Eugénie-Alexandrine, lui demande de chercher là-bas les traces de sa propre mère, Eugénie-Joséphine. Le 8 août, le père Schehadé fait établir au consulat le duplicata du certificat de naissance de la petite fille en blanc que je remporterais au Caire dans mes bagages.

Cet été-là, Monne et sa mère restent seules à Sorèze. Elles s'ennuient, mais il semble que la mère n'ait jamais vraiment fait autre chose. Elles tiennent le logis, cousent leurs robes, tricotent les chandails. Monne a enseigné deux ans dans une école privée à Moissac. Elle ne semble pas chercher à reprendre une activité. Elle a tort. Le temps passe. Elle lit des romans. Le père et le fils, dès la fermeture de l'internat, ont pris un train pour le Nord. Pendant des semaines il avait fallu parlementer avec le Crédit lyonnais puis remonter la piste de monsieur Guillaume. Même si le père s'acquitte depuis des années du loyer des coffres, ceux-ci ne peuvent être ouverts qu'en présence de celui qui les a fermés.

Enfin ils sont à Fismes, emplissent des malles, s'en vont à Soissons, retrouvent quelques objets relégués depuis six ans dans la mansarde. Côte à côte ils traversent la place Saint-Christophe presque déserte, le square Pillot sous les marronniers, ils sont au milieu de la foule des réfugiés, le père arrête un camion. Le grondement des bombardiers emplit le ciel. Le fils n'a plus vingt et un ans mais quatorze, il voit le père pédaler un peu sur sa bécane, faire un geste d'adieu de la main. Ils se regardent en silence. Ils sont saufs et se sont retrouvés. Jusqu'à la mort du père, ils ne vont plus se quitter.

À leur retour rue Lacordaire, on sort des malles deux ou trois bricoles, le chameau-encrier en bois d'olivier. On aurait le temps maintenant de trier tout ça, de jeter les vieux journaux d'Alexandre Pathey, *L'Abeille d'Étampes* du samedi 26 août 1899, le mandat de cinquante francs preuve du paiement des stères de bois à Barbizon le 4 novembre 1916. Ces reliques sacrées, rapportées de l'enfer, sorties des deux grands coffres noirs comme du tombeau d'un pharaon, ont échappé aux bombardements allemands de 1940, aux bombardements anglais de 1945. On referme les malles. On ne jettera jamais rien.

Peu à peu ils vont s'installer, se meubler, ainsi que l'atteste ce feuillet contresigné avec timbre fiscal à dix francs : « Reçu de Monsieur Deville professeur au collège de Sorèze (Tarn) la somme de 11 500 francs (onze mille cinq cents francs) provenant de la vente d'un secrétaire, une glace, et deux fauteuils. Fait à Sorèze le 19 septembre 1947. » Ils n'auront pourtant pas l'idée d'accrocher une ou deux toiles de leur voisin Artemoff qui auraient peut-être suffi à assurer mes vieux jours. C'est au hasard des Archives nouvelles de Monne, celles qui n'avaient pas connu les coffres, que je reconstituais leurs années soréziennes. Peu après leur arrivée, le père et le fils créent une section du MRP gaulliste, groupe d'une dizaine de personnes, dont le père est le secrétaire et le fils le secrétaire adjoint.

Même si l'économat n'est pas une vocation, sur le conseil du père Grange le fils est inscrit en 1947 aux cours par correspondance de l'École française de comptabilité, 91 avenue de la République à Paris. Le soir il dessine et peint des affiches pour le cinéma du village. Monne en conserve une d'assez grand format, encre de Chine et gouache, pour *Au cœur de l'orage*, en 1948. On y voit les planeurs allemands se poser en juillet 1944 sur le plateau du Vercors. Il s'inscrit à l'École internationale par correspondance de dessin et de peinture, 11 avenue de Grande-Bretagne à Monaco, mais n'imagine pas que dessinateur puisse être un métier. En 1949, il met en scène à l'École pour la Sainte-Cécile *Le Jeu de l'amour et du hasard*, plus tard *Mon oncle et mon curé* d'après la romancière Jean de la Brète. Il est prêt pour le théâtre du Lazaret mais n'imagine pas non plus que metteur en scène puisse être un métier. Il fait du sport, passe son temps à manier le fleuret dans la salle d'armes, mais escrimeur n'est pas un métier. À chaque vacances, il gagne les Alpes avec le père Grange qui l'initie à l'escalade, traverse avec lui les glaciers du massif des Écrins. On les voit sur une photographie devant un refuge, avec sac et piolet, en compagnie de Gaston Rébuffat.

Parce que les Alpes sont lointaines et le matériel un peu le même, crampons et mousquetons, il explore chaque fin de semaine les grottes du Tarn autour de Dourgne, reçoit en septembre 1950 une lettre de Jacques Rouire, secrétaire général de la Société spéléologique française, 69 rue de la Victoire, Paris neuvième : « Le Syndicat d'Initiative de Montpellier, par l'intermédiaire de M. Laures, Président du Spéléo-Club de Montpellier, me transmet votre lettre du 14 septembre. Il n'existe aucun brevet officiel de spéléologue ou de guide spéléologue. Certains groupements de jeunesse distribuent de tels brevets, mais j'attire votre attention sur le fait qu'ils n'ont rigoureusement aucune valeur, si ce n'est à l'intérieur des groupements qui les décernent. » En octobre 1950, il passe à Castres son permis de conduire au volant d'une Juvaquatre Renault. Cette corde à son arc ne lui donnera pas non plus de métier, pas plus que spéléologue ou escrimeur, sauf à se faire chauffeur-livreur. Bref, il ne sait pas à quoi se prendre ni que faire de sa vie.

un pêcheur à la ligne

À la librairie du village, j'avais acheté des livres et les lisais dans la 112 ou au bar des Collets rouges au rez-de-chaussée de l'hôtel, parmi lesquels les actes du colloque *Sorèze, l'intelligence et la mémoire d'un lieu*, édités en 2001 par l'université de Toulouse.

L'École était abandonnée en ce début de siècle à son triste sort d'attraction touristique et Jean Le Pottier, inspecteur général des Archives de France, concluait ainsi son intervention: «S'il y a un lieu où souffle l'esprit – quand ce n'est pas le vent d'autan – c'est bien Sorèze, et ce sont ces murs, ces galeries, les façades de la cour des Rouges qui se souviennent et portent témoignage des milliers d'élèves, de maîtres et de moines qui sont passés ici, et dont nos discussions ont réveillé un peu les âmes errantes.» J'étais retourné voir le nom gravé d'une âme errante et l'avais photographié, imaginant que cette image sur mon téléphone, auprès de mon passeport ouvert, devait bien me valoir table ouverte au bar des Collets rouges.

Sinon nous faisions des tours en voiture, retournions à Revel où Malraux alors colonel Berger avait été enfermé, à Durfort, Castres, Dourgne, discutions avec des commerçants de Sorèze qui se plaignaient que la catastrophe AZF leur avait amené la racaille depuis Toulouse. Après l'explosion de l'usine de produits chimiques en septembre 2001, il avait fallu reloger plus de mille familles qu'on avait éparpillées pour certaines dans des lotissements en bordure des villages de la région. J'étais allé voir ces quartiers neufs et proprets, qu'on soupçonnait d'introduire la drogue et l'incivilité dans les campagnes. Le reste du temps, je cherchais sur la carte les cours d'eau au bord desquels le gymnaste, à ses moments libres, s'assoit avec ses lignes et son épuisette. Il pêche la truite et l'ablette dans l'Orival et les ruisseaux alentour aux eaux vives sur leur lit caillouteux, cachés dans les hautes herbes et les saponaires à l'ombre des arbres, le Malcoustat, le Sor, le Dourdou, et jusqu'au bassin du Lampy.

Détenteur à Moissac d'une carte de l'Association Le Parfait Pêcheur avec timbre fiscal des années 43 à 45, il possède ici une carte de la Fédération des associations de pêche et de pisciculture du Tarn, association de Sorèze-Durfort, où figurent les tampons des années 46 à 50. Il est doué pour ce calme bonheur. Il a conservé cet entrefilet de *La Croix du Jura* du dimanche 5 juillet 1931, du temps qu'il pêchait dans le Doubs et la Loue, et que j'avais lu à Dole: « J'aime les pêcheurs à la ligne dont les vastes chapeaux de paille fleurissent les rives verdoyantes des rivières et les quais des fleuves. J'admire leur patience, leurs goûts modestes, leur esprit paisible ennemi de l'aventure et leur silence qui dénote une vie intérieure. » C'est l'anonyme pêcheur de Combray et « le feuillage bleu d'un noisetier sous lequel un pêcheur en chapeau de paille avait pris racine », qu'observe curieux l'enfant, « je voulais alors demander son nom, mais on me faisait signe de me taire pour ne pas effrayer le poisson».

Le soir il rentre au village, entraîne l'équipe de football du Sport olympique sorézien, s'installe avec des amis aux terrasses ensoleillées des cafés sous les platanes, parmi eux la famille Gleyzes dont l'aïeul était maître d'armes à l'École. Mais le temps passe. En cette année 1950, alors que commence la guerre de Corée, qu'en Indochine l'armée française perd le Haut-Tonkin, que dans l'Himalaya l'expédition de Maurice Herzog, Louis Lachenal et Gaston Rébuffat gravit l'Annapurna, il a soixante ans.

Une photographie en noir et blanc le montre en contre-plongée, debout de trois quarts au bord du bassin de natation, chaussé de tennis blanches, vêtu d'un pantalon blanc au pli impeccable que ferme une ceinture de tissu sur un ventre plat, d'un maillot blanc frappé entre les pectoraux d'un insigne sportif. Les épaules sont nues et dégagées, le bras droit musclé. L'image est un peu floue et les cicatrices au coude invisibles. Le regard sévère fixe l'horizon. Derrière lui les arbres du parc alignés se reflètent sur l'eau à ses pieds. La statue du gymnaste éternel en marbre blanc se tient dressée sur la margelle de pierre comme sur un socle.

Il aimerait que maintenant l'Histoire l'oublie, qu'elle le laisse en paix avec ses cannes en bambou aux jonctions de laiton. Sans les deux guerres, il n'aurait peut-être jamais pêché que dans l'Aisne à Soissons. Il va bientôt quitter Sorèze, encore une fois se faire rouler.

avec le père Grange

Ces livres que je venais de lire étaient des livres en papier, ce qui depuis quelques années déjà n'était plus un pléonasme. D'une part il est plus difficile de brûler toutes les bibliothèques que de les effacer ou de les trafiquer sur les serveurs, d'autre part on peut griffonner dessus.

Même si ce rendez-vous avec le père Grange fut manqué, il m'avait marqué suffisamment, et six ans après, depuis le Moyen-Orient, j'avais commandé à sa parution en 1982 le *Lacordaire* de José Cabanis. Après que ce livre avait passé des années dans une malle, puis sur les rayonnages de différentes adresses, je l'avais rouvert pour la première fois en cette année 2015 : nombreuses pages cornées pour enjoindre celui que j'allais devenir à les relire un jour, annotations énigmatiques dans les marges, parmi lesquelles page 172 : « Des Esseintes doit au duc de Rohan ».

Se promener dans sa propre bibliothèque offre de se croiser par hasard au milieu de l'étrange confrérie des scribes. Nombre d'entre eux n'ont jamais connu le papier, ni Suétone ni Varron ni Tacite ni Titu Cusi Yupanqui frère de Túpac Amaru, qui avait tenu la chronique du siège de Cuzco par les Conquistadors. Les scribes sont souvent proches du pouvoir afin d'être bien informés, à la fois détestés par les puissants du moment parce qu'ils écrivent pour beaucoup plus tard, pour nous qui les lisons des siècles après. On aimerait écrire pour eux, leur donner des nouvelles du futur, leur apprendre qu'il y eut au début du troisième millénaire de l'ère chrétienne d'autres scribes qui comme eux s'évertuèrent, consignèrent le grand charroi du monde à seule fin d'y mettre un peu d'ordre. Nos inquiétudes sont les mêmes, la grande énigme d'être vivant et de devoir mener sa vie. Le reste n'est que broutilles captivantes de la politique, écume du temps et des passions humaines, que tout cela soit écrit sur un clavier ou à la pointe du calame, et nous en informons à notre tour les groupuscules des scribes qui poursuivront dans mille ans le sempiternel labeur.

En même temps que m'avaient été remis les dix-neuf volumes de Michelet achetés en 1877 par Alexandre Pathey, lesquels avaient passé la Seconde Guerre mondiale à l'abri des coffres, j'avais reçu un exemplaire des *Pensées* de Pascal à reliure de cuir dans l'édition de 1847. J'avais constaté que la page de garde était trop épaisse, avais séparé au cutter trois légers feuillets collés où se voyaient de très fines esquisses de visages à la plume, des notes en latin, et des essais de signature du nom de Lacordaire. Le corps du texte était abondamment annoté dans ses marges.

Lorsque j'avais rencontré le père Grange en 1976, je savais déjà que l'humanité avait grand intérêt à voir disparaître la foi des fanatiques. Massacres des Indiens du Nouveau Monde par les chrétiens, massacre des chrétiens un peu partout par les musulmans, massacres entre eux des sunnites et des chiites, massacres entre eux des catholiques et des cathares et des protestants. Personne ne tuerait pour prouver que la somme des angles d'un triangle est égale à deux droits. Les croyances qui se prétendaient les plus douces versaient le sang. Le 28 septembre 2015, le musulman Mohammed Akhlaq avait été lynché à mort par des hindous qui lui reprochaient d'avoir mangé du bœuf, à Dadri dans l'Uttar Pradesh. Je savais déjà les vers de Hugo, « Voilà mille ans qu'ils font payer les émeraudes/Des tiares à ceux qui n'ont pas de souliers ».

J'avais oublié où se trouvait le bureau du père Grange dans l'abbaye mais je nous revoyais assis face à face en 1976 dans une pièce un peu sombre. Il avait l'âge que j'atteindrais peut-être bientôt, voyait devant lui un gamin de dix-huit ans aux cheveux longs jusqu'à la poitrine. Une dizaine d'années après avoir quitté le Lazaret, je découvrais le cinéma du réel, rencontrais Jean Rouch et René Vautier. Je venais d'organiser un concert du chanteur uruguayen exilé Viglietti, militais plus ou moins à Véhellaire, Vive la Révolution. Ce mouvement se préoccupait assez peu de l'avenir des dominicains.

Le père Grange savait peut-être déjà que deux ans plus tard ils allaient quitter le Collège, les sept hectares de parc et les trois hectares de toitures, les cigales et les hauts paulownias. Lui allait demeurer là, désœuvré, mourir un an après. Il avait retrouvé pour moi une photographie de la fin des années quarante où figurait l'ensemble du personnel de l'École, avec les noms inscrits au verso, le sien, celui du prieur Marie-Louis Deyson, du père Schehadé, une vingtaine de dominicains en robe blanche et capuce noir sur les épaules, trois laïcs parmi lesquels le père et le fils, ce dernier maigre et sombre, cheveux très noirs, fine moustache. Il m'avait offert des livres d'alpinisme avec des dessins de Samivel et sa collection de disques de jazz. Dans un lecteur de mini-cassettes à piles, j'écoutais à bord de la 2 CV les Stones et les Doors. Je n'avais pas compris qu'il souhaitait faire du fils de son meilleur ami son héritier, lui qui ne possédait rien, ni tiare ni émeraudes, savait qu'il allait mourir, s'allonger bientôt sous le gravier du minuscule cimetière au fond du parc, qu'il espérait laisser une petite trace dans ma mémoire. Et peut-être que, pendant les quarante années suivantes, il allait devenir de moins en moins manqué, ce rendez-vous. C'est à lui que je penserais quand j'irais rencontrer plusieurs fois les moines de Tibhirine dans l'Atlas algérien avant qu'ils ne fussent égorgés pendant la guerre civile. C'est à lui que je penserais avec le frère Stan dans les camps de réfugiés en Tanzanie, à Phnom Penh chez le père Ponchaud pendant le procès des Khmers rouges. J'avais déposé les livres et les disques sur le siège avant, dormi sur la banquette arrière dans un sac de couchage.

saint-simoniens & soréziens

Ceux-là de la petite bande des quatre ont découvert, dans leurs conversations avec le père Schehadé, de curieuses correspondances entre Sorèze et le passé égyptien des saint-simoniens. Ils en découvriront d'autres dans leur futur nazairien.

L'enseignement dispensé par l'École favorisait l'accès aux idées neuves des œuvres de Saint-Simon, *Du système industriel* ou le *Catéchisme des industriels*, une manière de socialisme utopique prônant la mise en valeur des ressources de la planète pour le bien de tous. Le polytechnicien Prosper Enfantin ouvre à Sorèze en 1829 la deuxième église saint-simonienne après celle de Paris. Elle est dirigée par un ancien élève de l'École, Jacques Rességuier natif de Durfort, animée par Charles Lemonnier, professeur de philosophie à l'École et plus tard fondateur, avec les frères Pereire, des Chemins de fer du Nord et du Crédit mobilier, organisateur à Genève d'un Congrès de la paix et auteur des *États-Unis d'Europe*, ou encore Émile Barrault, professeur de rhétorique et féministe, inventeur du « compagnonnage de la femme », lequel deviendra député de gauche, s'occupera lui aussi des chemins de fer et du projet d'un canal à Suez.

En septembre 1834, la saint-simonienne et féministe Suzanne Voilquin était arrivée d'Alexandrie à Sorèze. L'année précédente, Maurice Tamisier et Edmond Combes avaient gagné l'Égypte et retrouvé Prosper Enfantin et Ferdinand de Lesseps, remonté le Nil en direction de Khartoum et de l'Abyssinie dans le but d'y établir des relations commerciales, d'apporter à ce vieux pays chrétien d'Afrique leur idéalisme et leur savoir scientifique et technique. Ils publient en 1840 *Voyage en Abyssinie, dans le pays des Galla, de Choa et d'Ifat*, quarante ans avant le projet de Rimbaud d'un album photographique sur le pays des Galla, puis voyagent en Nubie et en Arabie. Combes devient consul de France à Damas où il mourra du choléra en 1848. Il ne verra pas le canal.

Le projet en avait été présenté dès 1833 par Prosper Enfantin au vice-roi d'Égypte Méhémet Ali. Ferdinand de Lesseps, alors vice-consul à Alexandrie, étudiait les plans établis par Jacques-Marie Le Père en 1798 à la demande du général Bonaparte et le tracé de l'antique canal des pharaons. Lesseps est consul au Caire lorsque son ami Saïd Pacha accède au trône. Il obtient en 1854 le soutien de Napoléon III soucieux de contrarier les Anglais. En 1869 le canal est inauguré par le khédive Ismaïl Pacha et l'impératrice Eugénie. Le khédive avait commandé *Aïda* à Giuseppe Verdi pour cette occasion mais les retards se sont accumulés davantage que sur le chantier du canal. Après Sedan et la chute du Second Empire, l'égyptologue Auguste Mariette restera bloqué pendant le siège de Paris avec les décors et les costumes qu'il avait conçus. L'opéra ne sera créé au théâtre du Caire que deux ans après la venue de l'impératrice Eugénie et de l'émir Abd el-Kader.

Par la suite, Lesseps se lancera dans de nouveaux projets pharaoniques dont aucun n'aboutira. Avec le fouriériste Élie Roudaire il crée la Société d'études de la mer intérieure africaine, imagine un canal de deux cent cinquante kilomètres pour amener les eaux de la Méditerranée au milieu du Sahara. L'entreprise est un échec, comme plus tard celle du canal de Panamá, après que l'empereur avait essayé de signer pour lui le contrat du canal du Nicaragua. Mais celui de Suez parvient à rétrécir d'un coup la planète. En 1860, Henri Mouhot, le découvreur d'Angkor, parti d'Angleterre, avait mis trois mois pour gagner l'Asie à la voile sur un navire en bois par le cap de Bonne-Espérance. En 1890, Alexandre Yersin depuis Marseille met un mois, à bord d'un paquebot à coque en fer, par le canal.

Dès son ouverture, celui-ci est source de conflits entre la France et l'Angleterre, que de Gaulle continue d'attiser lorsqu'il en arrive dans ses Mémoires à l'année 1941 : « En fait, ce sont des Français qui ont assuré le fonctionnement du canal pendant toute la durée de la guerre ; contribution importante et méritoire à l'effort des Alliés, puisque les communications des flottes et des armées d'Orient, ainsi que les ravitaillements destinés à la Syrie, au Liban, à la Palestine, à la Transjordanie passaient par Port-Saïd, tandis que les Allemands bombardaient constamment les convois et les écluses. Aussi allai-je, à Ismaïlia, saluer le personnel du canal et visiter la petite chambre d'où Lesseps avait dirigé l'exécution de ce grandiose ouvrage, vital dans la guerre en cours. »

En juillet 1956, pendant que le fils se fait photographier au guidon de sa moto sur le chemin de ronde du Lazaret, le canal est nationalisé par Nasser et la statue de Lesseps culbutée et détruite. En octobre a lieu l'opération Mousquetaire. L'Angleterre, la France et Israël lancent leurs navires, leurs avions et leurs chars contre l'armée égyptienne. Celle-ci est vaincue mais le conflit gelé par la Guerre froide. Les États-Unis attaquent la livre sterling. L'Union soviétique menace la France. L'approvisionnement de l'Europe en pétrole est interrompu. Le carburant est rationné jusqu'en juillet 1957. Le fils économise ses bons d'essence pour aller retrouver sa fiancée. La France lance son programme nucléaire. Les dizaines de milliers d'Égyptiens de confession juive doivent fuir le pays pour la France ou Israël et abandonner leurs biens. Gamal Abdel Nasser se rapproche de l'Union soviétique.

Cinquante ans plus tard, en août 2015, à Ismaïlia, le président François Hollande est l'invité d'honneur du maréchal Abdel Fattah al-Sissi pour l'inauguration du doublement du canal. L'Égypte souhaite diversifier ses équipements militaires, trop dépendants des États-Unis depuis la disparition de l'Union soviétique. Après avoir commandé des avions Rafale et des frégates garde-côtes, le maréchal souhaite acquérir les deux Bâtiments de Projection et Commandement de type Mistral construits aux chantiers navals de Saint-Nazaire pour la flotte russe. En rétorsion à l'annexion de la Crimée, la France avait annulé la livraison des navires qui patientaient dans le bassin du port devant la base sous-marine. Les quatre cents marins russes venus prendre possession du *Sébastopol* et du *Vladivostok* étaient repartis bredouilles. Des marins égyptiens vont les remplacer. On substitue l'arabe aux indications en cyrillique. Puisqu'il faut avaler les couleuvres de l'Histoire, les deux BPC qui font route depuis Saint-Nazaire vers leur port d'attache Alexandrie fin septembre 2016, avec chacun cent quatre-vingts marins à bord, sont l'*Anwar-El-Sadat* et le *Gamal-Abdel-Nasser*.

Eugène Lorion, qui décide au début du Second Empire de quitter de son plein gré l'Égypte pour la Beauce, a côtoyé pendant sa carrière les saint-simoniens arrivés depuis Sorèze dans les années trente. Les Français ne sont pas si nombreux dans l'entourage des beys, une trentaine d'années après le départ de Bonaparte. En cette année 1862, lorsqu'il débarque en France avec sa femme Joséphine et sa fillette en blanc Eugénie-Joséphine, Baudelaire est candidat à l'Académie au fauteuil de Lacordaire mort un an plus tôt à Sorèze. Une pétition s'est élevée contre le transfert de sa dépouille à Notre-Dame. Cette année-là de 1862, Napoléon III lance les troupes à l'assaut de Puebla au Mexique et décrète la construction du Lazaret de Mindin. La saint-simonienne Élisa Lemonnier ouvre la première école professionnelle pour jeunes filles et les saint-simoniens Pereire créent les chantiers navals de Saint-Nazaire. Ils font mettre sur cale l'*Impératrice-Eugénie*.

C'est le curieux paradoxe de ce Second Empire : dix ans plus tôt, la résistance au coup d'État avait été réprimée avec violence, plus de trente départements placés en état de siège. Dans les campagnes rouges, l'Yonne, la Nièvre, l'Hérault, le Var, près de trente mille personnes avaient été arrêtées et près de dix mille déportées en Algérie ou à Cayenne. Renan était chassé du Collège de France. Hugo, Quinet, Blanc partaient pour l'exil. La République était supprimée comme elle le serait à nouveau moins d'un siècle plus tard par Vichy. Et le pays se modernisait à coups de locomotives et de paquebots. L'un des Pereire, Eugène, député du Tarn, ouvrait non loin de Sorèze la ligne Castres-Castelnaudary.

Ces trains à vitesse lente inventaient un nouveau paysage de la France, un panorama en mouvement de ses campagnes, de ses forêts et montagnes, des rivières franchies ou longées, des rangées de saules têtards, haies d'aubépine, une traversée plus lente encore au plein cœur de chacune des petites villes, la gare, l'hôtel, le café-restaurant, tout cela comme le songe d'elle-même que fait à chaque moment de son histoire une civilisation, qui est déjà une nostalgie avant d'avoir vraiment existé, rêve de la douceur de vivre et de voyager. Par la fenêtre du compartiment, le paysage défile en couleurs comme dans une lanterne magique au ralenti. Sur les cloisons des voitures, sous le filet à bagages, sont vissées des photographies sous-verre en noir et blanc des lieux pittoresques, la mer de Glace à Chamonix et le mont Saint-Michel en Normandie, les plages de Biarritz et les étangs de la Sologne et les falaises d'Étretat.

au bout du monde

Dans un carnet d'adresses du gymnaste empli à Sorèze, j'avais relevé le nom de Jean Mistler d'Auriol. Celui-là, né à Sorèze rue Lacordaire, inhumé à Sorèze dans le cimetière à quelques centaines de mètres, avait été pensionnaire de l'École avant la Première Guerre mondiale. Il avait été affecté en 1916 à une batterie d'artillerie d'Arnouville au nord de Paris, et notait qu'aux alentours « il y avait des villages plaisants : Écouen, Gonesse, Sarcelles, Villiers-le-Bel et des églises avec des vitraux Renaissance aux couleurs de vieilles enluminures ».

Puis vient « l'ordre de nous trouver le lendemain matin, à la première heure, à Compiègne, au grand quartier général ». Comme Henri Barbusse et des milliers d'autres, il est envoyé vers Soissons mais c'est déjà trop tard. Pendant que le gymnaste est prisonnier en Bavière sa ville natale est détruite. « Un peu avant Soissons, sur la route bombardée par rafales régulières de 130, des camions flambaient ; nous nous arrêtâmes près des ruines de Saint-Jean-des-Vignes. » Ils font retraite. « Au petit jour, nous arrivions aux faubourgs de Compiègne, au milieu d'un encombrement effarant, des autos militaires, des voitures civiles sortaient de la ville, les gens fuyaient, poussaient des charrettes à bras et des voitures d'enfants, paquets de linge, couvertures et la ridicule cage du serin» – dans une confusion que la mère et ses enfants retrouveront, au même endroit, vingt-cinq ans plus tard.

En 1918, il est au milieu des troupes qui marchent vers l'est comme si elles vengeaient à la fois la défaite de Sedan en 1870 et la destruction de Soissons en 1916. Il se tient devant «cette Allemagne vaincue où nous allions entrer demain», et «tout cela formait pour un Français de vingt ans, nourri d'histoire, une perspective triomphale. Je songeais à nos maîtres nés dans l'humiliation et la défaite, je pensais à Flaubert, à Taine, à Renan, s'interrogeant sur leurs responsabilités, se demandant si la France avait encore un avenir. La réponse venait enfin, nous étions sur le Rhin, l'Europe ouverte devant nous».

Devenu plus tard romancier, diplomate, député, ministre, académicien, Jean Mistler publiera en 1964 ses Mémoires, *Le Bout du monde*. Pour l'enfant qu'il fut, celui-ci se trouvait à l'extrémité d'un chemin qui remontait, au-dessus de Sorèze, par la route de Durfort, la vallée du Sor jusqu'à la cascade de Malamort. La cascade avait disparu. Dans la gorge rocheuse, une conduite forcée captait la rivière et la dirigeait vers une petite centrale. Tout autour, la forêt sombre surplombait une maison taguée devant laquelle stationnait une voiture noire de grosse cylindrée. Des chiens hurlaient au bout de leurs chaînes dans le boucan formidable de l'eau sous pression. Un décor de bon petit polar.

Dans ses souvenirs, Mistler évoque ses condisciples du lycée Henri-IV tombés pendant la Grande Guerre,

« deux fois plus nombreux que les survivants, mais pourquoi vous évoquer, ombres ? Peut-être y avait-il parmi vous les meilleurs d'entre nous, ceux qui auraient dominé notre pauvre génération mutilée et décimée ». J'avais à nouveau pensé à la phrase d'Auguste Comte selon laquelle une société est composée de plus de morts que de vivants, à la plaque apposée boulevard Saint-Germain en hommage aux mille huit cents médecins français victimes du conflit, aux vers du poète anglais Rupert Brooke mort à l'ennemi en 1915 à vingt-huit ans, que j'avais photographiés sur les grilles de la mairie de Saint-Quentin :

> Ceux-là ont abandonné le monde ;
>   ils ont versé le vin rouge
> Et doux de la jeunesse ;
>   ont renoncé aux années à venir
> De travail et de joies, au calme inespéré
> Que les hommes appellent l'âge ;
>   et pour ceux qui auraient été
> Leurs fils, ils ont donné leur immortalité.

Ces vers avivaient le sentiment que j'éprouvais depuis l'enfance d'être né à la place d'un autre, traumatisme qui venait du leur, d'avoir survécu à la place d'un autre, pour quelques centimètres dans la trajectoire d'une balle, pour le silence d'un maquisard. Véronique avait pris le volant. Depuis Malamort, nous empruntions la route étroite qui serpente et grimpe dans la Montagne noire, rejoint de l'autre côté la plage du lac de Saint-Ferréol, comme si elle traversait en cinq kilomètres tout un continent.

au Vercors

Lors de ma venue à Grenoble en 2010, je m'étais assis à l'avant d'une longue automobile noire pour papoter avec le chauffeur, mieux profiter aussi du magnifique ruban d'asphalte qui nous menait en plein soleil, depuis l'aéroport de Lyon-Saint-Exupéry sur une centaine de kilomètres, par l'A43 puis l'A48, vers le massif de la Chartreuse dressé à l'horizon. Il m'avait déposé à l'hôtel de l'Europe. J'étais ressorti prendre un verre en fin de journée. Assis au bar, j'avais surpris une conversation dans laquelle il était question de l'achat d'un fusil-mitrailleur Uzi. Même en langue étrangère, ces négociations sont rarement publiques, et je m'en étais étonné.

Quelques semaines plus tard, cet Uzi – ou bien un autre, peut-être en trouvait-on à volonté dans ce département de l'Isère – avait été utilisé lors du braquage au casino d'Uriage. La police avait pris en chasse les malfaiteurs et abattu l'un d'eux dans la cité de Villeneuve, où des émeutes avaient éclaté.

De nouveau descendu à l'hôtel de l'Europe, je comptais bien cette fois mettre mes pas dans ceux du père Grange et du fils. À l'été de 1950, ils décident de faire une étape sur leur chemin vers Notre-Dame de La Salette et les glaciers des Écrins pour monter au Vercors. Deux ans plus tôt, le fils a composé à l'encre de Chine et à la gouache cette affiche conservée par sa sœur où l'on voit des parachutes, des avions allemands et des croix de Lorraine, destinée à annoncer la projection à Sorèze du film de Jean-Paul Le Chanois, *Au cœur de l'orage*, documentaire tourné dans la clandestinité des maquis, enrichi d'images d'archives. Six ans plus tard, ils veulent voir de leurs yeux les lieux de la catastrophe de juillet 1944.

D'un point de vue stratégique, on peut imaginer le massif comme un porte-avions géant amarré entre la Méditerranée et Lyon, susceptible de débarquer des troupes vers le Rhône puis le Rhin et Berlin, une forteresse de cent cinquante kilomètres de long et cinquante de large, à plus de mille mètres d'altitude. On y vit un peu à l'écart du siècle, rivières et troupeaux de moutons, bûcheronnage, chevaux sauvages. L'hiver la neige et l'été les blés. Des villages où il fait bon vivre et qui accueillent en 42 les premiers Francs-Tireurs qu'on appelle encore les « dissidents ». En 43 les choses s'organisent. Hubert Beuve-Méry de l'ancienne École d'Uriage et le romancier Jean Prévost y retrouvent des officiers de l'Armée secrète et des civils maquisards. L'idée est alors d'un jour y parachuter des troupes alliées. L'arrestation du général Delestraint et la mort de Jean Moulin vont cependant isoler le Vercors de Londres et d'Alger. Ses étroites voies d'accès seront les haussières pour un sanglant abordage.

Avec Ludovic Decamp, jeune archiviste et bibliothécaire de l'École des sciences politiques de Grenoble, spécialiste de cette histoire et aussi parachutiste, nous avions quitté Grenoble à l'aube par la D215, laquelle monte en lacet vers Villard-de-Lans et Saint-Martin-en-Vercors, avions fait une première halte au belvédère de Valchevrière. Ici le groupe de chasseurs alpins du lieutenant Abel Chabal avait contenu les Allemands à un contre dix. Le maquis était en 44 dirigé par Jean Prévost sous le nom du capitaine Goderville. C'est à lui que Chabal avait fait parvenir ce message avant de subir l'assaut final: «Je suis presque complètement encerclé, nous nous apprêtons à faire Sidi-Brahim. Vive la France.»

Sidi-Brahim est pour les chasseurs le Camerone de la Légion. Comme un groupe de légionnaires avait refusé de se rendre à l'armée mexicaine et s'était sacrifié, des chasseurs assaillis de tous côtés par les troupes d'Abd el-Kader avaient refusé de baisser les armes et formé le carré avant d'être exterminés. Nous marchions sur des chemins le long des champs pierreux, à l'orée des forêts de résineux, entrions dans les ruines des villages incendiés, abandonnés comme celui d'Oradour, où la joubarbe en petits artichauts charnus tapissait le sol entre les rochers. Les premières attaques allemandes avaient eu lieu à la mi-juin 1944 après le débarquement de Normandie. Le 3 juillet, on avait pourtant proclamé avec pompe et fanfare le rétablissement de la République place du Tilleul à Saint-Martin-en-Vercors, où une pancarte indiquait que cet arbre vénérable, près duquel nous déjeunions, était un «tilleul planté sous les ordres de Sully en 1597».

Nous avions repris l'auto pour gagner le plateau de Vassieux où le maquis avait tracé une piste d'aviation. Si des forteresses volantes alliées avaient parachuté pour le 14-Juillet vivres et cigarettes, mitraillettes en conteneurs, ainsi qu'un héroïque commando américain de quelques hommes pour en enseigner le maniement, aucun avion ne s'y posera avant les planeurs allemands le 21 juillet. Le maquis ne dispose ni de défense anti-aérienne ni d'armes lourdes. Il est négligé par Alger trop occupé à préparer le débarquement en Provence. Les officiers aux bottes cirées sur leurs chevaux étrillés, gants blancs sur les rênes, ont retrouvé leurs manies obsolètes et se croient invulnérables. Malgré le dynamitage des ponts et des tunnels, le Vercors est envahi de tous côtés. Pas de division SS ici, dix mille jeunes garçons allemands secondés par des volontaires russes, ukrainiens et géorgiens, se rendront coupables de crimes de guerre, tueront des enfants, violeront des femmes, passeront aux paysans la corde au cou, les mains et une jambe liées, afin qu'ils se pendent eux-mêmes de fatigue, achèveront sur leurs brancards les blessés de l'hôpital caché dans la grotte de la Luire après avoir exécuté les médecins.

Les survivants décrochent, s'enfuient vers les forêts où ils mangeront du trèfle et des racines, boiront l'eau des mares. Je voulais voir la maison à l'abri de laquelle Jean Prévost, dans les moments où il n'était pas Goderville, avait écrit son *Baudelaire*. Il dissimule son manuscrit et sa machine à écrire, se replie avec quelques hommes dans une grotte qui ne figure sur aucune carte. Ludovic Decamp m'apprend que celle-ci, très difficile d'accès, vient d'être atteinte par un groupe de varappeurs qui n'ont rien trouvé à l'intérieur, et se sont étonnés que le seul nom inscrit sur la paroi soit celui de Trotsky. Dix ans plus tôt, en 1934, et six ans avant d'être assassiné au Mexique, l'ancien chef de l'Armée rouge avait passé plusieurs mois sous un faux nom à une vingtaine de kilomètres d'ici, à Domène de l'autre côté de Grenoble, route de la Savoie, avec vue sur la Chartreuse, et sans doute il avait fait des émules en Isère.

Les résistants, qui ne s'attendaient pas à une telle tournure, n'ont entassé ni armes ni nourriture dans les grottes et les forêts. Les Allemands incendient les villages, pillent, martyrisent les populations. Le 29 juillet 1944, Goderville tente une sortie en compagnie de quatre camarades qui ignorent son identité. Pendant trois jours et trois nuits ils avancent à l'abri des taillis, épient les bruits des bottes et entendent le chant des oiseaux. Un pistolet pour cinq. La vie de cet homme qui marche à la tête d'une poignée de survivants, on pourrait l'écrire en parallèle avec celle de Mistler. Les deux Jean. Leurs débuts dans la vie furent communs, tous deux élèves du lycée Henri-IV où ils suivent les cours du philosophe Alain, combattants de la Première Guerre, admis à l'École normale supérieure après l'Armistice, devenus romanciers, mais au début de la Deuxième, ces deux existences divergent.

Député, Mistler vote les pleins pouvoirs à Pétain qui déclare à son endroit : « C'est avec des hommes comme lui que nous referons le pays. » Membre du Conseil national de Vichy, maire de Castelnaudary, il démissionne tout de même en juillet 42 pour s'opposer à la politique de collaboration de Laval – un parcours en fait assez semblable à celui des cadres de la première École d'Uriage –, ensuite, comme beaucoup, il attend que les choses se passent.

Prévost quant à lui soutient en cette année 42 sa thèse sur Stendhal à l'université de Lyon puis entre dans l'illégalité, devient le terroriste Goderville. Cet homme qui se cache dans la forêt a battu Ernest Hemingway dans un combat de boxe amical, a été l'ami et le premier éditeur d'Antoine de Saint-Exupéry. Il ne saura jamais que ce jeudi 31 juillet, pendant qu'il crapahute en tête de quatre maquisards traqués dans les ravins du Vercors, Saint-Exupéry effectue aux commandes de son Lightning un vol de reconnaissance pour préparer le débarquement de Provence et s'abîme en Méditerranée.

Le lendemain 1er août, à sept heures du matin, les cinq hommes suivent un ruisseau et sortent à découvert du défilé au-dessus de Sassenage. Des sentinelles allemandes les abattent d'une rafale sur le pont Charvet. Nous avions grimpé le chemin de terre vers cette falaise où leurs noms étaient gravés. La vue alentour offrait l'idée d'un paysage sublime chez Kant et romantique chez Chateaubriand, la forêt sombre, l'à-pic de la roche bleue, le torrent au milieu des rocs, le pont étroit.

La seule victoire du Vercors fut le sacrifice de ces hommes, et d'avoir fixé plus de dix mille combattants qui furent absents du front de Normandie. Quelques héros libèrent la majorité des Français contre son gré. On peut entendre le nom de Jean Prévost dans l'éloge funèbre que prononce Victor Hugo à la mort en 1875 d'Edgar Quinet : « Devant cette délivrance, la mort, affirmons cette autre délivrance, la Révolution. Quinet y a travaillé. Disons-le avec douceur, mais avec hauteur, disons-le à ceux qui méconnaissent le présent, disons-le à ceux qui nient l'avenir, disons-le à tant d'ingrats délivrés malgré eux, car c'est au profit de tous que le passé a été vaincu, oui, les magnanimes lutteurs comme Quinet ont bien mérité du genre humain. »

Le soir, avec Ludovic Decamp, nous avions dîné au château d'Uriage découpé en luxueux appartements.

Depuis la haute balustrade des terrasses, j'observais en bas dans la vallée la station d'Uriage-les-Bains et son casino illuminé de néons, imaginais la vie du fils ici plutôt qu'à Sorèze, si sa candidature avait été retenue, si l'École n'avait pas fermé, songeant que bien sûr alors je n'aurais jamais existé.

Plusieurs années après son pèlerinage avec le père Grange dans le massif du Vercors, en 1962, il choisira de monter au théâtre du Lazaret de Mindin une pièce de Paul-Jacques Bonzon écrite en 1945, *La Nuit du 3 mars*, « dont l'action est au Vercors en 1944 ». Il a lu les romans de Jean Bruller, qui dès 41 avait pris le pseudonyme de Vercors, créé dans la clandestinité les Éditions de Minuit que mentionne de Gaulle dans ses Mémoires, qui « répandent sous le manteau des livres parmi lesquels *Le Silence de la mer* de Vercors se copie et se répand en d'innombrables exemplaires ».

Mais en 1987, c'est *La Marche à l'étoile* du même auteur qu'il m'avait offert, son vieil exemplaire de 1946 tout jauni, parce que la qualité du papier rationné laissait à désirer. Je l'avais prévenu que j'arrivais avec un livre tout neuf des Éditions de Minuit sur lequel j'avais mis un mot. Nous avions échangé le neuf et le vieux sur lequel il avait écrit au stylo « Vercors, les Éditions de Minuit, le maquis du Lot, la publication d'un premier roman, la vie continue ».

Alors son père est mort et il n'est plus le fils. Il est le père et je suis le fils. Il a plus de soixante ans et j'en ai vingt-neuf. Il m'offre une vie du père de Vercors écrite par son fils. Lors de cette seule manifestation d'intimité et d'évocation du passé nous étions gênés tous les deux, ce Vercors à la main, lui pour l'offrir et moi pour l'en remercier, comme deux grands nigauds embarrassés de leur timidité et de tout cela qui excédait nos existences dérisoires, hésitant à frôler nos joues comme deux enfants que leurs mères poussent l'un vers l'autre. Je revois cette scène chaque fois que je relis le début des *Antimémoires*, lorsque Malraux interroge un aumônier survivant du Vercors et lui demande, sans trahir le secret de la confession, ce que ces hommes lui ont appris : « Il leva ses bras de bûcheron dans la nuit pleine d'étoiles : Et puis, le fond de tout, *c'est qu'il n'y a pas de grandes personnes...* »

des petites traces

Quelques jours après mon retour d'Asie, avant de gagner Saint-Nazaire, j'avais quitté d'assez mauvaise humeur Yersin dans une galerie du premier arrondissement de Paris et pris un taxi. Je l'attendais chez elle, qui avait voulu rentrer à bicyclette et n'arrivait pas. Des ambulances passaient sirène hurlante en bas dans la rue. J'avais allumé la radio. Le dernier kamikaze, Brahim Abdelslam, venait de se faire exploser non loin, à l'intérieur du bistrot Comptoir Voltaire.

Le journaliste annonçait que des rafales de fusil-mitrailleur avaient tué plus de cent personnes aux terrasses du onzième arrondissement, pour la plupart de malheureux clopeurs, avais-je pensé. Jamais la France n'avait connu autant de victimes civiles en une seule journée depuis la fin de la Seconde Guerre mondiale. On apprendrait plus tard que l'opération avait été coordonnée par Abdelhamid Abaaoud, complice d'Ayoub el-Khazzani, assaillant d'un train Thalys le 21 août dernier entre Bruxelles et Paris, que des passagers avaient maîtrisé. Elle était revendiquée par le commandement de Daesh en Syrie.

Depuis ce 13 novembre 2015, la France était placée en état d'urgence et j'avais continué à trimbaler dans des chambres d'hôtel une valise emplie d'archives de Monne classées par lieux et par années. Début janvier, je les avais emportées au chalet dans le Valais où nous avions appris, un an plus tôt, l'attentat contre *Charlie Hebdo*. Encore une fois les djihadistes n'étaient pas parvenus à provoquer une vague islamophobe ni un début de guerre civile. Je m'apprêtais à partir pour le Soudan.

Quarante-huit heures à Khartoum suffisent pour y retrouver toute son histoire et la plonger dans sa géographie. Je traversais l'île de Tuti peu bâtie, au beau milieu de la capitale, parcelles horticoles et briqueteries, chemins creux où se croisaient avec politesse ânes et pick-up Toyota. Sur les berges très vertes, quelques mètres au-dessus d'escarpements rocheux mêlés de terre jaune, se tenaient des guinguettes respectant la prohibition des boissons alcooliques comme partout dans la République islamique.

Il était cependant possible de s'en griller une, assis sur une chaise en plastique sous un parasol, sifflant la boisson rouge à base d'hibiscus ou le tabaldi blanchâtre de poudre de graines de baobab, devant la grandiose rencontre des deux fleuves dans lesquels des ibis sacrés piochaient du bec à l'aveuglette, à l'exacte confluence du Nil bleu et du Nil blanc. Assez indifférentes à l'hydronymie, les eaux les plus claires supposées bleues avaient descendu les montagnes de l'Éthiopie et les autres, un peu ocre, davantage limoneuses, remontaient plein nord depuis la région des Grands-Lacs où elles avaient drainé les ruisseaux, flaques et marais comme éponges, nulle part cette source que cherchait Livingstone. Elles avaient traversé la province d'Équatoria au Soudan du Sud en guerre civile depuis la sécession, conflit dont le bilan estimé, en l'absence d'observateurs impartiaux et de registres fiables d'état civil, variait de cinquante mille à trois cent mille morts.

Des millénaires après les pharaons, les Turcs de l'empire ottoman avaient entrepris en 1820 la conquête depuis l'Égypte de ce Soudan aux frontières indécises. Une quinzaine d'années plus tard débarquaient ici les saint-simoniens de Sorèze. Pendant que Lesseps travaillait au projet du canal, les Anglais s'installaient à Khartoum dans le but d'en faire une station sur leur longue verticale du Caire au Cap. Au début des années quatre-vingt, Mohammed Ahmed ibn Allah el-Mahdi s'était proclamé l'envoyé de Dieu, avait appelé au djihad contre les infidèles. Comme souvent dans ces années-là, en Grande-Bretagne, lorsqu'on ne sait plus quoi faire, on appelle Gordon.

Le héros Charles George Gordon avait participé en 1860 au sac du palais d'Été à Pékin, par la suite guerroyé un peu partout, avait administré en Inde, et au Soudan pour le compte du khédive Ismaïl. Depuis 1882, il s'était retiré en Palestine où il se livrait à des fouilles archéologiques. Il accepte de secourir les populations de Khartoum. Dès le début de 1884, la ville est assiégée par les mahdistes.

Les mois et les années qui suivent, Naüm Bey Shuqayr en deviendra le glorieux scribe. Celui-là est d'origine yéménite. Après des études à Beyrouth il gagne Le Caire, où à vingt ans il est recruté par les Services de renseignement de l'armée anglaise. Il accompagne l'expédition de lord Wolseley envoyée secourir Gordon pendant que Rimbaud est à Harar et fulmine, parce que tout cela n'est pas bon pour le commerce, « leur Gordon est un idiot, leur Wolseley un âne, et toutes leurs entreprises une suite insensée d'absurdités et de déprédations». Les renforts arriveront trop tard.

La ville tombe en janvier 85. Les djihadistes tuent les hommes, réduisent en esclavage femmes et enfants, décapitent Gordon. Le mahdi fait détruire la ville ottomane. La route est coupée avec Le Caire loin au nord et la province d'Équatoria tout au sud, à la tête de laquelle Gordon avait placé Emin Pacha né Schnitzer. Celui-là appelle au secours. Henry Morton Stanley monte une expédition. Elle mettra trois ans pour traverser toute l'Afrique à l'horizontale depuis l'Atlantique et ramener les populations égyptiennes au Caire par Zanzibar. Schnitzer décide de rester à Bagamoyo et de se mettre au service de ses compatriotes allemands qui ont pris Dar es-Salaam. Pendant que Stanley traverse la forêt, Rimbaud est au Caire à l'été de 87, hôtel de l'Europe, dépose son or dans un coffre du Crédit lyonnais, descend à Khartoum à l'automne, mais n'écrit rien. Il imagine se rendre à Zanzibar.

En 89, Shuqayr intègre les services de renseignement de l'armée égyptienne. Son beau titre est celui de Katib adh-Dhuhürät, chroniqueur officiel, chargé de consigner les événements et de rassembler les archives. Inspecteur des frontières en 1890, il arpente le Sinaï pendant que Brazza et Conrad naviguent sur le Congo. Cette année-là, Emin Pacha et Henry Morton Stanley atteignent la côte de l'océan Indien, Van Gogh meurt à Auvers-sur-Oise et Eugénie-Joséphine, la petite fille en blanc, met au monde à Mérobert sa fille Eugénie-Alexandrine. Shuqayr rédige un *Mémorandum sur le Soudan oriental sous administration mahdiste* et se joint à l'expédition anglaise.

Les troupes djihadistes, menées par le gendre du mahdi, sont vaincues à la bataille d'Omdurman à laquelle participe le jeune Winston Churchill. Dès la victoire de ce vendredi 2 septembre 1898, le général Kitchener descend le Nil blanc vers le sud à bord du *Sultan*. Dix ans après Stanley, la mission Congo-Nil du général Marchand vient de traverser à son tour l'Afrique depuis l'Atlantique. Le 14 juillet, le drapeau tricolore est hissé à Fachoda au bord du fleuve. Après qu'ils ont repoussé une attaque des mahdistes, la nouvelle de l'installation d'un poste français sur le Nil est parvenue à Khartoum. Le dimanche 18 septembre, Marchand doit céder devant les canons du *Sultan* et amener le drapeau. Kitchener leur laisse la voie libre vers Djibouti.

Les Anglais sont vainqueurs en quelques jours des djihadistes et des Français, vengent la décapitation de Gordon et l'humiliation de Muang Sing au Laos deux ans plus tôt, où la situation était inversée. Sous la menace des canons du *La Grandière* stationné sur le fleuve, ils avaient dû retraverser le Mékong et rentrer en Birmanie. Après Fachoda la France pourtant ne lâche pas l'affaire, monte l'expédition Voulet-Chanoine en direction du Tchad, dont Alexandre Pathey lira à Blandy, le samedi 26 août 1899, l'issue catastrophique dans *L'Abeille d'Étampes* : *Un drame au Soudan*.

Pendant que Kitchener règle leur compte aux Français, le chroniqueur Shuqayr se rend au palais du Khalifa vaincu, rafle tous les documents qui nourriront son œuvre considérable, poèmes et proverbes, et son *Histoire ancienne et moderne du Soudan et sa géographie*, ce *Tärikh as-Südän* est la première histoire d'un pays où Shuqayr ne reviendra plus. Après la Première Guerre, et le démantèlement de l'empire ottoman, il choisira de se faire syrien, tout en dirigeant au Caire le Service historique jusqu'à sa mort en 1922. Cette année-là, puisque cette saga peut offrir une aune, la petite fille en blanc venue du Caire se penche à Soissons sur le berceau de sa petite-fille Monne. Cette année-là, Howard Carter découvre dans la Vallée des rois la tombe de Toutankhamon.

J'avais traversé le fleuve pour me rendre à Omdurman chez Hashim Khalifa, qui se prétendait à juste titre descendant de celui qui se prétendait l'envoyé d'Allah. Architecte et urbaniste, sa maison, dans une rue sablonneuse, était close d'un portail en fer ouvragé. De hauts murs de terre jaune entouraient un jardin empli d'oiseaux. Les nids des tisserins comme boules de Noël se balançaient à la brise légère dans les palmes et berçaient les oisillons. Dans le ciel tournaient ces aigles du Nil qui sont des milans ou des faucons. Nous étions partis visiter ensemble le modeste palais en pisé de son ancêtre Khalifa Abdulahi ben Mohammed Toarshain, gendre et successeur du mahdi, élevé près de la tombe de celui-ci mort du typhus peu après l'assassinat de Gordon. Dans la bataille, les valeureux cavaliers soudanais chargeaient en ligne et sabre au clair. Près de dix mille d'entre eux étaient morts en cette seule journée de septembre 98, quand les Anglais, à l'abri de leurs mitrailleuses Maxim, avaient perdu moins de cinquante hommes. Non loin se voyait au bord de l'eau le navire en fer de Gordon échoué et rouillé là, proue effilée et roues à aubes, posé sur une ligne de tins. Comme si tout cela s'était passé la semaine dernière.

De l'autre côté du Nil, je sillonnais avec un chauffeur Khartoum la belle poussiéreuse, prenais comme repère le gros œuf d'autruche de l'hôtel Corinthia offert par Kadhafi au régime islamique du général Omar el-Béchir. Celui-ci ne refusait pas parfois de négocier à la vente ses réfugiés, ainsi le révolutionnaire vénézuélien Ilich Ramírez Sánchez dit Carlos, que des agents français étaient venus cueillir dans une clinique pendant qu'il y subissait une anesthésie générale, en août 1994. À l'époque, Oussama ben Laden vivait avec trois de ses épouses et une quinzaine de ses enfants au sud d'Omdurman, où il s'occupait de travaux publics et des entraînements militaires d'Al-Qaïda.

De la ville anglaise de Kitchener demeuraient le palais du gouvernorat, les rangées de grands arbres le long du fleuve, parmi lesquels les acajous d'Afrique, mahogany trees, et les neems ou margousiers apportés depuis l'Inde comme le premier pont boulonné toujours en service, la vieille poste à l'abandon, le Gordon College qui abritait l'université de Khartoum. Au centre du campus, le long des pelouses impeccables sur lesquelles trottinaient des singes et picoraient des tourterelles bleues et violettes, une allée de palmiers royaux bordait Main Street jusqu'aux bâtiments oxfordiens de briques rouges. J'avais rencontré là comme à l'université d'El Nilein des garçons et des filles qui étudiaient la littérature et pour certains voulaient écrire, lire des livres étrangers introuvables, se réjouissaient du téléchargement des œuvres en ligne. Parmi eux, deux étudiants que j'avais retrouvés plus tard, réfugiés l'un du Darfour et l'autre du Kordofan, chaleureux et curieux, souriants. Comme un peu partout dans le monde, ils étaient convaincus que les Français devaient chaque jour se réjouir de leur passeport, de vivre dans un pays où rien ne manquait, ni les cinémas ni les librairies. Cet enthousiasme pourrait un jour les amener à courir des risques insensés pour gagner l'Europe, à se retrouver enfermés dans un camp de migrants ou un centre de rétention aéroportuaire.

Chaque soir, je retrouvais Bruno Aubert à la Résidence et nous reprenions nos conversations sur les saint-simoniens ou le cinéma soudanais d'avant le régime d'Omar el-Béchir. Nés la même année, nous avions entamé au même moment nos carrières dans l'Arabie heureuse et paisible du début des années quatre-vingt, l'un à Sanaa au Yémen et l'autre à Mascate dans le sultanat d'Oman.

Le matin, avant de repartir en expédition, je fumais une première cigarette sur la terrasse, me demandais jusqu'à quel point on pouvait saturer un cerveau d'informations, de dates, de noms, de lieux, d'œuvres et de théories avant qu'il ne sombre dans le chaos, incapable d'ordonner les milliards de connexions neuronales et protéiniques au fond du petit hippocampe. J'imaginais finir assis dans un fauteuil en rotin comme ceux du jardin, regardant le vent jouer dans les arbres, jonglant avec ces images culbutant sur elles-mêmes au milieu des souvenirs d'enfance, sans plus jamais écrire une ligne ni prononcer un mot, balançant lentement le torse d'avant en arrière.

Un soir, il avait posé sa veste et sa cravate d'ambassadeur sur le dossier d'une chaise, nous avait servi des verres dans le seul but de rendre effective l'extraterritorialité, m'avait appris qu'il avait signé avec les Allemands l'achat d'un terrain au bord du Nil. Nos deux pays allaient faire ambassade commune. Je me demandais ce qu'allait devenir alors la plaque apposée dans notre actuelle ambassade, rappelant la venue en ce lieu du général de Gaulle en mars 1941 : « J'atterris, d'abord, à Khartoum, base de la bataille d'Érythrée et du Soudan. Celle-ci était conduite – fort bien – par le général Platt, chef alerte et dynamique, qui venait précisément d'enlever sur les hauteurs de Keren la ligne principale de défense des Italiens. »

au désert du nord

À l'invitation de l'archéologue suisse Charles Bonnet, lequel souhaitait partager avec nous sa découverte, avec Bruno Aubert nous étions partis vers les confins tracés sur les cartes à la règle, les frontières rectilignes à angles droits, l'égyptienne, la libyenne et la tchadienne. À l'aube le commissaire de police français était venu nous saluer. Nous partions avec le véhicule blindé de l'ambassade, un chauffeur garde du corps, un téléphone satellitaire Thuraya et des gilets pare-balles. Ces mesures avaient paru insuffisantes aux autorités soudanaises, inquiètes de voir se volatiliser de si considérables Roumis, soucieuses aussi sans doute de vérifier ce que nous manigancions. On nous avait adjoint, à bord d'un pick-up, une escorte de six hommes de la Sécurité en uniforme bleu armés de mitraillettes et de pistolets.

La route rectiligne et peu fréquentée coupait une savane piquetée d'épineux, des déserts de rocaille, grès et schistes, puis les dunes de sable, longeait de nombreux squelettes de chameaux, débris de pneus de camion éclatés, animaux crevés et desséchés, chèvres et chiens ou renards. Elle traversait plus loin une zone de gros rochers ronds et gris, comme un immense troupeau d'hippopotames ensablés et fossilisés sur le lit d'un fleuve asséché. Après huit ou neuf heures de route, nous avions rejoint Sedeinga. Le lendemain au crépuscule nous avions atteint le temple de Soleb et attendu là, debout, silencieux, le soleil rasant qui faisait apparaître les silhouettes estompées en bas-relief sur les colonnes, le dernier flamboiement cerise et or sur la palmeraie, puis la montée de la pleine lune de janvier au-dessus des eaux.

Après être redescendus sur Dongola pour franchir un pont, nous étions remontés vers Kerma sur la rive droite. Le Nantais Frédéric Cailliaud, minéralogiste en chef du khédive, fut le premier à décrire ces terres des pharaons noirs. Il était parvenu ici en 1821 dans le sillage des Ottomans, avait publié *Voyage à Méroé* que les saint-simoniens avaient lu dès sa parution. Les fouilles n'avaient commencé que pendant la Première Guerre mondiale, par quelques chercheurs soustraits au front. L'octogénaire Bonnet écartait les bras et souriait sous son chapeau de brousse. Chaque hiver, la mission franco-suisse prenait ses quartiers dans ce pavillon vert anglais tout au bord du Nil, où Kitchener était venu inaugurer une pompe à vapeur pour l'irrigation.

L'équipe venait de découvrir une ville d'architecture africaine toute en rondeurs, au-dessus de laquelle s'étaient élevés plus tard des temples égyptiens à angles droits. Afin de rendre lisible le palimpseste des siècles, on faisait fabriquer sur un terrain voisin des millions de briques crues destinées à rehausser de quelques dizaines de centimètres les contours arrondis des murs. Bonnet nous décrivait l'immense salle-forêt, de près de trois cents hautes colonnes, dans laquelle nous marchions, levant la tête comme si nous allions voir la voûte, édifice dont il disait n'avoir jamais lu de description ailleurs que dans l'œuvre de Stanley, mais beaucoup plus au sud, en Équatoria, du temps d'Emin Pacha.

Le soir, nous regardions sur un ordinateur les photos prises dans la journée par un cerf-volant. La superficie de la cité découverte dépassait la zone concédée aux fouilles. Bonnet avait loué pour plusieurs millions de livres soudanaises la palmeraie contiguë, dédommagé le propriétaire des dattiers dont nous goûtions les fruits, abattu le mur. L'accord valait pour deux ans. Il prononçait « miyon ». À moitié helvétisé depuis ces dernières années, j'étais sensible à ces détails. Des tubes de Cenovis traînaient sur la table.

À mon retour à Khartoum, la peintre Sittana Bediker Bedri, dont la date de naissance est incertaine même dans le calendrier de l'Hégire, née pendant la Première Guerre mondiale, qui semblait une très vieille Anglaise victorienne à la peau noire, légère comme un moineau, et se nourrissait de biscuits et de thé noir, relisait en boucle Agatha Christie, m'avait fait remettre le tableau que j'avais admiré chez elle inachevé, à Omdurman. S'il paraissait de loin une œuvre abstraite, penché sur lui il révélait avec minutie des scènes de la vie quotidienne vues à travers les angles d'un moucharabieh, dans les tons rouges et ocre, rehaussées de collages. On voyait des femmes et des hommes en jalabiya blanche, des enfants. Il était accompagné d'un autre, de taille plus réduite. Dix petits personnages effectuaient des mouvements de danse effrénés. À l'horizon un minuscule palmier près d'une bâtisse jaune qui pouvait être une mosquée ou le palais du Khalifa. En haut sur toute la longueur, cinq lignes de calligraphie arabe comme un phylactère étaient une dédicace.

Bien que celle-ci fût de nature à troubler mon humilité, il me semblait devoir la transcrire en hommage à l'amitié entre nos deux peuples, dans cette belle langue arabo-soudanaise un peu sentencieuse : « Les Soudanais ont eu l'honneur et se sont réjouis de la visite du grand écrivain Patrick Deville dans leur pays. J'ai personnellement eu l'immense honneur de le rencontrer et j'ai pu apprécier sa gentillesse, sa modestie et son style remarquable. » On pensait exactement la même chose à Saint-Nazaire, où j'arrivais en cette année 1951, juste à temps pour y accueillir la petite bande des quatre.

Traversant à pied le parking du Building avec ma valise, il m'avait semblé que la Passat me souriait de toute sa calandre et me lançait un clin de phare. La pauvre bête mécanique ne pouvait savoir qu'en cette année 1951, le Building n'existait pas encore, que la ville détruite pendant la guerre n'avait pas achevé sa reconstruction. Elle ignorait qu'en cette année 1951, Farouk se proclamait roi d'Égypte et du Soudan et que c'était la fin du dominion anglais à Khartoum. En cette année 1951, ni les ibis sacrés du Nil ni les petites perruches vertes ne se voyaient encore sur l'estuaire de la Loire. Ces oiseaux devaient attendre après l'an deux mille, les progrès du réchauffement climatique, pour obtenir leur autorisation de survol.

vers la Bretagne

Le petit jeune homme aux cheveux noirs parcourait l'an passé, en 1950, le massif du Vercors en compagnie du père Grange. Il a connu les neiges du Jura et les glaciers des Alpes, il est né dans les brumes du Nord, a découvert le soleil du Midi, jamais encore n'a vu un port de mer. Il ne sait toujours pas quoi faire de sa vie, aimerait maintenant rencontrer l'amour.

Quant au père, que j'avais laissé droit comme un i, statue marmoréenne sur la margelle du bassin de natation de Sorèze, je le voyais descendre dans l'herbe et se dégourdir les jambes. Il a soixante et un ans, ça n'est pas encore l'âge de la retraite. « Moniteur de Gymnastique diplômé de l'École de Gymnastique de Joinville et diplôme de Moniteur Général de la Seine, a déjà dirigé des Sociétés de Gymnastique des Patronages. » Il interroge ainsi la Fédération sportive de France, 5 place Saint-Thomas-d'Aquin, Paris septième, fait état de ses récentes prouesses d'entraîneur : « Dernier poste : 6 ans au Collège de Sorèze. Résultats de l'année scolaire 1950/51 : 3 équipes de foot (champions du Tarn), Athlétisme : 15 champions du Tarn – 12 seconds, 6 champions d'académie, 6 qualifiés au Championnat de France. »

La Fédération lui fait plusieurs propositions dont celle-ci : « Monsieur, Comme vous ne nous avez pas tenu au courant du résultat de vos démarches au sujet de votre place de moniteur, nous ne savons pas si vous avez réussi auprès des sociétés dont nous vous avons donné les noms dans notre lettre du 22 juin écoulé. Ce jour, nous recevons une offre de l'Étoile Bleue de St-Junien (Hte-Vienne), qui cherche un moniteur de gymnastique. Nous lui demandons de se mettre en rapport avec vous. Le correspondant de la société est M. Faubert, 1 rue de la Liberté. » Sans doute partiraient-ils pour ce village, entre Limoges et Angoulême, si, entre-temps, Michel Duthil, le camarade du fils au collège de Moissac, à présent étudiant en médecine à Toulouse, ne mentionnait dans une lettre le Lazaret de Mindin, et la Société de gymnastique de La Brévinoise.

S'ils avaient choisi la Haute-Vienne, encore une fois le petit pêcheur de crevettes à Mindin ne serait jamais né mais je prenais l'habitude, au fil de la lecture des archives de Monne, de ces nez de Cléopâtre auxquels chacun d'entre nous doit son existence. À moins que, catholiques, ils n'imaginent que j'attends, chérubin les bras croisés, sur un nuage, les ailes repliées, tapant la semelle, mon bon d'envol. Le père se rend à Toulouse, rencontre le président de La Brévinoise en pieux chemin pour Lourdes. Après ces années à Sorèze, sa méfiance est peut-être émoussée. Il va encore se faire avoir.

Rue Lacordaire, à son retour, on ouvre la carte, localise Saint-Brévin en face de Saint-Nazaire, pas très loin de Vallet et du camp de Châteaubriant. Pour eux jusqu'alors Saint-Nazaire était l'église de la cité de Carcassonne, du temps qu'ils étaient réfugiés à Bram.

Ils ont oublié sans doute la mention rapide dans l'*Histoire de France* de Michelet de cet estuaire de la Loire « mêlé d'opulence coloniale et de sobriété bretonne », se souviennent peut-être mieux de son évocation dans *Le Tour de la France par deux enfants*, ouvrage dans lequel la limite de la Bretagne et de la Vendée est au Marais breton où elle doit être, au sud de Pornic. Le petit Julien, à bord de son navire, comme le petit Michel sur son tapis magique, « fut bien étonné en revenant sur le pont de ne plus apercevoir la mer, mais un beau fleuve bordé de verdoyantes prairies et semé d'îles nombreuses ». Ils remontent jusqu'à Nantes et redescendent. « On revit à l'embouchure de la Loire les ports commerçants de Saint-Nazaire et de Paimbœuf, où s'arrêtent les plus gros navires de l'Amérique et de l'Inde. Enfin on se retrouva en pleine mer. »

Les deux gamins ont longé sans le savoir la maison d'enfance de Jules Verne à Chantenay, un peu en aval de Nantes : « Je connaissais déjà les termes de marine, et je comprenais assez les manœuvres pour les suivre dans les romans maritimes de Fenimore Cooper, que je ne puis me lasser de relire avec admiration. » Le vieil écrivain se souvient qu'il n'y avait pas encore de bateaux à vapeur, « ou du moins très peu, mais quantité de ces voiliers dont les Américains ont si heureusement conservé et perfectionné le type avec leurs clippers et leurs trois-mâts goélettes. En ce temps-là, nous n'avions que les lourds bâtiments à voile de la marine marchande ». L'enfant se glisse en cachette à bord de l'un d'eux, descend dans les cales, visite les coursives. « Je sors, je monte sur la dunette, et là, j'ai l'audace d'imprimer un quart de tour à la roue du gouvernail… Il me semble que le navire va s'éloigner du quai, que ses amarres vont larguer, ses mâts se couvrir de toile, et c'est moi, timonier de huit ans, qui vais le conduire en mer ! »

Il a onze ans, à l'été de 1839, s'enfuit, embarque comme mousse sur le *Coralie*. Son père le rattrape à la première escale de Paimbœuf. « À douze ans, je n'avais pas encore vu la mer, la vraie mer ! » Et enfin « Voici Saint-Nazaire, son embryon de jetée, sa vieille église avec son clocher d'ardoises, tout penché, et les quelques maisons ou masures qui composaient alors ce village si rapidement devenu ville. » L'enfant exulte : « Enfin, j'avais vu la mer, ou tout au moins la vaste baie qui s'ouvre sur l'Océan entre les extrêmes pointes du fleuve. »

En 1862, lorsqu'il achève loin d'ici l'invention de *Cinq semaines en ballon*, les frères Pereire ouvrent à Saint-Nazaire leur chantier naval.

saint-simoniens & nazairiens

L'hésitation entre Paimbœuf sur la rive gauche et Saint-Nazaire sur la rive droite avait duré trop longtemps. Les Anglais en avaient profité pour prendre une longueur d'avance.

Les ingénieurs Groleau et Goury avaient pourtant remis dès 1802 leur rapport au Premier consul : « Paimbœuf ne peut se prêter qu'à la construction de frégates, la pointe de Mindin sur la rive gauche et Bonne-Anse sur la rive droite se refusent à tout établissement maritime. L'anse de Saint-Nazaire est la seule disposée pour recevoir le bassin projeté. » En août 1808, depuis Nantes, l'Empereur avait descendu l'estuaire en canot, s'était rendu à Paimbœuf où il avait vu *La Méduse* en construction, puis à Saint-Nazaire, avait ordonné de nouvelles études. Le bassin n'est creusé qu'en 1847 et en 1860 il est déjà saturé. L'ingénieur Paul Leferme expose son projet d'extension. Le 24 février 1861, la ville envoie trois membres de son conseil municipal demander l'autorisation du gouvernement. Les frères Pereire attendent ce deuxième bassin pour ouvrir leur ligne transatlantique. Ils obtiennent satisfaction le 25 août 1861 :

Napoléon,
Par la grâce de Dieu et la volonté nationale, Empereur des Français,
À tous présents et à venir, salut :
Notre conseil d'État entendu,
Avons décrété et décrétons ce qui suit :
La *Compagnie générale maritime* est autorisée à prendre la dénomination de *Compagnie générale transatlantique.*
Fait au Palais de Saint-Cloud

La révolution industrialo-portuaire est souvent affaire de fratries industrieuses, les frères Nobel à Bakou et Pereire à Saint-Nazaire. Partout les chantiers navals, les chemins de fer, les routes, les canaux, les écluses. Émile et Isaac Pereire, ainsi que le fils de celui-ci, Eugène, s'appuient sur la Société générale du Crédit mobilier créée avec les saint-simoniens de Sorèze. Disciples d'Enfantin, ils impriment leur devise sur le *Journal et Bulletin commercial de la Compagnie générale transatlantique* : « Toutes les institutions doivent avoir pour but l'amélioration morale, intellectuelle et physique de la classe la plus nombreuse et la plus pauvre. »

Les accords de libre-échange franco-britanniques de janvier 1860 organisent la mondialisation du commerce. En 1861, l'Angleterre, la France et l'Espagne envahissent le Mexique en recouvrement de dettes impayées. Le 17 février 1862, la Compagnie signe avec l'Empire une convention pour le transport mensuel de troupes depuis Saint-Nazaire à destination de Veracruz avec escales à la Martinique et à Cuba. Les frères Pereire achètent en Angleterre quatre bateaux neufs : *Louisiane*, *Floride*, *Veracruz* et *Tampico*.

À l'occasion du premier départ du *Louisiane*, le 14 avril 62, avant que s'éloigne le long paquebot blanc effilé, Émile Pereire organise un banquet dans le grand salon du sister-ship *Floride* resté à quai: «C'est une grande satisfaction pour moi qui ai eu l'insigne honneur, au début de ma carrière, il y a trente ans, d'entreprendre la fondation du premier chemin de fer à grande vitesse ayant son point de départ à Paris, pour moi qui, quinze ans plus tard, ai pu faire sur le même chemin la première application en France du télégraphe électrique, c'est une vive satisfaction et une récompense véritable que de pouvoir présider à l'organisation de ces grands services qui effaceront les distances entre les deux mondes.» Un mois plus tard, en mai, alors qu'Eugène Lorion au Caire boucle ses bagages, s'apprête à embarquer sur un paquebot des Messageries impériales à Alexandrie avec femme et enfant, l'empereur signe le décret de construction du Lazaret de Mindin sur la rive gauche.

Les frères Pereire obtiennent la concession des lignes de service postal pour le Venezuela, Panamá et le Mexique. Leurs navires à aubes tiennent une moyenne de vingt jours entre Saint-Nazaire et Veracruz, consomment journellement de quatre-vingts à cent tonnes de charbon. L'ingénieur écossais John Scott met sur cale en octobre 62 l'*Impératrice-Eugénie* qui prendra la mer en avril 64, puis le premier *France*. En 64 et 65, on embarque à Saint-Nazaire deux mille volontaires belges et sept mille volontaires autrichiens qui s'en vont au Mexique remplacer le corps expéditionnaire français, soutenir Maximilien d'Autriche devenu Maximiliano de México, et son épouse belge Charlotte devenue Carlota.

Henri Chevreau, préfet de la Loire-Inférieure, futur ministre de l'Intérieur, rédige en 1865 un rapport enthousiaste pour l'empereur, *Saint-Nazaire, son avenir* : « Déjà les services postaux avec l'Amérique Centrale ont créé des relations et des richesses nouvelles et se sont assuré une clientèle riche. Il faudra établir à Saint-Nazaire des lignes de clippers de fort tonnage pour les marchandises et les émigrants vers les États-Unis, le golfe du Mexique, les Antilles, la Véra-Cruz, la Nouvelle-Orléans, le Brésil, l'Océan Pacifique, la Chine, Manille, Sumatra, les Indes Orientales, l'Île Bourbon, Madagascar. »

Le 5 mai 1866, l'*Impératrice-Eugénie* débarque à son retour neuf cents passagers civils et militaires, cinq cents tonnes de marchandises et cinq millions en espèces dont trois millions pour le Trésor français. Pour la Compagnie les bénéfices sont considérables. En 67 Maximilien est fusillé à Querétaro. C'est la fin de l'aventure mexicaine. Ça pourrait être le début de la japonaise. Les quais de Saint-Nazaire sont encombrés de matériel militaire autrichien inutile. On l'embarque pour le Japon. Cet armement accompagnera le capitaine Du Petit Thouars, chargé de rencontrer le nouvel empereur Meiji à Tokyo, et de le lui offrir.

Longtemps le port de Nantes avait tenté de résister à son jeune concurrent. En octobre 1873, la Chambre de commerce s'insurgeait encore : « Jamais nous n'admettrons que le Conseil général de la Loire-Inférieure ait le droit d'engager pour vingt ans le commerce nantais dans une combinaison financière dont Saint-Nazaire recueillera exclusivement le bénéfice, et qui semble impliquer l'abandon de la Loire maritime, l'abandon du port de Nantes. »

L'année suivante, le président de la République Mac-Mahon et son ministre des Travaux publics, Eugène

Caillaux, se rendent à Saint-Nazaire, autorisent le lancement d'un emprunt. Le port s'agrandit. Alphonse Daudet vient y prendre des notes pour son *Jack*. Il écrira dans la préface de 1876 avoir « monté et redescendu la Loire, de Saint-Nazaire à Nantes, sur une barque qui roulait et semblait ivre comme son vieux rameur, très étonné que je n'eusse pas pris plutôt le chemin de fer à la Basse-Indre ou le vapeur de Paimbœuf. Et le port, les transatlantiques, les chambres de chauffe visitées en détail, m'ont fourni les notes vraies de mon étude ».

Tout s'accélère. Les lignes de passagers se multiplient, vingt consulats délivrent des visas. Dès 1880 la Compagnie affrète des navires en Méditerranée et sur le Pacifique. L'activité se réduit pendant la guerre. Les Américains entrent dans le conflit après le naufrage du *Lusitania* en 1915, débarquent en 1917 à Saint-Nazaire. Après guerre, les Chantiers de Penhouët lancent la construction de l'*Île-de-France*, premier paquebot équipé d'un hydravion postal. Les ports de mer attirent les écrivains comme le phare appelle à lui la tempête. La vie est là plus romanesque, les passions plus violentes. Dans les caboulots et les cafés autour de la gare transatlantique, les adieux larmoyants des émigrants, le retour triomphal d'un roi du guano, des hommes menottés encadrés par la police, Français extradés qui descendent l'échelle de coupée, étrangers expulsés qui la montent. Le grand roman nazairien de l'entre-deux-guerres est celui de Paul Nizan.

Deux ans après *Aden Arabie*, il publie *Antoine Bloyé* en 1933, reprend l'histoire de cette ville qui, « après des siècles de silence, de petits travaux marins, était, au temps de l'adolescence d'Antoine, une invention de l'Empire. Treize ou quatorze ans plus tôt, les augures du haut commerce, les spécialistes du transit maritime avaient jeté les yeux sur les cartes de l'Ouest. Le grand commerce calculait que les départs de Saint-Nazaire abrégeraient de trois jours le long parcours atlantique ; il comptait : tant de tonnes de charbon en moins, tant de journées de paye à la mer, et ainsi de suite ».

Le plus grand paquebot du monde est alors en construction sous le nom de T6 et deviendra *Normandie*. C'est bientôt la guerre à nouveau. Vladimir Nabokov gagne l'Amérique avec femme et enfant : « Au cours de l'automne 1939, nous retournâmes à Paris et, vers le 20 mai de l'année suivante, nous étions de nouveau près de la mer, cette fois sur la côte ouest de la France, à Saint-Nazaire. » Ils patientent dans un hôtel sur le port : « Derrière les bâtiments qui nous faisaient face, le paquebot *Champlain* nous attendait pour nous emmener à New York. » Nabokov achèvera sur cette scène nazairienne le récit de sa vie en Europe, publiera *Autres rivages* en 1951, l'année de l'arrivée de la petite bande des quatre.

la poche

> Un épisode effroyable s'est déroulé le 17 à Saint-Nazaire.
>
> CHURCHILL, *La Chute de la France*

Le samedi 15 juin 1940, pendant que Monne et son jeune frère, qui vient de subir les épreuves du certificat d'études, redescendent les lacets de Fanjeaux, marchent sous le soleil sur la route droite pour rentrer à Bram, les troupes que l'opération Dynamo n'a pu embarquer à Dunkerque se replient vers la Normandie, traversent la Bretagne talonnées par l'armée allemande, mitraillées par l'aviation qui s'en va larguer des mines flottantes dans les ports pour empêcher leur fuite. Quarante mille hommes arrivent à Saint-Nazaire dans une cohue de véhicules. Le *Saint-Christophe* amène le lendemain dimanche à Mindin un régiment anglais, des soldats tchèques et polonais. Tous campent dans le Lazaret évacué. Après avoir saboté leur matériel, ils traversent à nouveau l'estuaire pour monter à bord du *Lancastria*.

Ce lundi matin, quatre-vingt-dix navires d'évacuation sont mouillés dans la baie. Le *Champlain*, qui vient de retraverser l'océan après avoir débarqué à New York mille passagers dont Nabokov, est dérouté plus au sud vers le port de La Pallice à La Rochelle, où il explose sur une mine magnétique en début de matinée. Au même moment, le bombardement de la gare de Rennes tue huit cents personnes et les Allemands progressent vers le sud. Au milieu des dizaines de navires, l'imposant paquebot *Lancastria* de la Cunard commence à embarquer les troupes mais aussi des civils, parmi lesquels des femmes et des enfants belges qui ont marché depuis la frontière. La foule est telle qu'on cesse de compter à six mille. Ils sont peut-être neuf mille à bord. En milieu d'après-midi le *Lancastria* est pilonné. Une bombe pénètre dans l'unique cheminée. Les cales explosent. La mer est recouverte d'une vingtaine de centimètres de mazout. L'annonce de la plus grande tragédie maritime de tous les temps – en quelques minutes quatre ou cinq fois les victimes du *Titanic* – est censurée par Churchill.

Ce 17 juin, le fils apprend que son père est à Vallet quand celui-ci est déjà à Châteaubriant. Il lui écrit une première carte après avoir entendu le discours de capitulation de Pétain. Le lendemain, depuis Londres, de Gaulle lance son appel à poursuivre le combat. Churchill reviendra dans ses Mémoires sur le naufrage du *Lancastria*: « J'avais l'intention de laisser passer la nouvelle quelques jours plus tard, mais des événements, si lourds de menaces, s'amoncelaient rapidement au-dessus de nos têtes et j'en oubliai de lever l'interdiction, et il s'écoula un certain temps avant que la nouvelle de cette effroyable catastrophe devînt publique. »

Pendant que de Gaulle rédige son appel, le cuirassé *Jean-Bart* dont l'armement n'est pas achevé s'enfuit de Saint-Nazaire ce 18 juin pour se soustraire aux Allemands. Cette fuite sous les bombes est une prouesse mais l'équipage au lieu de gagner l'Angleterre descend vers le Maroc, mouille devant Casablanca. Les seuls obus tirés par le bâtiment à moitié équipé le seront contre les Alliés qui l'arrosent pendant le débarquement de novembre 1942. Terminé après la guerre, mis en service en 1955, le dernier cuirassé français participera à l'expédition de Suez en 56 avant d'être ferraillé en 70.

Le *Jean-Bart* avait atteint Casablanca le 22 juin. Depuis la veille, les Allemands qui n'ont pu s'en emparer sont à Saint-Nazaire. Aussitôt l'amiral Doenitz entreprend le tracé d'une base sous-marine de quatorze alvéoles et d'une écluse fortifiée. Le quai d'embarquement des paquebots disparaît. La forme Joubert du *Normandie*, la plus grande du monde, de trois cent cinquante mètres de long, est la seule sur l'Atlantique à pouvoir accueillir le cuirassé *Tirpitz* que la Kriegsmarine veut amener de Norvège. Les Anglais montent l'opération Chariot. Le *Campbeltown* est maquillé en bâtiment allemand. Dans la nuit du 28 mars 1942, il se lance sur le caisson d'entrée de la forme-écluse, grand mur d'acier de cinquante-deux mètres de long, dix-sept de hauteur et onze d'épaisseur. La proue éperonne et le navire se saborde. Les commandos anglais, canadiens et écossais font sauter les pompes, se dispersent sur le port où ils sont mitraillés. Le lendemain matin, le navire piégé explose et met l'écluse hors d'usage pour la durée de la guerre. En hommage à ces héros, il nous est à présent interdit d'être triste ou malheureux sinon à quoi bon leur sacrifice.

Dès le 31 mars, le maréchal von Rundstedt vient renforcer le mur de l'Atlantique. Blockhaus, asperges de

Rommel, champs de mines, chevaux de frise, barbelés entourent une forteresse aquatique de La Baule à Pornic, isolée par l'inondation des marais de Guérande, de la Brière et du Boivre. À L'Océan, les officiers occupent l'hôtel Normandy et les villas qui plaisaient autrefois à la bande à Bonnot. Jeunes filles au piano, terre rouge des courts de tennis sous les pins et les magnolias, Villa Maud, les Papillons Bleus, Alta Villa, Ker Egyw, Les Pervenches, et les trois villas du général Marchand héros de Fachoda. Ils réquisitionnent le personnel de maison, font venir des étalons du Cadre noir de Saumur pour trotter le matin sur la plage devant le Grand Hôtel des Plages et du Casino dont cependant on dynamite les tourelles. Ils sont aux premières loges pour assister en février 43 à l'écrasement de Saint-Nazaire par les bombardements alliés. Puisque la base sous-marine est indestructible, elle se dressera sur un champ de ruines.

En avril 44, Rommel agacé est en tournée d'inspection à L'Océan et remonte les bretelles à ces officiers, leur parle de la Russie. Le 6 juin, après le débarquement de Normandie, les chars filent vers Paris que la division Leclerc libère en août, puis vers Berlin où il faut être avant les Russes. À Saint-Nazaire, les Allemands s'enferment dans la poche, une zone circulaire d'une trentaine de kilomètres, de La Roche-Bernard à Pornic par Fégréac, Bouvron, Cordemais, Paimbœuf et Saint-Père-en-Retz. Cent trente mille civils qui attendront un an de plus la libération, prisonniers de trente mille soldats de la Wehrmacht, de la Kriegsmarine mais aussi des Russes blancs, Ukrainiens, Géorgiens, Kirghizes de l'armée de l'ancien héros soviétique Vlassov. Ceux-là qui ont vu la guerre à l'Est se savent perdus dans l'Histoire et sans espoir de retour se livrent au viol et au pillage. Au pourtour de la poche quelques FFI sous les ordres du vieux Brazza, René Malbrant, ancien de l'Institut Pasteur qui fut député de Brazzaville. Le 11 mai 45, les Allemands signent leur reddition. Des prisonniers sont internés au Lazaret. Certains seront employés jusqu'en 47 dans l'agriculture et le déminage. Au printemps de 49 cesse le rationnement des produits laitiers, à l'automne le café est en vente libre. Le Lazaret vidé de ses prisonniers devient la Maison départementale de Mindin. On y expédie de partout des fêlés survivants de la famine, des cinglés divers, ainsi que Taba-Taba.

à La Brévinoise

Après leur tour de France de fuyards au hasard sur ce petit fragment de la planète, ceux-là espèrent trouver leur dernière adresse, leur dernier lieu sur la terre. Depuis l'aube, ils ont suivi cette longue diagonale du Tarn vers le nord-ouest pendant une douzaine d'heures. Le camion stationne rue de la Résistance, devant le cinéma-théâtre Le Brévinois. Le véhicule bâché est chargé de quelques meubles soréziens, des livres dans les malles, des archives récupérées dans les coffres, des cannes à pêche. L'homme que le père était allé rencontrer à Toulouse descend devant eux un escalier sur le côté du bâtiment, ouvre une porte en sous-sol. Ils imaginent devoir entreposer dans la cave leur déménagement. C'est le logement qu'on leur attribue.

Le chauffeur est reparti. Les meubles sont entassés. Ils s'assoient sur les chaises. La pièce est munie d'un vasistas. La mère et la fille pleurent. Ils mangent leurs provisions sorties d'un panier. Jamais pendant la guerre ils n'ont vécu dans un tel gourbi, ni à Bram ni à Moissac. Le père allume sa pipe, le fils une cigarette. Quatre personnes ordinaires essaient de mener leur vie ballottée par l'Histoire. Ils auraient peut-être dû tenter leur chance chacun de son côté. Ils ont juré en janvier 1941, il y a plus de dix ans, de ne plus se séparer. Ils se regardent, à la lumière électrique d'une lampe qui pend au plafond.

Dans les jours qui suivent, le fils se rend au Lazaret, où on lui avait promis un emploi de bureau. Le père commence les entraînements sportifs de La Brévinoise, découpe de petits cartons de propagande manuscrits que Monne va scotcher dans les magasins, « Éducation physique – Gymnastique d'assouplissement – Gymnastique médicale – Leçons particulières ». Elle en prépare elle aussi pour chercher des cours de soutien scolaire à domicile. Ils trouvent à louer une petite villa meublée avenue de Mindin, qu'ils devront quitter avant l'arrivée des estivants pour les bains de mer. Celle-ci est à mi-chemin du Lazaret et du Brévinois, à environ deux kilomètres de part et d'autre.

Le père cherche des heures de cours, écrit à l'ingénieur Albert Chassagne, conseiller général du canton de Paimbœuf, fait valoir ses campagnes militaires, ses médailles. Les Éparges et la Tranchée de Calonne. Vingt-cinq ans plus tard, Vallet et le camp de Châteaubriant. Il attend depuis la Libération de toucher les dommages de guerre pour la maison de Soissons. Le dossier suit son cours.

L'élu de bonne volonté lui répond depuis Troyes : « Voici les renseignements que j'ai recueillis. Deux municipalités dans le département, Couëron et Châteaubriant, rétribuent des moniteurs d'éducation physique. L'État ne peut pas intervenir dans cette rétribution ; il est probable que le Conseil général ne pourra pas prendre une mesure discriminatoire en faveur de deux ou trois communes ; sinon il faudrait que la même libéralité soit appliquée vis-à-vis de toutes les autres. Par contre les communes qui vous intéressent, c'est-à-dire St-Brévin, Paimbœuf et St-Père-en-Retz peuvent parfaitement faire appel à vos services et vous rémunérer après enquête favorable de M. l'inspecteur d'académie. D'après la lettre que je viens de recevoir de celui-ci, il est tout à fait disposé à procéder à cette enquête, mais à la demande des municipalités en question. Il faudrait donc que vous fassiez adresser une telle demande à M. l'inspecteur d'académie par les maires de ces municipalités. Je peux vous appuyer près du maire de Paimbœuf si vous voulez prendre rendez-vous avec lui et avec moi. Mais vis-à-vis des deux autres maires, c'est à vous-même de faire la demande. »

Il n'a pas d'auto, n'a plus l'âge de courir à vélo ces villages à des dizaines de kilomètres à la ronde. On convient d'un arrangement avec le Lazaret. Tous les quatre pourront y loger si le père accepte un poste à temps partiel de gardien. Ils découvrent l'ancien camp de prisonniers de guerre transformé en hôpital psychiatrique, les quinze hectares clôturés. C'est deux fois plus grand que le parc de l'École de Sorèze. Mais c'est le même enfermement protecteur derrière les hauts murs, et tout autant isolé du monde extérieur, en autarcie. Les prisonniers allemands ont laissé des dessins et des graffitis sur les baraques en bois peintes en bleu. Après toutes ces années enfermé dans des camps en Allemagne et en France, le voilà gardien de camp.

au Lazaret

C'est aussi pour eux le premier contact avec la folie, non plus celle de l'Histoire à laquelle ils sont accoutumés mais la démence. Cela leur avait été épargné. Ils côtoient des fous et des psychiatres. Pendant les huit ans que je passerai là, je découvrirai que le regard des autres corps de métiers sur ces derniers est empli d'une crainte suspicieuse, même pour ceux qui n'ont pas lu Proust. Sans pouvoir les formuler, tous se posent les mêmes questions que son narrateur: « Quel est le médecin de fous qui n'aura pas à force de les fréquenter eu sa crise de folie ? Heureux encore s'il peut affirmer que ce n'est pas une folie antérieure et latente qui l'avait voué à s'occuper d'eux. L'objet de ses études, pour un psychiatre, réagit souvent sur lui. Mais avant cela, cet objet, quelle obscure inclination, quel fascinateur effroi le lui avait fait choisir ? »

Jamais non plus ils n'ont fréquenté le génie de la folie, n'ont appris les vies d'Artaud, de Warburg ou de Semmelweis. « Mais cela ne dispense pas les gens sains d'avoir peur quand un fou qui a composé un sublime poème, leur ayant expliqué par les raisons les plus justes qu'il est enfermé par erreur, par la méchanceté de sa femme, les suppliant d'intervenir auprès du directeur de l'asile, gémissant sur les promiscuités qu'on lui impose, conclut ainsi : Tenez, celui qui va venir me parler dans le préau, dont je suis obligé de subir le contact, croit qu'il est Jésus-Christ. Or cela seul suffit à me prouver avec quels aliénés on m'enferme, il ne peut pas être Jésus-Christ, puisque Jésus-Christ c'est moi ! »

Autour d'eux et de Taba-Taba, le paysage hospitalier se transforme. On détruit peu à peu les baraques en bois peintes en bleu des prisonniers de guerre, à mesure qu'on édifie de grands bâtiments de plain-pied peints en blanc. Monne reprend la manie de conserver les journaux. Elle la tient d'Alexandre Pathey, lequel aurait cent ans, en cette année 1953, et pourrait lire, à l'aide de ce pince-nez acheté avant la Première Guerre à Étampes pour sept francs, cet exemplaire du quotidien *Ouest-France*, le jeudi 30 juillet.

On y détaille l'inauguration d'un nouveau pavillon. « Le Lazaret ou Maison départementale de Mindin est sis à trois kilomètres de l'agglomération brévinoise, à quelque cent mètres de l'embarcadère de Mindin pour Saint-Nazaire, en bordure de Loire. » Oublieux du passé, le journaliste prend pour une « pièce d'eau » le reliquat de l'ancien bassin de quarantaine peu à peu comblé. « Avec ses constructions multiples (la plupart œuvre du directeur actuel), encadrées de pins, entourées de plates-bandes fleuries avec au centre une magnifique pièce d'eau, il laisse l'impression d'une propriété ordrée, saine et accueillante. »

Monne n'avait pas découpé l'article et je tournais les pages de ce journal du 30 juillet 1953. Plus au sud, à Pornic, en voilà un dont le compte est bon, et qui va se retrouver au Lazaret : « Il était environ 11 h, lorsque

M. Nitulesco Savu, sujet roumain hôtelier à Paris, en vacances rue de la Source, admirait le paysage à la plage de la Noëveillard, lorsqu'un individu s'approcha de lui, un couteau ouvert à la main et lui disant : C'est ce couteau qui a tué le neveu de Rothschild. M. Nitulesco fut étonné mais l'individu s'approcha encore de lui et essaya de lui flanquer son couteau en pleine poitrine. Il se protégea avec son bras et fut atteint à l'épaule gauche. Le malfaiteur courut vers la jetée et lança son couteau à la mer. Le docteur Margat, appelé sur les lieux, soigna le blessé qui perdait son sang en abondance. La gendarmerie cueillit aussitôt ce fou dangereux qui déclara se nommer Leblanche André, 32 ans, de Paris. »

En face, de l'autre côté de l'estuaire, c'est ce jour-là une autre inauguration, celle du « premier pétrolier construit dans un chantier français pour le compte d'un armement étranger ». Le *Persian-Gulf*, bâtiment de 31 550 tonnes, est lancé à Saint-Nazaire en présence du secrétaire d'État à la Marine marchande, monsieur Ramarony, de l'ambassadeur du Liberia et d'un représentant de l'ambassadeur des États-Unis. En vingt ans, le tonnage passera de 50 000 à 500 000 tonnes, à la suite de la fermeture du canal de Suez et du premier choc pétrolier. Après avoir construit les plus grands paquebots du monde, les Chantiers de l'Atlantique mettront sur cale le *Batillus*, plus grand pétrolier du monde. Ces gigantesques tankers, *Ultra Large Crude Carrier*, après la réouverture du canal, ne navigueront que vers la Chine pour y être ferraillés.

Ce jeudi-là de l'été 1953, alors que le haut Building sur le port de Saint-Nazaire est toujours en construction, la troupe de danseurs de Marc Malka, Les Tropicals, se produit au casino de Saint-Brévin-l'Océan après avoir fait salle comble à La Baule. Dans la rubrique « Sur mon écran », est annoncée au cinéma-théâtre Le Brévinois, pendant une semaine, à 21 h 15, la projection d'un film d'André Haguet, *Il est minuit docteur Schweitzer* : « Ce personnage, dont la gloire est très au-dessus d'un quelconque chanteur de charme, réunit en lui les gloires de Pasteur, du père de Foucauld avec quelque chose de Stanley. Jamais on n'avait vu pareille interprétation de Pierre Fresnay. Pourquoi "il est minuit…" ? : parce que le 1er août 1914, l'administrateur Leblanc, obéissant à son gouvernement, arrêta le docteur Schweitzer, Alsacien donc citoyen allemand, et ferma l'hôpital de Lambaréné. »

Au Lazaret, le fils prend à cœur ce nouveau métier qu'il n'a pas choisi, prépare les concours, essaie d'intégrer l'École nationale de la Santé à Rennes. Il devient chanteur baryton, metteur en scène au théâtre, reprend cette activité qu'il avait entamée à l'École de Sorèze, crée une troupe qui jouera en alternance au Lazaret et au Brévinois. À la lecture de ces vieux programmes, je retrouvais les noms des adultes que j'avais connus enfant, les Redon, Lebrisse, Pasquereau, Leroux, Person, Keréneur, Guennec, Grimaud, Blanchard, Le Goff, Le Cornec, Daussy, Piron, Fauveau, Rabu, Mauclair, Chadeigne, Daligaut, Le Nay, Orain, Lusseau, Michaux, Castagnary, Farcouli, Gallen, Lemasson, Périgaud, pas un seul nom à consonance étrangère. Je mettrais des années à rencontrer un véritable étranger, quand le petit Michel sur son tapis en voyait tant qu'il voulait, et cela exacerbait ma xénophilie.

S'il avait, après Toulouse, suivi comme il s'y préparait sa formation d'officier, en cet été 1953 il se battrait sans doute en Indochine, aux côtés de combattants couverts de gloire à Bir Hakeim pour avoir repoussé les armées hitlériennes de Rommel, et qui se retrouvaient du mauvais côté de la bataille. Le baryton suit dans la presse les longues semaines du siège de Diên Biên Phu jusqu'à la défaite de mai 54. Pour beaucoup de Français, fatigués de la guerre, il faut en finir avec ces aventures coloniales, s'occuper de la France, de sa modernisation, de l'eau chaude et des salles de bains comme chez les Américains.

Les conditions de vie s'améliorent au fil des mois, le pays ruiné se relève, se reconstruit, les salaires augmentent, le chômage est inconnu. Henri Calet, l'auteur de *La Belle Lurette*, l'un des meilleurs écrivains et reporters de l'époque, parcourt les provinces, rédige pour le magazine *Elle* un an plus tard, en mai 1955, « La Loire à la paresseuse ». « À l'horizon, ce fut brusquement un décor métallique : des grues, des ponts roulants, des usines. Je fis mon entrée dans Saint-Nazaire à l'heure de la sortie des chantiers et je fus pris dans une foule d'ouvriers à vélo. À la porte d'un établissement de douches, il y avait une file d'attente : nous étions samedi. J'étais content de me trouver dans un port véritable. L'*Iliade* était en cale sèche, l'*Isidore* en construction, l'*Anjou*, un pétrolier blanc, appareillait. L'air sentait le naphte. »

Entraînés par ce fol optimisme économique, eux qui n'ont plus possédé d'automobile depuis la vente à Dôle, vingt ans plus tôt, de la Renault 6 CV au chef de gare, font l'acquisition d'une Traction-Citroën noire d'occasion, la version longue, la 15, celle sur les portières de laquelle on peignait au blanc de céruse, à la Libération, les lettres capitales FFI. La petite bande est à bord, les deux hommes à l'avant, costumes sombres, gants et cravates, le fils au volant, la mère et la sœur à l'arrière, manteaux et chapeaux, ainsi qu'on les voit sur une photographie prise ce jour-là, avant le départ de l'expédition.

Le père aura attendu quatre ans. En cette année 1956, il veut revoir le camp de Châteaubriant.

une crevaison

C'est l'hiver et la campagne est brumeuse, les arbres défeuillés. Les voies rapides n'ont pas encore été tracées. Plusieurs itinéraires s'offrent à eux. Après avoir pris le bac pour Saint-Nazaire, le plus simple serait de remonter la diagonale nord-est par Bouvron, Blain, Nozay puis Treffieux, d'arriver à Châteaubriant par le sud. Les desseins des dieux marionnettistes sont obscurs. Ils ont brouillé les cartes routières. La Traction monte plus au nord, entre dans le département de l'Ille-et-Vilaine. Depuis Bain-de-Bretagne, elle doit redescendre vers le sud-est sur une trentaine de kilomètres. À mi-chemin, laquelle de ces divinités mineures jeta un clou, brisa un tesson, creusa une ornière dans la rue pentue du village de Teillay, que la petite bande des quatre ne devait pas traverser ?

La pesante Traction noire passe sur le piège. Le fils ralentit, stationne, descend, peut-être comme au cinéma tapote du bout de sa chaussure la roue à plat. L'image est à l'époque fréquente, la qualité des pneus comme des routes est médiocre. Ils sont debout tous les quatre devant chez Aveline, garagiste et pompiste dans le bas du bourg face à l'église. Le véhicule est équipé d'une roue de secours, mais d'une seule, doit faire remarquer

Monne, plutôt du genre à entasser dans le coffre de multiples bombes anti-crevaison si l'ustensile avait existé. Ils souhaitent une réparation immédiate.

Dans le vent froid, tous les quatre remontent l'unique rue qui est la D82, ponctuée des grands soleils noirs des bouses, entrent dans le café-boucherie qu'ils venaient de dépasser. Teillay est un village ébranlé par le fracas des camions-bennes qui sortent des mines de fer. Personne ne s'y arrête, surtout pas quatre piétons en costumes et chapeaux, gants beurre frais, deux couples, un jeune et un vieux, des gens de la ville. Une jeune fille brune à la peau très blanche prend leur commande et disparaît. C'est une femme déjà vieille qui leur apporte le café. Ils lui disent la panne, et qu'ils vont attendre ici au chaud. «Ma doué béniguette», peut-être leur répond-elle.

Cette petite femme est familière des aphorismes. «Avec ta langue et ton vélo tu peux aller partout.» «Il vaut mieux faire envie que pitié», sentence que je retrouverai chez les petites gens de Simenon. Elle ressemble peu aux portraits des princesses, ni Marie-Antoinette ni Anne de Bretagne. Maria de Massard deviendra pourtant le premier greffon aristocratique de cette histoire, dans laquelle il fallait bien qu'il y eût comme dans toute lignée quelques gouttes de sang bleu, de la noblesse en sabots et de la roture en voiture, des riches et des pauvres, l'instituteur laïc et son gendre moniteur catholique, certains de droite et d'autres de gauche, des locataires et des propriétaires, des citadins et des paysans.

De l'autre côté du café-boucherie c'est le sang rouge. Les frères Mortier sont arrivés ici depuis l'Anjou pour construire une briqueterie près de la forêt. Émile a monté seul son modeste empire en autarcie. Il élève ses bêtes avec le foin de ses prairies, les tue et les découpe dans son abattoir, les vend dans sa boucherie. Dans son restaurant on sert cette viande accompagnée des légumes de sa ferme. C'est encore le moment où le cheval et le tracteur se côtoient. Le fils parle un peu, se souvient de son été à Lacapelle-Biron. La mère et la fille se taisent. Le père, perdu dans ses pensées, s'apprête à retourner en l'an 40.

Le fils aimerait voir revenir la jeune fille brune à la peau très blanche, aux seins avantageux, qui peut-être les observe à la dérobée. Après des années de pension à Rennes, elle a déjà refusé d'épouser un médecin et plusieurs marchands de vaches. Elle a vingt-sept ans. Elle aide un peu ses parents, participe un peu aux réunions de la Jeunesse agricole chrétienne, s'ennuie un peu. Elle ne reparaîtra pas. La petite bande des quatre descend la rue principale. Aveline vient d'arracher la flèche olympienne fichée dans le pneu, de boulonner la roue, de s'essuyer les mains sur son bleu, de rédiger la facture.

vers Châteaubriant

La Passat semblait heureuse autant que moi de reprendre la route, frétillante. La N137 à quatre voies coupait à présent verticalement la péninsule armoricaine, mettait Bain-de-Bretagne à un peu plus d'une heure des deux rivages, à mi-chemin de Saint-Nazaire vers le sud et de Saint-Malo vers le nord. J'avais déjeuné à La Croix Verte, hôtel-restaurant bainais, qui se vantait d'avoir accueilli François Ier puis Henri IV mais ne précisait pas ce qu'ils conseillaient dans le menu, traversais Teillay, déposais mon bagage à L'Auberge Bretonne de Châteaubriant où j'avais déjà dormi avec Yersin, place de la Motte, sur laquelle stationne, en ce début de 1956, la Traction noire.

Ces jours derniers, le père s'est replongé dans la guerre, le repli depuis Soissons, les marches de nuit sur les petites routes de l'Aisne dont j'avais repris le parcours au volant, jusqu'à Coulommiers par Neuilly-Saint-Front, le train, et depuis Vallet les deux journées de plus de huit heures de marche forcée sous le soleil de juin, la soif, les pieds en sang dans ses croquenots sans chaussettes au milieu de la colonne de vaincus, les baraques en bois que les Allemands font construire à la hâte sur le champ de courses au nord de la ville, sur la route de Fercé. Ses camarades découvrent la vie de prisonnier qu'il connaît déjà. La soupe claire est la même qu'en Bavière vingt-cinq ans plus tôt.

Il a fouillé au Lazaret dans les archives, retrouvé les petites cartes jaunes du «Service des Prisonniers de Guerre – Franchise Militaire», sur lesquelles il écrivait ici quelques phrases, celles du 10 octobre 1940, après cinq mois déjà au camp :

> Mes Chéris,
> Nous sommes autorisés à vous écrire et j'en profite, quoique pour moi la vie n'a pas changé. Je suis toujours là malgré mes bientôt 50 ans. Enfin j'espère et j'attends. Comme je suis chef de Compagnie j'ai l'autorisation de sortir seul en ville tous les 3 jours. J'en profite pour faire quelques courses pour moi et les amis. Je reçois aujourd'hui la carte de Paul du 1er août, c'est comme vous le voyez des nouvelles fraîches. Vous êtes-vous occupé de la délégation de solde, insistez, vous y avez droit. Je suis proposé à nouveau pour la réforme mais quel en sera le résultat je l'ignore. Surtout ne m'envoyez rien. J'ai tout ce qu'il faut. Ne vous inquiétez pas à mon sujet. Je pourrai tenir le temps qu'il faudra. Mon plus grand souci c'est de ne pas avoir plus souvent de vos nouvelles mais j'espère que vous allez toujours bien.

Depuis l'hippodrome, ils sont revenus dans le centre-ville, à deux ou trois kilomètres. Le père montre les rues dans lesquelles il pouvait marcher deux fois par semaine et je les accompagnais, invisible fantôme du futur, songeais qu'au hasard de ces rues leurs regards avaient pu se croiser déjà en 40, Paul et Émile, le gymnaste de Soissons en uniforme de prisonnier et l'éleveur de Teillay qui menait ses bestiaux à la vente le mercredi. Le fils est distrait. Quinze ans plus tôt il essayait à Bram d'imaginer ces lieux. Aujourd'hui c'est la jeune fille brune à la peau très blanche qui occupe tout son esprit. Il a mémorisé le nom du village de Teillay et prévoit déjà de revenir seul. Le père et le fils marchent côte à côte dans ce même espace mais leurs pensées sont éloignées, l'un tourné vers le passé et l'autre vers l'avenir. Le père vient de relire la lettre que son ami Félicien Boniface, qui l'accompagnait depuis Soissons, lui avait envoyée ici, au camp de Choisel, à son matricule n° 1703, Auflag n° 1 – 5e compagnie.

Boniface avait été réformé dès septembre 40 pour raisons médicales, avait repris son activité de patron du Bar de l'Hôtel de Ville à Saint-Quentin, lui avait écrit le 11 décembre :

« Mon cher camarade Paul, Hélas 3 mois que je t'ai quitté pour rentrer à l'hôpital. Tu dois avoir su la suite. En quelques lignes je te le rappelle. Je fus réformé le 20, après avoir été rechercher mes bagages à Vallet je repris la direction de Saint-Quentin pour y arriver le 21 septembre. Malgré tout je fus heureux de retrouver ma femme et mes enfants à peu près en bonne santé. Je te dis malgré tout, car nous fûmes littéralement dévalisés de nos marchandises et les ¾ des vêtements, mobilier et linge, ce qui nous occasionne une centaine de mille francs de perte. Enfin la santé de ma femme laisse un peu beaucoup à désirer, mais il y a de l'amélioration depuis mon retour. Les enfants ça va ils continuent d'aller en classe. De mon côté ma santé se remet assez bien, mais d'ici quelque temps, je serai obligé de passer sur le billard quand même pour mon appendicite chronique.

Notre commerce va assez bien mais c'est le manque de marchandises. Heureusement que je reçois de temps en temps du muscadet de Vallet. Dès ma rentrée à Saint-Quentin je me suis permis d'écrire à Ricateau chez lui mais la lettre m'est retournée sans adresse, donc il est encore prisonnier ou il est en zone libre. J'ai reçu ces jours derniers une lettre de Dubuch qui est rentré à Paris avec un œil perdu mais non enlevé. De Lepère je ne sais pas ce qu'il est devenu. Le tirage de la Loterie 11e tranche ne nous a pas favorisés encore. Il y a un remboursement de 33 frs, avec cette somme je reprendrai un de ces jours 3/10 en participation ensemble et espérons malgré tout que nous serons plus heureux.

Et toi cher Paul que deviens-tu ? ainsi que ta famille ? Je t'écris à tout hasard à notre ancienne adresse de camp. J'ai vu ces jours derniers plusieurs Saint-Quentinois qui avaient été réformés quelques jours après mon départ et qui ont attendu 2 mois après leurs papiers de libération. Il y avait entre parenthèses Lesur qui faisait l'architecte. Est-ce que Jacquin notre ancien vaguemestre au dépôt est encore avec toi ? Dis-lui que je n'ai pas encore eu le bonheur de pouvoir aller voir ses parents ainsi que les frères, et que j'attends l'occasion favorable pour le faire. Je vous envoie à tous chers camarades mes bonnes amitiés. Et pour toi-même en attendant de te lire reçois une fraternelle poignée de main. Félicien. Dis-moi s'il te manque quelque chose et si je peux je ferai ce qu'il faudra. »

Lui aussi avait fini par être réformé, avait serré la main de ceux qui restaient là et allaient être convoyés vers l'Allemagne. Mais au lieu de remonter dans le Nord, comme Boniface, il était descendu seul vers le sud avec son laissez-passer pour la zone libre et Bram, sa convocation au Centre de démobilisation de Carcassonne.

Nous marchions le long des douves de la forteresse. Ce château breton avait été pris par les Français après un siège au quinzième siècle. Agrémenté Renaissance, il était devenu la résidence de Françoise de Foix, l'amie de François Ier. Celle-ci avait fait traduire pour la première fois en français un fragment de Plutarque, la *Vie d'Antoine*, avec le souci de l'élévation morale de son amant, lequel venait d'instituer le français langue officielle du royaume. Le roi séjournait ici comme ailleurs le temps d'épuiser les ressources du lieu, chassait à courre dans la forêt de Teillay puis gagnait un autre château. Il aurait adjoint à sa suite un jeune nobliau de Massard qui aurait participé à la guerre d'Italie dans le Milanais avant de revenir en Bretagne.

Aspiré par le gouffre du passé, perdu dans l'espace et le temps, je voyais devant moi en 2016 le très beau cube de verre d'un théâtre posé devant le château depuis 1996, à mes côtés la petite bande des quatre qui regagnait la Traction en 1956, et sur cette place trois camions qui passent en trombe en 1941. Il fait beau. C'est le 22 octobre en début d'après-midi. L'abbé Moyon, curé de Béré-de-Châteaubriant, le note dans son témoignage : « Ce fut par une belle journée d'automne. La température était particulièrement douce, un beau soleil brillait depuis le matin. Chacun de la ville se livrait à ses occupations habituelles. Il y avait grande animation dans la cité, puisque c'était mercredi, jour de marché. »

À bord des camions sont menottés vingt-sept prisonniers du camp de Choisel, parmi lesquels les communistes Guy Môquet et Jean-Pierre Timbaud, les trotskystes Marc Bourhis et Pierre Guéguin maire de Concarneau. Les camions prennent la direction du village de Soudan, stoppent après deux kilomètres devant la carrière de la Sablière. Les otages refusent le bandeau et entonnent *La Marseillaise*. Le soir les corps des vingt-sept fusillés sont déposés au château de Françoise de Foix, avant d'être éparpillés le lendemain dans les cimetières des villages alentour.

Aragon leur dédie « La rose et le réséda ». En 2003, les éditions Tallandier publient leurs dernières lettres sous un beau titre, *La Vie à en mourir*, ainsi que le témoignage de l'abbé Moyon, qui recueillit ces lettres et fut le dernier à rencontrer ces athées. « Je revois encore Monsieur Timbaud donnant le bras au jeune Môquet, j'ai devant les yeux le beau visage de jeune homme de dix-sept ans. » Il écrira de mémoire à son retour la déclaration qu'ils lui font. « Monsieur le Curé, me dirent-ils, nous n'avons pas vos convictions religieuses, mais nous nous rejoignons dans l'amour de la Patrie. Nous allons mourir pour la France. C'est à elle que nous faisons le don de notre vie. Nous voulons mourir pour que le peuple de France soit plus heureux. Notre sacrifice ne sera pas inutile, nous le savons, un jour il produira ses fruits. Au commencement de l'Église, vous avez eu vos martyrs, nous ferons du bien comme les martyrs chrétiens. »

Les hommes écrivent debout, la feuille plaquée contre le mur en bois de la baraque. Jean-Pierre Timbaud, l'ouvrier fondeur, jamais scolarisé, trace avec difficulté ces mots pour sa femme et à sa fille :

> Mes deux gran amours sait la derniere lettre que je vous ecrit, je vait etre fusillé dan quelque instant mai cheri ma

main ne tremble pas je suis un honnette travailleur sait vous deux qui ettes a plaindre il vous faudra surmonté se grand malheur soyet courageuse come je le suis. Toute ma vie jais combattue pour une humanité mailleure jais le grandes confiance que vous verait realise mon rêve ma mort aura servie a quelque choses mai derniere pensée serront tout d abord a vous deux mes deux amours de ma vie et puis au grand ideau de ma vie. Au revoire me deux chere amours de ma vi~~vre~~ du courage vous me le juré vive la France vive le proletariat international.
encore une fois tan que jai la force de la faire des million de baiser celui qui vous adore pour l'éternité.

Timbaud.

ci join 500 fran que javai ~~pour~~ sur moi il vous serviront un million de baisés.

Pierrot.

l'idylle

Après avoir vu la Sablière, assis à l'avant de la Traction, sur le chemin du retour vers Saint-Nazaire, le père se demande ce qu'ils ont bien pu devenir, Boniface et les autres survivants, perdus de vue. Assis au volant de la Passat, je revoyais mon séjour à Saint-Quentin six mois plus tôt, hôtel Mémorial, chambre 101, non loin de la mairie à carillon et de l'exposition des photographies de John Foley. Sur cette place, on ne trouvait plus de Bar de l'Hôtel de Ville, mais deux cafés, L'Univers et L'Édito. L'un des deux avait été celui de Félicien Boniface, dans lequel les Saint-Quentinois, par les hasards de la guerre, avaient pu découvrir en 1940 le muscadet de Vallet. Je m'apprêtais à partir pour la Chine et me demandais si l'on pouvait y trouver les dernières lettres des millions de condamnés exécutés.

Depuis le Lazaret, le fils reprend contact avec son ami Michel Duthil du temps de Moissac, lequel les avait mis en contact avec La Brévinoise. Il lui apprend qu'il vient d'être titularisé fonctionnaire de l'État, lui raconte sa vie à l'hôpital, son projet d'intégrer l'École de la Santé, ses activités théâtrales, les mises en scène qu'il prépare, les opérettes dans lesquelles il chante les airs du baryton. Parce que la guerre jamais ne cesse, le jeune médecin lui répond le 18 avril 1956 depuis Bir el-Ater en Algérie, non loin de la frontière tunisienne :

« Mon cher Paul,

J'ai bien reçu en son temps ta lettre du 15 mars. Je te remercie du programme et te félicite pour tes talents d'acteur. Je pense en effet que cela doit être bien pénible de répéter pendant plusieurs mois la même pièce. Enfin tu me dis que cela va bien, c'est le principal.

Je devais être démobilisé en juin et n'ayant jamais obtenu de permission je devais même rentrer en France dans 20 jours. Mais voilà que les socialistes sont devenus colonialistes et militaristes à la fois et cela avec la bénédiction du parti communiste (on aura tout vu) et me voici moi maintenu ad vitam aeternam. Cela ne m'amuse pas beaucoup car j'ai autre chose à faire qu'à tuer le temps à Bir el-Ater. La région devient de moins en moins sûre… enfin secret militaire !!

J'ai reçu deux bonnes nouvelles dernièrement, ma thèse a reçu une médaille de la Fac, ce qui me donne droit au titre de lauréat de la Faculté et ensuite je viens d'être nommé sous-lieutenant avec effet du 1er janvier ce qui change très considérablement ma solde (je passe de 90 frs par jour à 100 000 par mois). Cependant je ne suis pas devenu militariste pour autant.

Il commence à faire relativement chaud ici. »

En ce printemps de 1956, la guerre d'Algérie devient plus meurtrière. Nasser nationalise le canal en juillet. On brûle en effigie Ferdinand de Lesseps. La Tunisie, le Maroc et le Soudan accèdent à l'indépendance. Derrière la montée des nationalismes arabes, Malraux décèle un mouvement plus profond, écrit le 3 juin 1956 que « c'est le grand phénomène de notre époque que la violence de la poussée islamique. Sous-estimée par la plupart de nos contemporains, cette montée de l'islam est analogiquement comparable aux débuts du communisme du temps de Lénine».

Michel Duthil sortira indemne du guêpier, entamera sa spécialisation en cardiologie. Ils continueront à s'écrire. Il lui enverra depuis Moissac son faire-part de mariage en 1961. En 2015, pendant ces quelques journées passées dans la 208 du Moulin-de-Moissac, j'étais allé voir la belle adresse du cardiologue, 7 rue Malaveille, au-dessus de la place des Récollets, avec vue sur le marché couvert et la halle offerte par la Ville de Paris après les inondations de 1930, devenue Hall de Paris, salle de spectacle art déco. Cet immeuble du 7 portait en grand frontispice, au-dessus de ses deux étages, l'inscription «À la Ville de Paris», en remerciement.

Afin d'être libre de ses mouvements, et parce que la Traction noire ça fait un peu notaire, le fils achète une moto qui lui donne un air davantage aventurier. Il se rend à Teillay, entre au café, pose son casque et ses gants, son écharpe. Parfois il aperçoit la jeune fille brune et parfois non. Elle envoie Odette, la bonne, prendre sa commande. Elle voit bien son manège.

Pendant des semaines, il va écrire chaque jour à la jeune fille. Il trouve une chambre dans le village où passer parfois la nuit, se fait des camarades, apprend à jouer au palet. Devant tant d'obstination, la jeune fille se dérobe mais parfois lui sourit. Ils échangent quelques mots, un jour elle répond à ses courriers. Les fiançailles durent des mois. On peut devoir son existence à l'éclatement d'un pneu. En janvier 1957, la voilà au Lazaret où elle rejoint la petite bande des quatre, découvre le règlement intérieur qui est celui d'un camp. Ils sont cinq à présent, enfermés dans ce camp. C'est la nouvelle petite bande. Nous serons bientôt six détenus. Pour eux c'est un cocon, pour elle et moi une prison.

extraits du règlement intérieur

Article 50 : Les employés qui logent dans l'établissement doivent être rentrés à 22 heures.

Article 51 : Le personnel et les hospitalisés changent de linge toutes les semaines. Les draps de lit sont renouvelés tous les quinze jours.
Les employés de l'établissement sont tenus à une parfaite propreté. Ils doivent prendre un bain ou un bain-douche tous les mois et un bain de pied toutes les semaines.

Article 59 : Le personnel et les malades seront astreints à faire visiter au concierge les paquets ou colis en leur possession tant à l'entrée qu'à la sortie de l'établissement.

Article 65 : Il est absolument interdit au personnel de l'établissement et aux malades de se rendre dans un service sans y avoir été appelé pour un motif valable.

Article 66 : Il est absolument interdit au personnel de l'établissement, sous peine de sanctions, de faire pénétrer des personnes étrangères à l'intérieur de la propriété sans avoir au préalable obtenu l'autorisation du Directeur.

des petites traces

Immobile au milieu des déplacements incessants de vingt-cinq millions de Shanghaiens, depuis les trois fenêtres de la 605 de l'Astor House, je voyais glisser sur le fleuve Huangpu paquebots de croisière, péniches et bateaux-mouches, le Bund et la beauté des lignes élancées des édifices de Pudong par-delà les toits du consulat russe. En ce mois d'avril 2016, allongé sur ce lit comme sur celui du Barceló de Managua en mai 2015 où je m'étais lancé dans ce projet monnesque, je relisais les carnets griffonnés depuis mon retour du Soudan en février, le bref séjour à Châteaubriant puis le départ pour Pékin.

Les yeux fermés, je tentais de retrouver en accéléré les péripéties chinoises et françaises depuis l'époque de la petite fille en blanc, née au milieu du dix-neuvième siècle pendant la révolte ici des Taiping – par ironie la « Grande Paix » –, lorsque l'illuminé Hong Xiuquan, qui se prétendait frère de Jésus-Christ, avait lancé la guerre paysanne la plus meurtrière de l'Histoire, vingt millions de morts en dix ans, prônant l'égalité, la fraternité et la propriété collective des terres, croisade hygiéniste prohibant l'alcool, le tabac et l'opium. Ses troupes avaient été vaincues ici à Shanghai par « l'Armée toujours victorieuse» commandée par Charles George Gordon pour le compte des Qing. Ce fait d'armes avait valu à l'Anglais de devenir Chinese Gordon, avant de devenir Gordon Pacha à Khartoum.

Cinq mois après la naissance au Caire de la petite fille en blanc, le traité de Tientsin avait mis fin, en juin 1858, à la deuxième guerre de l'opium et contraint la Chine à ouvrir ses ports au libre commerce de cette denrée, à octroyer aux puissances occidentales des concessions qui deviendraient des petites villes hors-sol, et que j'étais allé arpenter à Tientsin devenue Tianjin. À la suite de quelques massacres d'Européens et du refus d'accueillir des ambassades, les armées française et anglaise avaient pris Pékin en 1860, saccagé le palais d'Été laissé depuis lors en ruine comme Oradour. À ces exactions participèrent Chinese Gordon et Francis Garnier, le futur explorateur français du Mékong.

Fixant le plafond, mains rassemblées derrière la nuque, je voyais dans la cour de l'école de Chailly, en 1899, Alexandre Pathey qui apprenait à la lecture de *L'Abeille d'Étampes* le déclenchement de la guerre des Boxeurs contre l'occupation occidentale, le combat côte à côte des armées coloniales française et allemande, partait chercher dans la réserve la carte Vidal-Lablache de la Chine. Il ne pouvait imaginer que Pékin serait un jour à dix heures de Paris, plus proche qu'alors Marseille en train, qu'en 1949 Mao Zedong ou le Mao Tsé-Toung de mon enfance prendrait le pouvoir et que fin 1956, pendant que sa fille Eugénie vivrait au Lazaret de Mindin, Mao lancerait les Cent Fleurs, et deux ans plus tard le Grand Bond en avant, provoquant une famine responsable de la mort de plusieurs millions de ses compatriotes.

Après un voyage dans le Shandong, j'avais quitté Qingdao qui fut Tsingtao, pris le train express à destination de Jinan, songeant qu'ici peut-être était l'avenir du monde, après son européanisation puis son américanisation sa sinisation. J'avais vu les poussières grises du ciment et les fumées d'usine nimber le soleil, peu d'oiseaux, quelques pies le long des rails, morne campagne ponctuée de hautes tours d'habitations en forêts de béton sur la plaine saccagée. J'étais descendu au Blue Horizon où j'occupais la chambre 1015 avec vue sur un chantier de terrassement et des immeubles laids, sans horizon ni ciel bleu.

Dans un salon de cet hôtel, meublé de fauteuils de feutre rouge, j'avais retrouvé notre ambassadeur Maurice Gourdault-Montagne. Après que je l'avais interrogé, il m'avait exposé sa théorie des arcs-boutants. Dans cette vision architecturale, si la France pouvait se tenir haute et droite, c'était par ses lointains soutiens et la Chine en était un, solide. Il m'avait recommandé la lecture des derniers livres de Benoît Vermander, jésuite français de l'université de Shanghai. Trente à quarante mille anciens étudiants formés en France adhéraient au Club France et bénéficiaient de visas permanents. Trente mille Français travaillaient ici dans des entreprises comme Airbus, même si le nombre diminuait un peu à cause de la pollution et de la sinisation des cadres. Il me confirmait l'importance de la lettre de Hugo après le sac du palais d'Été en 1860, quand pas un écrivain anglais ne s'était indigné.

Nous en étions venus à évoquer le patrimoine immobilier diplomatique. J'avais appris quelques mois plus tôt, à Vienne, la vente au Qatar du palais Clam-Gallas qui abritait l'Institut français d'Autriche et la déplorais. Maurice Gourdault-Montagne, qui avait été ambassadeur au Royaume-Uni, mentionnait les problèmes de la Résidence à Londres avec son voisin millionnaire qui voulait creuser un musée d'automobiles. Et d'un coup je n'étais plus dans cet hôtel de Jinan mais dans cette grande bâtisse blanche devant Kensington Gardens en compagnie des petites bandes du *Canard enchaîné* et de *Charlie Hebdo*. C'est son prédécesseur Luc de La Barre de Nanteuil qui nous reçoit à la fin des années quatre-vingt. Cabu porte une cravate rigolote bariolée et trop courte. Je suis au chalet dans le Valais le 7 janvier 2015 et lis cette phrase de Malraux, «je me trouvais, avant Diên Biên Phu, avec quelques amis dans un chalet du Valais, devant des touristes labichiens qui regardaient le mont Blanc à travers une énorme lunette», je repose les *Antimémoires* pour m'approcher de la fenêtre et retrouver le mont Blanc très loin à main droite, par-delà le lac invisible, pendant qu'une alerte retentit suivie de quelques mots sur l'écran de mon téléphone. Je pose une main sur l'épaule de Véronique qui corrige sur la terrasse les épreuves de l'*Accattone* de Pier Paolo Pasolini. Nous revenons dans le salon et allumons la radio.

Parmi les douze morts on comptait Georges Wolinski que j'avais vu quelques semaines plus tôt et qui m'avait offert mon portrait érotique. Lui aussi était de notre vieille expédition londonienne. Je n'avais jamais rencontré l'économiste Bernard Maris dont le dernier livre paraîtrait de manière posthume, *Et si on aimait la France*, texte assez gaullien reprenant l'histoire du pays depuis Bonaparte : «Avec plus de vingt millions d'habitants, la France est le pays le plus peuplé du monde derrière la Chine et l'Inde. Elle est un peu plus peuplée que la Russie. Elle est la Chine de l'Europe.» L'ambassadeur avait regagné Pékin et j'étais parti pour le Sichuan à Chengdu. Au centre de la ville circulaire se dressait la haute statue blanche de Mao en pied, et tout autour régnaient l'économie libérale et la lutte des classes séchouanaises. Les Ouïghours musulmans vendaient sur les trottoirs leurs brochettes de mouton sur les braseros. Je m'étais réfugié au temple de Wenshu, tout un village avec ses différents lieux de culte, le monastère, les jardins et les parcs, ginkgos et forêt de bambous, des coqs et des poules, des bassins de tortues et de carpes dorées, iris et papyrus, oiseaux et papillons, maison de thé au bord d'une fontaine, premier havre de paix et de silence depuis des semaines.

Dans une cour, des moines et moinillons jouaient au badminton et au ping-pong. L'un d'eux avait posé sa raquette pour venir me parler. Il était vêtu de la robe grise des novices et m'avait identifié comme, disait-il, potentiellement français. Il était heureux d'avoir vu juste, parce que c'était sa seule langue étrangère. Pendant quatre ans, il avait suivi des études d'ingénieur en énergie thermique à Longwy.

«Dans le département de la Meurthe-et-Moselle», précisait-il.

Taba-Taba m'accompagnait partout, à Hangzhou nous avions passé tout un après-midi sur un banc devant le Grand Canal bordé de saules pleureurs où voletaient des papillons bleu et noir. Des péniches glissaient vers Pékin à plus de mille cinq cents kilomètres. Les travaux avaient débuté ici sous la dynastie des Sui à la fin du sixième siècle sous le règne de Clovis, et ce savoir-faire serait peut-être un jour adapté au creusement du canal du Nicaragua. À Shanghai nous empruntions le petit métro sous le fleuve Huangpu aux décorations de lasers psychédéliques. La nuit le pont Waibaidu était illuminé de rouge vif parce que même à Shanghai l'Orient est rouge. J'avais appris en Chine au mois de mars les trente-deux morts dans les attentats de Bruxelles. Des mouvements islamistes agitaient régulièrement le Xinjiang. La police affirmait y avoir abattu d'assez nombreux terroristes.

deux carnets

J'avais trouvé dans les archives de Monne deux carnets alphabétiques offerts par *L'Union – Compagnie d'Assurance sur la Vie humaine, fondée en 1829 et établie à Paris place Vendôme*, de douze centimètres de haut sur huit de large.

Le premier avait servi de carnet d'adresses et je copiais celles qui me paraissaient romanesques. Roger Dubief au 80 de la rue de Lyon à Mâcon. Étienne Barriera à Cannes-la-Boca. Un Bonnet-Dupeyron, 5 rue Duguay-Trouin à Paris dans le sixième. M. et Mme Roesch à Honfleur, 20 rue Charrière. Claude et Marcel Leffère, 22 avenue Carnot à Paris dans le dix-septième. Alain Dulac, 23 avenue de la Gare à Fribourg en Suisse. Jean Mistler d'Auriol, 11 rue de l'Université à Paris dans le septième. Mlle Delonca à Taroudant au Maroc. Le père Ferdinand, aux bons soins de la Mission catholique de Nola, Haute-Sangha en Oubangui-Chari. Le garage Pasquier à Tharon-Plage. Gilette Back, au 22-bis rue de Chartres à Neuilly-sur-Seine. Clotilde Argot, 15 rue Jeanne-d'Arc à Saint-Mandé.

Ces noms de l'après-guerre donnaient envie de chercher les traces de ceux qui les avaient portés, de retrouver leur vie, les hasards qui firent se rencontrer leurs parents, les autres coïncidences qui les rassemblèrent à leur insu dans un même carnet, leurs enfants s'ils en eurent à l'exception de ce père Ferdinand, qui peut-être sut résister aux terribles tentations que le démon lança devant lui jusqu'en son église de l'Oubangui-Chari, leurs descendants dont il m'est arrivé sans doute de croiser le regard dans le métro ou dans un bistrot, leurs rires, leurs infortunes, leurs comptes en banque et les emprunts et toutes ces admirables petites choses de la vie matérielle. Ce carnet datait de Sorèze où le gymnaste avait fréquenté Jean Mistler, mais certains contacts étaient plus récents. J'ai connu ce Pasquier, garagiste à Tharon-Plage.

Dans les lettres revenaient aussi, jusqu'en 1955, le nom et l'adresse modianesques de Gilette Back, qui disparaissaient par la suite. Elle avait épousé André Pathey, instituteur comme son grand-père Alexandre. Il était le fils unique d'Eugène Pathey, qu'on vit en 1898 se jeter au cou d'un cheval emballé en gare d'Étampes.

André s'était tué à moto le 11 novembre 1955. La famille de Gilette Back avait refusé qu'on l'accueillît au caveau familial du Père-Lachaise. Il était enterré à Seine-Port en Seine-et-Marne. Depuis Saint-Germain-Laval où il faisait classe, il avait écrit le 15 septembre 1946 à son cousin Loulou à Sorèze : « Au sujet des photos que vous nous demandez, Gilette vous les adressera aussitôt qu'elle les aura. Nous allons passer quelques jours chez ma belle-mère du 18 au 23 septembre, visite d'adieu sans doute pour Colette et son mari qui doivent partir prochainement en Argentine à Buenos-Ayres. Ils doivent s'embarquer à Marseille et passer par Alger, Casablanca, les Açores puis se lancer à travers la grande mare. Mon beau-frère qui a fait partie de la célèbre 2e DB de Leclerc a trouvé un navire en partance grâce à un ancien de la Division. Et voilà pour les nouvelles. » De très lointains cousins par alliance à la mode de Bretagne connaissaient peut-être la suite de l'histoire de ces émigrés français devenus argentins.

Pendant cinq ans à Sorèze, la vie de Monne avait été partagée entre les bonnes œuvres et la lecture. Elle avait utilisé le carnet jumeau de *L'Union* pour dresser l'inventaire de ses livres. Quelque deux cent cinquante romans qu'elle avait lus rue de Puyvert puis rue Lacordaire, de cent trente-huit auteurs classés par ordre alphabétique, de Mathilde Alanic à Émile Zola. Un biographe consciencieux devrait commencer par lire ces deux cent cinquante romans.

un dimanche au bord de la mer

La petite fille d'Égypte en robe blanche et dentelles aurait pu, à quatre-vingt-dix-neuf ans, féliciter Loulou d'être père. Les femmes du Lazaret accouchaient à Paimbœuf pour éviter la navigation houleuse du bac pour Saint-Nazaire. Deux mois plus tôt avait commencé la construction du paquebot *France*. Cette semaine-là de décembre 1957, on donnait au théâtre *Les Cloches de Corneville* et Camus recevait le Nobel. La rentrée littéraire était de haut vol. Max Frisch publiait *Homo Faber*, Malraux *La Métamorphose des dieux*, Barthes *Mythologies*. Gallimard rééditait les *Vies imaginaires* de Marcel Schwob. Les Éditions de Minuit publiaient *Fin de partie* de Beckett, *La Jalousie* de Robbe-Grillet, *Le Vent* de Simon, *Tropismes* de Sarraute, *La Modification* de Butor et *Rébus* de Gégauff. On ne s'apercevrait que trois ans plus tard que dans mon combat prénatal avec l'ange, je m'étais comme Jacob blessé à la hanche.

Dans son landau puis assis en coulisses un enfant peut s'imbiber de traces minuscules. Je lisais les programmes ronéotypés que Monne avait conservés. En 1958 *L'Arlésienne* d'Alphonse Daudet, musique de Georges Bizet, puis *Les Saltimbanques*, opéra-comique de Maurice Ordonneau. En 1959 *Les Mousquetaires au couvent*, de Paul Ferrier et Jules Prével, *Pipérazine* de Lina Roth, *Ces dames aux chapeaux verts* de Germaine et Albert Acremant, *Les Oberlé* d'après le roman de René Bazin. En 1960 c'est l'opération, la greffe, le lancement du *France*. Allongé sur ma carriole, j'assiste plusieurs fois aux mêmes représentations dont je commence à mémoriser des phrases. *La Mascotte* d'Audran, en 1961 *Le Bossu* d'après Paul Féval, en 1963 *Fanfan la Tulipe*, opérette de Louis Varney, en 1964 *Ciboulette* de Reynaldo Hahn, en 1965 *Vitrail* de René Fauchois et *Les Travailleurs de la mer*, drame en deux actes de Marcel Dubois d'après l'œuvre de Victor Hugo. J'ai bientôt huit ans, je vais quitter le Lazaret.

Toutes ces manigances des dieux marionnettistes, j'avais résolu d'y mettre fin. Le petit pêcheur de crevettes à Mindin au short trop grand sur ses guiboles en flûtes voulait rejoindre la cohorte des enfants qu'on croit disparus dans les accidents. Je profiterais de l'ennuyeux pique-nique dominical dans les dunes de L'Océan. Tout était alors politique même les automobiles. Les Renault étaient de gauche, les Citroën et les Peugeot de droite. La Panhard PL-17 à bord de laquelle nous gagnons L'Océan est cependant d'obédience indécise.

La petite bande des cinq sort du coffre les draps de bain, la nappe, la vaisselle. Je choisis le véhicule à quelques centaines de mètres qui se dirige vers nous à vive allure sur la longue ligne droite du boulevard de mer. Je regarde de l'autre côté une dernière fois la petite bande. Je laisse approcher le pare-chocs luisant sur lequel sont anamorphosés le ciel bleu et les pins, tends les muscles pour me jeter vers la calandre ou bien sous les roues j'hésite. Je ne me jette pas vers la voiture. Elle est passée. La tête en feu, je traverse à mon tour le boulevard et les rejoins. On a disposé à mon intention un petit fauteuil à l'ombre, parce que la butée greffée interdit à la jambe de plier et que je ne pourrai jamais m'asseoir par terre. Je fais le clown, l'acrobate, marche sur les mains mieux que sur les pieds ainsi que me l'a enseigné le gymnaste. Ils rient alors qu'ils pourraient être assemblés autour de l'ambulance. On se croit seul et plus tard on découvre à la lecture la banalité des faits, souligne une phrase d'Artaud dans une lettre de Rodez. « Je me souviens depuis l'âge de huit ans, et même avant, m'être toujours demandé qui j'étais, ce que j'étais, et pourquoi vivre. »

Ces idées tous les enfants les sécrètent et les remuent, certains pour elles se tuent sans qu'on puisse le savoir, la plupart peut-être les oublient, d'autres écrivent comme on lance en pleine mer ses fusées de détresse, ils vivent ensuite derrière une vitre épaisse. Je regardais le gymnaste qui ne pouvait plus marcher sur les mains depuis sa balle dans le coude, j'imaginais sa vie double à présent, celle sans l'accident et celle avec, qu'il n'imaginera jamais, et l'anonyme chauffeur non plus, qu'on n'aurait jamais cru. Il s'est jeté sous mes roues. J'étais rentré au Lazaret décalé, fantôme jouissant du privilège de savoir que tout cela qu'est la vie n'a pas grande importance mais qu'on peut s'y résoudre un peu. L'enfant et l'adulte s'assoient sur les marches de la porte monumentale, l'amnésique et l'hypermnésique, balancent en rythme lent le torse d'arrière en avant, ânonnent le bel alexandrin sans paroles comme un mantra.

Cinquante ans plus tard, j'étais retourné seul au Lazaret dans lequel on entrait à présent comme dans un moulin. Le bassin de quarantaine était une marre à canards au bord de quoi paissaient deux lamas. On allait raser, me disait-on, le théâtre à l'abandon devenu hangar. On ne pouvait cependant détruire la porte monumentale et les appartements des deux ailes, inscrits à quelque inventaire patrimonial. En attendant qu'ils s'écroulent d'eux-mêmes sans blesser personne, on les avait entourés de palissades que j'écartais. La cour pavée et les marches avaient disparu sous une rampe en béton pour les fauteuils roulants. Les trois pièces minuscules à main droite où habitait le Chevalier noir avaient un temps servi de laboratoire radiologique avant d'être condamnées. Un appentis avait été détruit, dans lequel vivait Jeannot le lapin blanc aux yeux rouges qui chaque jour se rendait seul à la Cuisine pour recevoir sa pitance. Je ne pouvais plus me glisser entre les barreaux de la grille, l'avais contournée pour descendre sur la plage, observais des débris rejetés par les vagues, des bois flottés emmêlés de goémon, une chaussure, un morceau de filet de pêche, une bouteille.

L'estuaire est ici large comme le Bosphore à Istanbul entre l'Europe et l'Asie, moins qu'en Afrique le fleuve Congo entre Brazzaville et Kinshasa. J'étais un enfant de huit ans exilé du Lazaret tout étonné d'être de retour et si vieux à ses yeux, qui imaginait alors mettre le pied sur la source de la Loire au mont Gerbier-de-Jonc pour l'assécher, voir apparaître dans la vase les épaves de la flotte de César venue combattre les Vénètes. Devant la fenêtre de la cuisine, Bougainville partait en 1766 pour son tour du monde. Les voiliers du commerce triangulaire remontaient à Nantes. En 1793, le valeureux Daniel Savary, capitaine de *La Capricieuse*, frégate de trois cents marins et cinquante canons, détruisait les batteries royalistes de Saint-Nazaire, débarquait à Mindin, taillait en pièces les Vendéens de La Cathelinière. En 1816, *La Méduse*, que l'Empereur avait vue sur cale à Paimbœuf, partait pour l'Afrique où elle n'arriverait pas. En 1861 éclatait l'épidémie de fièvre jaune et on accélérait la construction du Lazaret. Je m'étais assis auprès de Taba-Taba, lui disais que je venais de faire un tour à l'extérieur et revenais prendre ma place sur les marches.

à Mindin

On peut avoir de loin l'impression que la guerre est finie avec la fin de la guerre. La Libération. Les drapeaux. La lecture d'une petite liasse de courriers administratifs modifiait cette vision. Le 28 octobre 1946 est promulguée la loi sur les indemnités pour dommages de guerre. Le 30 octobre 1951, le gymnaste reçoit un courrier du « Ministère de la Reconstruction et de l'Urbanisme, délégation de l'Aisne – Cause du sinistre : Occupation allemande. Prorata de destruction : à déterminer ultérieurement » –, qui lui alloue un acompte provisionnel de 72 000 frs sur la Perception de Dourgne (Tarn). Mais ils viennent de quitter le Midi pour la Bretagne.

Le temps que le dossier change de département, on leur écrit le 8 mars 1952 que cette avance doit leur parvenir du Crédit national via la perception de Paimbœuf. Le 12 décembre 1955, on leur annonce une « décision d'inscription en priorité » : un versement en espèces de 16 800 francs et une « fraction d'indemnités dont le règlement est assuré sous forme de titres » pour un montant de 38 000 francs. Le 9 février 1957, dix-sept ans après qu'ils ont abandonné leur maison comme des millions d'habitants du Nord et de l'Est, leur parvient un courrier du Secrétariat d'État à la Reconstruction et au Logement, Direction des services départementaux de l'Aisne – Lieu du sinistre : Soissons – dossier n° 51911/982 M : « J'ai l'honneur de vous faire connaître qu'une réquisition de paiement de 38 000 frs (titres) sera prise en votre faveur dans les meilleurs délais. »

Peut-être ont-ils finalement touché cette indemnité. Peut-être l'ont-ils ajoutée à un emprunt pour acquérir un terrain sablonneux planté de pins maritimes à Mindin, non loin de l'embarcadère des bacs. Ils font bâtir une petite villa. Monne l'appelle Turquoise, peint les volets de cette couleur. Elle dispose d'un bureau-bibliothèque où dispenser ses cours particuliers, d'un canapé où patientent les élèves. Après qu'elle m'avait appris à lire et à écrire sur ma carriole, elle m'enseignait dans cette pièce les autres disciplines. Par la fenêtre entraient l'odeur des giroflées jaune et rouge et du sainfoin à fleurs mauves, le roucoulement des tourterelles. Sous les pins, elle avait dessiné avec des galets des parterres de fleurs emplis d'abeilles.

Dans le salon obscur où sa mère ne quitte plus son fauteuil, on prend à cinq heures du thé au lait et des rôties, joue des parties de Nain jaune comme dans Hugo. Cela pourrait durer mille ans, au centre du monde. Tous les enfants sont pré-coperniciens puis découvrent que rien n'est stable, que les continents dérivent, que l'univers est en expansion, que tout se dérobe malgré les efforts de l'État, des fonctionnaires et du Général lui-même. Dans l'optimisme de ces années soixante, des progrès médicaux, de la conquête spatiale, on dit aux enfants que c'est à présent la paix dans le monde, que bientôt on ira sur la Lune, que ce bonheur est éternel.

L'hiver, on jouera toujours aux boules de neige, l'été à courir dans les vagues. Les paysages seront toujours là. Ne disparaîtront pas la moitié des animaux sauvages de la planète, et les oiseaux et les papillons.

Les jours de compositions scolaires, dans un souci de socialisation, mais c'est peine perdue, le gymnaste accompagne l'enfant dispensé de cours dans une classe de l'école Saint-Joseph, derrière le cinéma-théâtre Le Brévinois, au milieu d'élèves de son âge qui le détestent. À la fin de l'année, le petit monstre de cirque frappé d'hypermnésie avance fièrement sous les tilleuls dans l'or de juillet, gravit les marches de l'estrade à l'appel de son nom, redescend les bras chargés des livres de prix aux grandes couvertures rouges cartonnées. On rapporte ça villa Turquoise, au 14 de l'avenue Raymond-Poincaré, présente les trophées à Eugénie-Alexandrine qui sourit un peu.

Pendant quinze ans, elle ne parcourra que ces quelques mètres entre son lit et son fauteuil, jamais ne se hasardera jusqu'à la cuisine au bout du couloir, jamais ne lira un livre ni un journal. Elle suçotera des pastilles Pulmoll, trempera ses lèvres dans les infusions, promènera les yeux vagues de sa neurasthénie sur la copie de *L'Angélus*, parce que c'est le clocher de Chailly-en-Bière à l'horizon, qu'elle était heureuse, et que Millet comme ses parents reposent depuis des dizaines d'années dans ce cimetière de Chailly sur le chemin de Villiers, qui avance vers la forêt encombrée de gros rochers arrondis. Un matin de février, elle demandera qu'on la mène au jardin voir une dernière fois les mimosas en fleur et s'éteindra.

Chaque matin, le gymnaste actionne la manivelle du moulin à café, puis celle d'un autre moulin réservé au blé pour les tourterelles. Son sac-matelot à l'épaule, il traverse le terrain vague de dunes hérissées d'oyats et de cinéraires. Avenue de Mindin, le boucher Vandervène prend le crayon gras sur son oreille, écrit sur le papier sulfurisé le prix des biftecks et du mou pour les chats. Sur le chemin du retour, devant l'estuaire et les chalutiers et leur odeur de poiscaille, il achète *Ouest-France* au café-tabac du Débarcadère. Dans la cuisine il épluche les légumes, emplit la grille des mots croisés, découpe le mou aux ciseaux, caresse les chats, allume sa pipe. Que sa femme et ses enfants soient vivants, aient un toit, mangent à leur faim, reçoivent des soins s'ils sont malades : tout cela qui me paraissait si ennuyeux était pour lui un miracle. Comme beaucoup d'hommes de son âge il a tué des hommes. Dans la paix de ces années soixante puis soixante-dix on ne le comprend plus. On le lui reprocherait presque. Il n'en parle pas.

Dans le coffre de la 2 CV qu'il vient d'acheter, il dépose ses cannes en bambou à jonctions de laiton pour la pêche en eau douce, quand tout le monde ici pêche en mer au lancer. Nous roulons jusqu'au canal du Migron latéral à la Loire. Aux flots et aux vagues il préfère ce décor paisible qui pourrait être l'Aisne ou le canal du Midi, les berges piquetées de boutons-d'or. Au fond du panier de mailles, il dépose une poignée d'herbe fraîche sur laquelle scintilleront les gardons, s'assoit, nourrit les vertus qui furent les siennes, le calme, la mesure et la politesse, voit devant lui le bouchon rouge et blanc et tout ce qu'il a vécu, son frère Henri qui pourrait être assis auprès de lui tenant une autre gaule, ce frère qui lui avait intimé de rompre son amourette, lui avait assuré qu'après la guerre, la vie allait être «intéressante pour ceux qui auront leurs quatre pattes pour en profiter».

Il sait que la lettre d'Annie est quelque part dans les archives, après qu'elle a passé l'autre guerre dans un coffre. Il lui avait écrit depuis Soissons qu'il n'irait pas la retrouver à Paris. Elle lui avait répondu aussitôt, le 4 août 1919:

> Mon cher Paul,
> Je reçois votre lettre du 1er et je vous avoue que sur le moment j'ai éprouvé bien de la peine. Après avoir bien réfléchi à tout, je me rends à l'évidence que toutes ces raisons sont justifiées, et j'en ai pris mon parti, me disant qu'à bien prendre la vie étant si chère à Paris, presque impossible de trouver à se loger, et pour en finir que la capitale n'avait pas le monopole du bonheur, que l'on est aussi heureux ailleurs, que plus tard tout étant rentré dans l'ordre, «nous» pourrions revenir à Paris, cela vaudrait peut-être beaucoup mieux pour tous, le principal est le but que nous avions, si ce n'est pas un obstacle de votre côté, je vous assure que cela n'en est plus un pour moi, ce n'est pas sans serrement de cœur en pensant à mes parents mais malgré tout j'ai l'espérance que ce ne serait pas une séparation, que plus tard le rapprochement pourrait se faire.

Il ne se fera jamais.

Une libellule se pose sur le bouchon. Le fil de pêche brille au soleil sur les ondulations bronzées de l'eau calme. Il lui semble que l'approche de la mort a quelque chose de moins amer, de moins monstrueusement injuste, dans la douce mélancolie des anciennes amours qui ne sont pas oubliées. Il se demande si Annie vit encore, si parfois elle aussi pense à lui. Ce qu'aurait été leur vie.

un pont

Pendant le quart d'heure de navigation entre Mindin et Saint-Nazaire, les passagers des bacs avaient vu peu à peu sortir de l'eau, comme au petit bonheur, d'étranges structures verticales assez comparables aux ducs-d'Albe qui maintenaient amarrés les bacs pendant les manœuvres : le pont ne serait pas une ligne droite entre les deux rives mais cette grande S, comme l'initiale du serpent de mer qu'avait été ce projet pendant des années.

Les géomètres chargés du calcul des points de triangulation pour l'implantation de ces piles avaient promené leur lunette sur trépied sur l'ancien ponton où accostait le *Saint-Christophe*, plus en amont devant le Lazaret et en face à l'extrémité de la jetée du phare du Petit-Maroc. On amenait alors sur zone un guide flottant puis disposait les batardeaux de palplanches. Les pieux étaient enfoncés au mouton à compression, traversaient une quarantaine de mètres de vase et de sable au fond du fleuve avant de se ficher d'une soixantaine de centimètres dans la roche armoricaine.

Après trois ans de ce spectacle pédagogique, une fois posées les travées et suspendue la partie centrale à ses haubans sous les flèches rouge et blanc, on nous avait laissés traverser le pont encore encombré de gravats et de planches et de cabanes de chantier, bien avant son ouverture officielle, laquelle donna lieu à la découverte des cabines de péage. Une fronde populaire s'ensuivit : si personne ne regimbait à payer le passage du bac, il n'en était plus de même pour ce qui semblait être, après tout, une route, même à soixante mètres au-dessus de l'eau, et ne consommait pas de carburant, ni ne nécessitait de payer des marins.

Pour l'avoir franchi des milliers de fois, il m'arrivait encore d'être pris de vertige devant la beauté du paysage industrialo-portuaire contemplé depuis cette hauteur, la rive droite et les chantiers navals et la forêt de pins de la rive gauche, le miroitement coruscant des vagues comme écailles de dorades, et de l'emprunter pour le plaisir, à petite vitesse et sans nécessité, pianotant sur le volant de la Passat, avec le sentiment du devoir accompli, puisqu'il est gratuit depuis notre lutte héroïque et victorieuse.

Cet été-là de 1975, avant l'inauguration du pont, dix ans après que j'étais sorti du Lazaret, j'avais pris un train pour Brest puis un autocar pour l'Aber-Wrach, étais parti naviguer vers les Anglo-Normandes et jusqu'à Amsterdam. Les téléphones mobiles n'existaient pas, Internet non plus. J'avais dix-sept ans, n'étais pas du genre à donner des nouvelles. À mon retour, j'avais appris que le gymnaste était mort et enterré.

des petites traces

J'avais quitté la 605 de l'Astor House de Shanghai pour la 810 du Grand Coloane Resort de Macao où un fauteuil en rotin était posé à l'aplomb de l'océan devant une plage de sable noir volcanique, au pied d'une colline un peu polynésienne, banians et cocotiers, aréquiers, brume de mer et brise chaude, rapaces, à l'embouchure de la rivière des Perles. Après avoir fumé une dernière cigarette, j'avais pris la navette pour la gare maritime, un ferry pour l'aéroport de Hong Kong, un vol pour Paris, j'avais dîné avec Yersin qui préparait son départ pour le Japon, attrapé dans la matinée le 86 pour passer chez moi, étais descendu place Saint-Sulpice. Modiano m'était apparu.

J'attendais le feu au passage pour piétons de la rue de Rennes à hauteur de la rue du Vieux-Colombier. J'avais entendu et reconnu sa voix derrière moi mais c'était peut-être une hallucination auditive due à la fatigue. Il traversait la rue, vêtu d'un long manteau marron, si grand qu'une femme qui l'accompagnait semblait très petite à son côté. J'entendais ses souliers ferrés sur le trottoir. Je marchais parfois derrière eux et parfois devant. Je ne voulais ni les suivre ni me détourner de mon chemin. Ce mercredi 20 avril 2016, ces deux-là cependant paraissaient se rendre chez moi : rue Coëtlogon puis un petit bout d'Assas jusqu'à la statue de Mauriac au coin du Lutetia, nous avions traversé Raspail pour nous engager rue du Cherche-Midi. Pendant tout ce parcours ils poursuivaient leur calme conversation. Au croisement de Saint-Placide, délaissant la plaque à la mémoire de Huysmans sur leur gauche, ils avaient pris à main droite en direction de la rue de Sèvres et de la rue du Bac où était mort Chateaubriand.

J'avais changé de bagage et j'étais retourné le soir à Roissy, avais acheté les journaux que je lisais dans l'avion pour Mexico. On y apprenait que des Parisiens contestataires passaient la nuit debout sur la place de la République, que trois soldats français étaient morts au Mali où j'envisageais de me rendre, que de violentes secousses sismiques avaient ébranlé le Japon et l'Équateur. J'étais arrivé de nuit et la circulation était fluide. Après avoir patienté deux heures dans la 207 de l'hôtel Milán dans la Colonia Roma au 94 d'Alvaro-Obregón, j'avais poussé dès son ouverture la porte de la Cafebrería El Péndulo au 86, commandé une bière et un verre de tequila puisque à toute heure c'est l'aube et le soir quelque part sur la planète. Des millions d'hommes et de femmes sortaient à cet instant de leurs rêves et quittaient leur lit quand d'autres y entraient.

Après avoir déjeuné dans la Condesa j'étais parti assez loin, jusqu'à Tlalpan, donner une conférence à l'Instituto Nacional de Antropología e Historia. Le lendemain avec Philippe Ollé-Laprune nous avions roulé pendant quatre heures vers l'est, par cette route magnifique qui monte à trois mille mètres au milieu des volcans enneigés, descend vers les déserts de rocailles et les forêts de hauts cactus jusqu'à la ville très verte et pluvieuse de Xalapa où nous avions dormi au Mesón del Alférez. J'étais ensuite parti pour la côte en compagnie de Rodrigo Fernández de Gortari et de Claudia Itzkowich-Schñadower.

À la terrasse de La Parroquia, devant la statue en pied de l'émigrant espagnol avec sa valise et son béret, Claudia m'expliquait que son grand-père, émigrant de l'Europe de l'Est, était arrivé malade ici à Veracruz d'avoir découvert les ananas que vendaient de petites embarcations le long du navire encore en mer, et de s'être empiffré du fruit inconnu et succulent. Nous dépassions le monument à la révolution mexicaine qui rappelait que les États-Unis avaient occupé militairement Veracruz pendant quelques mois en 1914, fait d'armes dans lequel s'était illustré le jeune Douglas MacArthur qui recevrait, trente et un ans plus tard, la reddition du Japon à Yokohama. En face de l'hôtel Mar y Tierra jaune et blanc, on vendait en ce samedi, sous des parasols, poupées en coquillages, bonbons et cannes à pêche pour les enfants. Debout à l'extrémité du môle, le regard tourné vers l'est, je savais avoir à main droite, par-delà le Guatemala et le Honduras, la ville de Managua où j'avais entamé ce périple onze mois plus tôt. Sur ce quai, fin octobre 1936, Artaud embarque sur le paquebot *Mexique* pour La Havane et Saint-Nazaire.

un bel arrondi

À la légère vibration des tôles, les passagers savent que le navire vient d'inverser les machines. Entre les balises rouge et verte, le *Mexique* glisse au milieu des deux jetées courbes comme des bras accueillants, pénètre dans l'écluse puis dans le bassin, lance ses haussières, descend l'échelle de coupée sur le quai.

Sa valise à la main, dans laquelle il a entassé ses *Messages révolutionnaires*, Artaud halluciné se dirige vers la gare transatlantique. On peut emprunter le même chemin en traversant aujourd'hui la base sous-marine. Cette centaine de mètres a été parcourue avant lui par les dizaines de milliers d'anonymes et parmi eux des fantômes qu'on reconnaît. Ferdinand de Lesseps revient en 1886 du Panamá avec les plans du canal dans son cartable. En 1925 Vladimir Maïakovski s'en va rencontrer Diego Rivera et Frida Kahlo. En 1927 Miguel Ángel Asturias et Robert Desnos montent ensemble à bord de l'*Espagne*. Tous, impatients, lisent l'heure sur la grande horloge de la gare et Cendrars prend le temps d'un petit poème :

> C'est rigolo
> Il y a des heures qui sonnent
> Quai-d'Orsay – Saint-Nazaire !

Les trains arrivaient au bord de la Loire en bout de ligne depuis le bord de la Seine. Une plaque tournante sous la locomotive les renvoyait à Paris. Après les raids aériens de 1943, ne demeuraient que la façade et cette grande horloge flanquée de deux statues en marbre copiées de Michel-Ange, *Le Jour* et *La Nuit*, aux aiguilles arrêtées à l'heure des bombes. La gare est toujours en ruine lorsque l'écrivain colombien Orlando Sierra Hernández s'installe dans le Building en 1995. Il a trente-six ans. On le devine familier du réalisme magique de son compatriote fameux. Il est aussi journaliste à *La Patria*.

Il voit les ruines ferroviaires dont les murs extérieurs sont drapés de voiles blancs destinés à ralentir l'effritement des pierres. Il n'est pas difficile de se glisser la nuit à l'intérieur. Il imagine y croiser les spectres qui hantent les voies des trains à l'abandon, et que tous les Nazairiens, en rêve, chaque nuit, retrouvent ici leur mémoire engloutie. Il quitte la ville avec ce manuscrit inachevé, reprend en Colombie sa carrière de journaliste, en 98 publie *Democracia, política y paz – Elecciones en el Eje Cafetero*. Le sujet est épineux. Il reçoit un prix du meilleur journaliste d'investigation et une balle dans la tête. On retrouve dans ses tiroirs *La estación de los sueños*. Une dizaine d'années plus tard, alors que la gare allait être enfin restaurée, devenir un théâtre, avec le maire de l'époque, Joël Batteux, nous avions scellé à la truelle dans un moellon évidé un exemplaire du livre de Sierra Hernández, *La Gare des rêves*, qui demeurera dans les murs jusqu'au prochain bombardement.

Ce bel arrondi au coin du bassin que je vois depuis mon bureau est composé de pesants blocs de pierre assujettis, victimes de brisures, entamés par le frottement des cordages, petites traces dans lesquelles se lisent un siècle et demi de gestes marins et l'acharné combat des fibres du chanvre et des particules du granit. Ce qui le rend à ce point émouvant, ce bel arrondi, parce que l'espace n'est rien sans le temps, c'est de savoir qu'il fut, non pas contemplé, mais aperçu au moins, par tous ceux qui ont foulé ce quai, ne serait-ce que par prudence, pour ne pas se foutre à la baille, par l'immense Rubén Darío, par Paul Gauguin, par Alejo Carpentier qui découvrit ahuri qu'à Saint-Nazaire on mangeait du cheval.

En face se dressait jusqu'en 2016 le grand Terminal Frigo dont Jean Rolin avait fait le titre d'un livre. Ce terminal était détesté de Reinaldo Arenas, marielito qui avait fui le régime castriste, et retrouvait ici sous ses fenêtres les immenses drapeaux rouges soviétiques à la poupe des navires frigorifiques, lesquels venaient charger les bœufs congelés dont l'Europe était à l'époque excédentaire. Au dixième étage du Building, quelques mois avant de partir se suicider à New York, il avait écrit *Méditations de Saint-Nazaire* qui s'achevait sur cette phrase : « Je voudrais simplement demander à ce ciel resplendissant, à cet océan qu'il m'est donné de contempler pour quelques jours encore, d'abriter ma terreur. »

Le bel arrondi nazairien de Jean Rolin est un peu plus au nord. C'est celui qu'on voit à l'extrémité de l'ancienne cale du *Jean-Bart*, à l'embouchure du Brivet, bordée de roselières et de vasières luisantes à marée basse, près du grand pont de Mindin en contre-plongée. Nous partageons cependant cette préoccupation de Malcolm Lowry dans *Ultramarine* : « Qu'est-ce donc qui, toujours, nous attira vers les docks ? Souvent déserts, hormis quelques bateaux de pêche, un ou deux chalutiers, mais nous aimions les odeurs de ces lieux, et les bruits. Le pont basculant, le coup de sifflet du gardien des docks, la rapidité avec laquelle il capelait et relâchait les chaînes, tout cela prenait un sens très particulier dans nos vies. »

Lorsque les Chantiers de l'Atlantique, pour la troisième fois en moins d'un siècle, après le *Normandie* et le *France*, avaient lancé la construction du plus grand paquebot du monde, nous avions avec Jean suivi de temps à autre les travaux. *Queen-Mary 2* était née le 4 juillet 2002 avec la pose du premier bloc n° 502 du projet G-32. Un émissaire de la Cunard avait assisté à la soudure superstitieuse des pièces d'or, l'une à l'effigie de la reine d'Angleterre et l'autre de Louis-Philippe, dernier roi des Français. Le dos courbé, nous étions passés sous ce premier bloc entre les rangées de chandeliers jaunes, pour tenir la Reine dans notre paume puisque, Kipling nous le rappelle, « The Liner she's a Lady ». Le 21 mars 2003, à cinq heures du matin, le navire avait profité de la haute marée d'équinoxe pour déhaler une première fois. Le brouillard s'était levé. Du haut du pont, ce premier jour du printemps, je voyais le ciel tout pignoché d'or et de violet dans les nuages qui moutonnaient au-dessus du Petit-Maroc.

à L'Océan

Pourtant j'avais longtemps continué de louer de l'autre côté du fleuve une villa déglinguée, que jouxtait un étang poissonneux bordé d'une petite bambouseraie. Un hiver en février, j'avais invité Jean et Hans Christoph Buch à venir respirer la haute muraille jaune des mimosas que j'avais plantés pour m'isoler. Au printemps je lisais dans un hamac sous les acacias et les eucalyptus. Les soirs de juin je roulais sur le boulevard de mer dans l'éblouissement du soleil rasant. Le pare-brise se couvrait d'une purée d'insectes. Leur nombre a depuis décru comme celui des oiseaux qui les becquetaient. Je continuais à croire depuis plus de dix ans que cette solitude était un privilège. À la fin du jour, ces piafs retrouvaient dans les arbres leur place pour la nuit à l'abri des prédateurs. Certains dans la journée étaient allés jusqu'à la plage au bout de l'avenue, pépiaient leur périlleuse expédition et paraissaient en rajouter un peu.

À l'été 2013, j'arrive ici avec Yersin la belle aventurière. Nous nous connaissons depuis le mois d'octobre. En décembre j'étais parti en Polynésie. En janvier elle était en Californie. Le matin de son retour, nous nous étions parlé au téléphone depuis deux terminaux de Roissy. Déjà en salle d'embarquement j'aurais brisé les vitres pour aller la serrer dans mes bras. Je partais pour la Colombie, elle rentrait à Paris puis partait en Suisse. Nous avions campé pendant quelques mois dans mon gourbi parisien. Cet été-là elle voit pour la première fois la maison de L'Océan dont nous nous répartissons les bureaux. Je remue mes archives mexicaines. Le soir au lit je lui fais la lecture à voix haute. Nous découvrons nos séjours dans les mêmes villes à des époques différentes, et que nous avons tous deux appris l'espagnol à Cuba, après quoi elle était partie seule pour l'Amazonie, plus tard avait traduit l'œuvre colombienne classique de Jorge Zalamea, *El gran Burundún-Burundá ha muerto*.

Elle prépare alors pour Macula la première version française de *L'Industrie d'art romaine tardive* d'Alois Riegl qui n'est pas l'un de ces petits polars dont elle fait par ailleurs grande consommation après ses journées studieuses. Elle porte mes vieux jeans qui lui arrivent au mollet. Nous avons un peu remis la ruine en état et nettoyé, déjeunons dans le jardin, dînons sur la terrasse, parfois allons nager, pédalons jusqu'à Tharon-Plage. Je lui montre les environs, de Guérande à Pornic, des lieux où je ne suis pas allé depuis des années. Je suis incapable de l'emmener au Lazaret tout près d'ici, de lui indiquer les marches, sur lesquelles le petit monstre est recroquevillé auprès du grand cinglé et récite la litanie.

Assis au Jade devenu Acapulco, je lui raconte des histoires pas toujours drôles, lui montre en face la villa Ty-Milo. Après une vie de coiffeur-bourlingueur à bord des transatlantiques, Émile Farcouli avait gagné à la Loterie nationale de quoi installer ici un salon. Hâbleur méridional, soixante ans, il coiffait pendant la guerre les poules de luxe des officiers allemands, faisait des blagues sur le Maréchal et le Führer. En mars 43, il avait été convoqué à la Kommandantur de Nantes. Ses amis lui avaient conseillé de se cacher. Il avait pris l'autocar et disparu. Après la Libération, un ancien déporté se souvenait de l'avoir vu une dernière fois à Buchenwald où il coupait des cheveux.

Isolé du monde dans cette explosion de joie et d'appétit de vie, je lis cependant les journaux. Nous étions arrivés à L'Océan un peu avant le coup d'État en Égypte du début de juillet, avions appris le résultat de la présidentielle au Mali et l'élection d'Ibrahim Boubacar Keïta, cueilli autour de l'étang les premiers cèpes de la fin d'août après les orages, vu les jours commencer à raccourcir, les écureuils trimbaler dans les branches leurs premières réserves, bouclé nos bagages. Je m'apprêtais à regagner le Mexique.

Enfermé dans le studio de La Condesa, tout cela paraissait déjà si lointain, ce jardin, ces paysages, qu'il me semblait les revoir longtemps après ma disparition ou dans ce laps pendant lequel la conscience peu à peu s'estompe, revenant par quelque subterfuge ou tapis magique dans ces années au tournant des deux millénaires. J'étais seul dans cette maison lorsque j'avais appris que Loulou allait mourir dans quelques heures. J'étais arrivé à temps. On lui avait enlevé l'inutile masque à oxygène. J'avais prononcé à voix forte ce mot que je ne peux pas écrire par lequel les petits enfants appellent leur père, espérais que ces deux syllabes parviendraient à se frayer un chemin au milieu du désordre neuronal, du fouillis des synapses en voie de déconnexion. Un dernier hoquet à la recherche de l'air qui manque, le corps arc-bouté puis d'un coup relâché, le regard vitreux. Seule la tumeur vivait encore au fond du cerveau, que sa victoire tuerait à son tour. Paul est le seul homme que j'ai vu mourir et mon fils, Pierre, le seul que j'ai vu naître.

Un matin de ce mois de décembre 1998, j'avais retrouvé deux ouvriers accompagnés d'un officier d'état civil dont la présence était requise. L'un des deux maçons portait un pull-over en jacquard rouge tricoté peut-être par sa femme, dans tous les cas par quelqu'un qui lui en voulait. Il m'avait dit qu'à la lecture des papiers qu'il tenait en main, il fallait s'attendre au pire. Au fond de ce caveau reposait Eugénie-Alexandrine née Pathey, au-dessus d'elle son époux. On leur demandait de réduire ces corps pour laisser place à leur fils. Ces inhumations dataient des années soixante-dix. On avait cru absolument moderne, à l'époque, de glisser les dépouilles dans des housses étanches. Ils avaient déjà vu ça.

Après avoir forcé les cercueils, ils avaient allongé les deux sacs en plastique blanc de part et d'autre de la dalle et les avaient entrouverts. Le jus noir coulait sur le gravier. Le policier municipal s'était éloigné pour ne pas vomir et je l'avais suivi. Nous observions de loin dans l'air glacé les mouvements du pull-over rouge en jacquard que l'homme ne portait peut-être qu'en de telles occasions. Dans les archives de Monne, je retrouverais plus tard une facture du 27 septembre 1930, qui montrait un souci des morts alors plus judicieux. La menuiserie Crépin-Moncomble, au 26 de la rue du Gouvernement à Saint-Quentin, était chargée d'expédier le corps d'Alexandre Pathey à Chailly, où il retrouverait la petite fille en blanc venue du Caire morte un an plus tôt: «Un cercueil chêne première classe, garni zinc et muni robinet d'air, un transport.»

Ce 14 décembre 1998, quarante et un ans après que Loulou s'était réjoui d'être enfin père, j'étais rentré seul dans la maison de L'Océan. J'avais relu cette phrase d'Artaud recopiée depuis longtemps, dont je savais qu'elle me serait utile un jour. «Un autre être est sorti de ce corps. Et pour la première fois de la vie, ce père m'a tendu les bras. Et moi qui suis gêné dans mon corps, je compris que toute la vie il avait été gêné par son corps et qu'il y a un mensonge de l'être contre lequel nous sommes nés pour protester.»

S'il m'est difficile de me souvenir du visage de Loulou, nous parlons souvent, nous quittons le matin en sachant nous revoir une nuit prochaine, dans ces rêves assez rares qui sont durables et récurrents, en des lieux imaginaires, qu'on sait devoir abandonner au réveil mais avec l'assurance de bientôt les retrouver, guettant parfois la réminiscence d'un détail comme un petit poisson montant du fond, qu'on sent arriver et qui, juste avant d'atteindre la surface, comme effrayé par la lumière, virevolte et descend à nouveau vers les profondeurs, se tapit sur la vase et les feuilles mortes en attendant l'instant propice, ou bien meurt lentement au fond de l'hippocampe.

des petites traces

À la lecture de *L'Indépendant* du vendredi 14 octobre 2016, on apprenait que six soldats français avaient été blessés la veille à Abeïbara lorsque leur blindé léger avait sauté sur une mine. On lisait encore en page 5 : « La Russie s'engage à livrer des armes au Mali pour renforcer son dispositif de lutte contre le terrorisme. » À Kidal, le chef touareg Cheikh Ag Aoussa mourait dans un attentat. On enlevait au Niger puis emmenait au Mali un humanitaire américain après avoir abattu son garde du corps. Douze hommes attaquaient la prison nigérienne dans laquelle étaient détenus des djihadistes puis s'enfuyaient vers le Mali. Notre ambassadeur Gilles Huberson, sur le point de quitter son poste pour aller occuper celui plus paisible de l'île Maurice, refusait qu'on m'aide à gagner Tombouctou.

Vue de loin, la situation ne m'était pas apparue si confuse. Je souhaitais voir la ville dans laquelle René Caillé, après avoir navigué sur *La Loire* au côté de *La Méduse* et quitté Paimbœuf, avoir appris au Sénégal et en Mauritanie l'arabe et le Coran, lu la description de Tombouctou interdite aux chrétiens dans Ibn Batouta, avait été le premier Européen à entrer sous un déguisement, en 1828, comme plus tard Richard Burton était entré à La Mecque. Plus tard encore, le lieutenant-colonel Jean-François Klobb quittait Tombouctou à la poursuite des officiers Voulet et Chanoine. Alexandre Pathey apprenait sa mort dans *L'Abeille d'Étampes*. J'étais consigné dans la chambre 211 de l'hôtel Azalaï Salam de Bamako, l'un des trois établissements sécurisés obligatoires pour les voyageurs depuis l'attaque et la prise d'otages au Radisson Blu, lesquelles avaient fait vingt-deux morts en novembre 2015, une semaine après les attentats de Paris.

De l'ambiance à Tombouctou, j'avais eu des nouvelles par le photographe Chab Touré qui en arrivait. Un assaillant isolé contre des hommes de la Minusma, la Mission multidimensionnelle intégrée des Nations unies pour la stabilisation du Mali, avait été abattu deux jours plus tôt. On avait apposé à nouveau une plaque sur la maison de René Caillé, à présent bilingue français-arabe. Des enfants sautaient sur des mines. Les islamistes étaient comme des poissons dans l'eau au milieu d'une population qui détestait la police corrompue de retour dans la ville. Depuis leur déroute, ils toléraient les bars et la musique en attendant leur revanche.

Ces jours-ci se tenait à La Haye le procès d'Al-Faqi al-Mahdi, chef de la police islamique qui avait fait détruire les mausolées. Celui-ci avait outrepassé les consignes et ces exactions, ainsi que la destruction des manuscrits anciens de la bibliothèque, avaient symboliquement aidé à la mise en place de l'intervention militaire, comme le dynamitage en Afghanistan des Bouddhas de Bamiyan et en Syrie de l'arc de triomphe de Palmyre. Selon Chab, si les risques d'attentats étaient aussi élevés à Bamako qu'à Tombouctou, les risques d'enlèvement étaient là-bas beaucoup plus considérables pour un Français. Je le rassurai. Je n'envisageais pas de m'enfuir de nuit à dos de chameau de l'Azalaï bunkerisé.

Il me disait qu'au printemps de 2012, les Touaregs avaient été plutôt bien accueillis puis étaient arrivés derrière eux les djihadistes, union hétéroclite de vétérans de la guerre civile en Algérie et des combats du Moyen-Orient, marxistes de la vieille école et néo-salafistes. Parmi eux des chefs de guerre aventuriers, sombres héros comme le Touareg Iyad Ag Ghali fondateur d'Ansar Dine, qui avait fui le Mali dans les années soixante-dix, avait combattu dans la Légion de Kadhafi au Tchad puis au Liban aux côtés de l'OLP, avait quitté Beyrouth pour la Tunisie en 1982 avec Yasser Arafat. En 2013, l'opération Serval avait stoppé leur progression vers le sud et les avait repoussés vers le désert. Les Bamakois euphoriques achetaient le long des avenues, près des marchands de plantes en pots, les deux drapeaux français et malien et les cousaient ensemble. L'exaltation était retombée lorsque le commandement de Serval avait refusé à l'armée malienne l'accès au Nord, par crainte des représailles qu'elle aurait pu exercer.

En mai 2014, le Premier ministre Moussa Mara avait décidé d'y atterrir malgré tout. Des manifestations pro-Azawad et des tirs l'avaient obligé à se réfugier au camp de la Minusma avant de rentrer à Bamako. Les fonctionnaires et les préfets qu'il avait laissés derrière lui avaient été assassinés. L'opération militaire lancée en répression quelques jours plus tard avait échoué. Les troupes maliennes s'étaient enfuies et la situation était à nouveau explosive. Écoutant Chab, je revoyais ces paysages blonds du Sahara au-delà de Kidal, et les falaises rouges du Tassili n'Ajjer depuis Djanet et la frontière libyenne que je n'avais pas revus depuis les années quatre-vingt et n'étais pas près de revoir.

Pendant ces journées où se déclenchait en Irak la bataille de Mossoul pour en déloger Daesh, je sortais peu, tournais en rond, passais des appels, voyais derrière le parking et la guérite d'accès sécurisée la Cité ministérielle offerte par Kadhafi comme le grand œuf debout de l'hôtel Corinthia de Khartoum. L'offensive djihadiste au Mali était la conséquence de la guerre menée en Libye sur des prétextes aussi fallacieux que l'invasion de l'Irak, l'éparpillement de son arsenal au bénéfice d'Al-Qaïda au Maghreb islamique fondé par Mokhtar Belmokhtar dont on ne savait pas s'il vivait encore. Je lisais allongé sur le lit, alignais des longueurs de piscine, jouissais de l'extrême civilité des Maliens, « comment ça va, ça va bien chez vous ? ». La politesse, avec la galanterie, et le souci des morts, est le plus haut degré de l'aventure humaine et cette délicate courtoisie contaminait avec bonheur jusqu'aux soldats nigérians bourrus qui arpentaient les couloirs.

Seul un Saoudien au cal prononcé sur le front semblait insensible à ces prévenances. J'avais essayé d'entamer une conversation avec lui qui prétendait être venu seul ici pour y faire du tourisme et regrettait qu'on n'y parlât pas l'arabe. Je lui avais répondu qu'on y entendait autant le bambara que le français. Il passait ses après-midi à siroter des cafés près du comptoir où patientaient, sur de hauts tabourets, des petites putes aux robes colorées et des masseuses russes, près d'une carte au mur de cet ancien Soudan français aux formes géométriques de diabolo déséquilibré, éloigné de la mer, qui était devenu en 1960 – après l'échec de la fédération avec le Sénégal, refusée par Senghor par crainte des marxistes de Bamako – le Mali, où l'on pouvait entendre l'un des noms de l'hippopotame.

Un soir à la Villa Soudan au bord du fleuve, j'avais rencontré Bruno Sicard, qui depuis longtemps passait sa vie entre la France et le Mali. Nous parlions de ses recherches en chronobiologie, je l'interrogeais sur les rapports éventuels entre l'hypermnésie et l'immobilisme, nous évoquions l'accélération de la vie humaine, qu'à trop nous déplacer trop vite dans l'espace nous étions des mutants sans horloge biologique. J'aurais aimé aborder les recherches à Zurich de la neurogénéticienne Isabelle Mansuy, lesquelles démontraient la transmission héréditaire des traumatismes de guerre, par des modifications et méthylations épigénétiques des cellules reproductrices de l'homme dont je pensais être victime. Il me disait posséder une maison au bord du fleuve plus en amont, à une ou deux heures de bateau, au milieu d'un paysage préservé, où nous reprendrions un jour notre conversation.

En cette année 2016, le réchauffement climatique produisait des effets bénéfiques au Mali et en zone sub-sahélienne où les pluies avaient été abondantes. Elles avaient permis l'extension des cultures et des pâturages, extension insuffisante toutefois pour équilibrer l'explosion démographique. Je voyais glisser près de nous le noir Niger dans la nuit en silence, ocellé du reflet des lampes. Il remontait loin vers le nord avant la grande boucle qui l'amènerait à descendre vers le Nigeria et l'État du Kwara où j'étais resté une dizaine de mois avant de gagner Kano puis Maïduguri plus à l'est, dans cette zone des quatre frontières du Niger, du Nigeria, du Tchad et du Cameroun où officiait depuis

Boko Haram, nom dans lequel on pouvait entendre l'interdiction de l'alphabet.

Une semaine après mon arrivée, un autre chef touareg, Tali Ag Tintaba, était exécuté à Aguelhok dans ces règlements de comptes davantage mafieux que politiques. Trafics de poudre blanche et de poudre noire, d'armes et d'esclaves sur cette longue horizontale de la Mauritanie au Soudan. Recherches des trésors djihadistes soustraits aux bombardements de Serval sur la frontière algérienne. Orpaillage clandestin et atterrissages d'Air Cocaïne dans le désert, guerres au sein des cartels colombiens de Bamako. Cette ville était déjà pendant la Seconde Guerre mondiale le décor de romans d'espionnage lorsque la France y avait mis à l'abri « un stock d'or très important », dont toutes les puissances essayaient de s'emparer et que de Gaulle essayait de défendre : « Il s'agissait de métal précieux entreposé par la Banque de France pour son compte et pour celui des banques d'État belge et polonaise. »

Le Mali condensait toute la confusion de la planète, où l'on se tirait dessus entre services spéciaux pour détourner l'argent des rançons de Vinci ou Areva. Ce 20 octobre 2016, cinquième anniversaire de l'exécution de Kadhafi, *L'Indicateur* revenait sur ses conséquences terribles et citait des fragments du discours à l'Assemblée, la veille, du Premier ministre français, rappelant que sans l'intervention militaire « une partie du continent africain aurait complètement basculé » et que « nous aurions assisté à des massacres de masse. Nous aurions aujourd'hui un califat au cœur de l'Afrique ». L'élection présidentielle approchait et l'extrême droite en France était en tête des sondages, soutenue par les attentats islamistes. Depuis mon retour du Mexique fin avril, un couple de policiers avait été assassiné chez lui à Magnanville le 13 juin, par Larossi Abballa. Le 14 juillet à Nice, au soir de la Fête nationale, Mohamed Lahouaiej-Bouhlel avait lancé un camion dans la foule et tué quatre-vingt-six personnes. Le 26 juillet près de Rouen, Adel Kermiche et Abdel Malik Nabil-Petitjean avaient égorgé le père Jacques Hamel pendant sa messe en l'église de Saint-Étienne-du-Rouvray. En avril 1975, la guerre civile au Liban avait été déclenchée par des assassinats pendant l'inauguration d'une église. De représailles en exécutions, elle allait durer quinze ans.

Un matin à sept heures pétantes, le général Patrick Gournay m'avait envoyé un lieutenant-colonel et un chauffeur à bord d'une voiture banalisée. Nous nous rendions au Badala, qui n'est pas l'un des trois hôtels sécurisés obligatoires. Les militaires étaient suffisamment équipés pour se défendre. Ces jolies petites vagues de sable que le vent fait glisser sur les dunes, les barkhanes, avaient donné leur nom à l'opération lancée en août 14 dans le but d'agir sur l'ensemble du G-5 Sahel, Mauritanie, Mali, Niger, Tchad et Burkina Faso. Les Barkhanes étaient ce matin-là une trentaine à prendre le café sur la terrasse au milieu des jardins fleuris.

Chef de la mission au Mali, le général venait de l'état-major où il était en charge des personnels, dont près des trois quarts dans l'armée française sont des contractuels. Il devait ici gérer aussi le matériel. Les deux VAB détruits la semaine dernière, ces véhicules de l'avant blindés, avaient cinquante ans. Il faisait parfois soixante degrés à l'intérieur. Dans le Nord, pendant les actions, seule la tente médicale était climatisée ainsi que l'antenne psychiatrique. Depuis l'instauration de l'état d'urgence en France, ces jeunes gens passaient de Barkhane à Sentinelle, alternaient combats dans le désert et rondes dans les gares et les aéroports. Il faisait jour depuis une heure. Nous étions assis devant les berges du grand Niger encore inondées, où bientôt seraient cultivées des parcelles horticoles. Des oiseaux virevoltaient au-dessus des pirogues et des jacinthes d'eau comme si nous étions au bord de l'Ogooué ou du Congo, loin de cette zone qui n'est pas un front.

Si le général regrettait de ne pas avoir un ennemi en uniforme respectant les conventions de Genève, au moins ici les hommes pouvaient combattre et riposter. Il avait été Casque bleu au Liban où il fallait attendre de prendre une balle pour avoir le droit de répondre. Je n'allais pas enregistrer notre conversation, ne citerais aucune de ses phrases entre guillemets, lui expliquais que depuis des mois je venais de circuler en France et de chercher au loin des petites traces de ce pays que j'aimais immodérément, tentais de comprendre un peu, dont je cherchais à résoudre l'énigme familière, qu'autrefois j'avais été accrédité au secret et ne trahirais jamais. Je prendrais ce même engagement avec les autres militaires que j'allais rencontrer, parmi lesquels l'attaché de défense Didier Jamme dans son bureau à l'ambassade.

Ce colonel occupait la mission délicate des rapports entre l'armée malienne, la Minusma et Barkhane. Il était le seul attaché de défense européen au milieu du grand jeu diplomatique des Russes et des Américains en embuscade, qui verraient d'un bon œil l'échec des Français. Je venais de recopier quelques phrases de l'hebdomadaire *Les Échos*: «L'intérêt de la France pour notre pays sur les plans politique, économique et sécuritaire ne fait l'ombre d'aucun doute. La crise politico-sécuritaire de 2012 est venue confirmer cette attention particulière, avec notamment une présence accrue de l'ex-puissance coloniale. Aujourd'hui d'autres nations lorgnent vers le Mali. Les États-Unis, à travers les propos récents de leur ambassadeur à Bamako, ont donné un signal du rôle qu'ils pourraient être amenés à jouer dans les jeux politiques au Mali. L'Allemagne et la Russie viennent de signifier l'importance qu'elles attachent à notre pays par la matérialisation de la visite de la chancelière allemande à Bamako et du représentant spécial du président Poutine pour le Moyen-Orient et l'Afrique. »

Certains de ces militaires me confiaient des bribes que j'assemblais. Si la France tenait le Nord et Kidal, la situation s'était dégradée dans le centre, où les mouvements djihadistes avaient tué plus de cent hommes de la Minusma. Autour de Mopti, les conflits entre éleveurs peuls et agriculteurs étaient encore attisés. Les accords signés entre rebelles touaregs et arabes n'étaient pas appliqués. Des membres de la Commission de paix étaient à mi-temps narcotrafiquants. L'Algérie qui ne pouvait pour l'instant exploiter certaines zones minières du Nord préférait qu'elles fussent inaccessibles à d'autres. On regrettait l'inactivité de celui qu'on appelait IBK, Ibrahim Boubacar Keïta, comme on disait LDK au Congo du temps de Laurent-Désiré Kabila, reconnaissait cependant qu'il ne pouvait pas faire grand-chose. Ces guerres nouvelles étaient aussi des conflits du renseignement informatique. Sur ce terrain-là, seules une poignée de puissances pouvaient s'affronter.

La France soutenait Serval au Mali, Sangaris en Centrafrique, Barkhane dans le Sahel et des frappes aériennes en Syrie et en Irak. Dans le centre on attendait le soutien des Sénégalais. La formation des Fama, les Forces armées maliennes, suivait son cours mais il fallait repartir de zéro depuis la déroute de 2014. On achetait alors les grades d'officiers comme des charges d'Ancien Régime. Le but était que cette nouvelle armée fût déjà capable de tenir ses casernes. Ces militaires me rappelaient que tout cela prendrait des années, qu'une armée était constituée aussi de mémoire et de légendes, qu'au-delà du maniement des armes on leur avait enseigné l'histoire de la mission Flatters et les méharées, que les troupes pré-positionnées au Gabon, au Tchad, à Djibouti étaient les boîtes noires de ces vieilles mythologies de l'armée française depuis le dix-neuvième siècle, Camerone et Sidi-Brahim, qui avaient été des défaites, dans lesquelles les hommes étaient morts debout sans jamais reculer.

Avec Évelyne Decorps, nous avions déjeuné à la Résidence où elle avait convié des intellectuels maliens susceptibles de m'éclairer. Elle venait d'arriver à Bamako, était auparavant ambassadeur à N'Djamena qui est le cœur de Barkhane. Nous évoquions ce continent que j'arpentais depuis plus de trente ans. Elle me disait aussi vouloir donner un coup de neuf à cette maison trop décrépite. Elle venait d'acheter déjà des nappes, voulait changer le mobilier, les rideaux, abattre quelques arbres pour donner de la lumière et ses goûts étaient judicieux.

Les ambassadeurs demeurent en poste quelques années. Au cours de leur carrière, ils habitent un nombre limité de Résidences quand le hasard m'amenait depuis longtemps à en visiter beaucoup. C'était mon côté Jean Giraudoux, qui fut en 1934 le premier inspecteur général des postes diplomatiques et consulaires, du temps que Saint-John Perse était secrétaire général du Quai d'Orsay, et que la diplomatie française était encore une discipline littéraire.

Pour leur extraterritorialité si romanesque, j'aimais ces îlots de France éparpillés comme les territoires lointains de la Guadeloupe et de la Martinique, la Guyane et La Réunion, Mayotte, Tahiti et les Tuamotu, les Marquises et les Gambier, Saint-Pierre-et-Miquelon, Wallis et Futuna, Saint-Martin et Saint-Barthélemy, la Nouvelle-Calédonie, les Terres australes et antarctiques, Bassas da India, Europa et les îles Glorieuses, Juan de Nova, Tromelin et Clipperton. La France leur devait d'être la deuxième zone maritime mondiale derrière les États-Unis. Une modification des zones exclusives, adoptée par les Nations unies, allait en faire la première et déclenchait une guerre invisible et féroce.

Nous prenions le café dans le jardin. À ce déjeuner participait Jean-Marie Milleliri, spécialiste de médecine tropicale et historien. Nous avions évoqué le Gabon et l'hôpital de Schweitzer à Lambaréné. Jovial et enthousiaste, il souhaitait profiter de ma présence en ville pour donner une conférence qu'il venait de rédiger, *Alexandre Yersin, explorateur et pasteurien*. J'avais accepté d'y assister en sachant déjà ce qu'il allait m'en coûter. Pendant les deux heures, ça n'était pas le beau visage austère du génial barbu que j'avais en tête mais le visage souriant de celle que j'ai rencontrée non par le hasard de la crevaison d'un pneu mais de la parution d'un roman.

Elle m'avait remis une lettre après l'avoir lu. Nous nous étions retrouvés à la brasserie du Lutetia. À des époques différentes nous avions dormi dans cet hôtel, elle en hommage à l'aïeul. J'avais voulu quant à moi vérifier qu'on voyait bien, depuis la chambre d'angle du sixième étage, le square Boucicaut et la tour Eiffel. À dix-neuf ans, elle était partie seule en Asie sur ses traces à Nha Trang. C'était en 1994. J'avais plus tard entrepris le même voyage.

Ce soir-là, dans la 211 de l'Azalaï, c'est au Lutetia que je nous revois dans la splendeur du tout début et les doigts effleurés, comme souvent trop loin d'elle, dans les heures d'insomnie capable d'écouter ces chansons romantiques tristes à pleurer qui sont aussi la France, *L'Hymne à l'amour*, rêvant d'écrire après cette *Vie d'Alexandre* une *Vie de Véronique* dans ces aubes où plus rien n'est vrai que l'absence d'un grand corps allongé, les doux cheveux noirs et les petites poussées de la tête sur mon épaule en levant le menton par à-coups, pour se lover davantage encore, et la voix déchirante de Piaf :

> Je renierais ma patrie…
> Si tu me le demandais.

Parce qu'elle est peut-être une belle espionne suisse, chargée depuis quatre ans par les services de la Confédération de me retourner. La DST autrefois était attentive aux couples mixtes.

une vie de Monne

> En somme, ma tante exigeait à la fois qu'on l'approuvât dans son régime, qu'on la plaignît pour ses souffrances et qu'on la rassurât sur son avenir.
>
> PROUST, *Du côté de chez Swann*

Le vendredi 1er mars 2013, les autorités vietnamiennes m'avaient invité au soixante-dixième anniversaire de la mort d'Alexandre Yersin. Autour de sa tombe bleu ciel, à Suôi Giao, avaient alterné discours communistes et cérémonies bouddhistes pour celui qu'on honorait en bodhisattva dans une pagode non loin de là. J'étais redescendu à Nha Trang, hôtel Yasaka près de l'Institut Pasteur, où m'attendait un message annonçant la mort de Monne. Celui-ci précisait que l'enterrement aurait lieu le mercredi à quinze heures. J'avais calculé qu'il serait alors vingt-deux heures à Hong Kong et décidé de penser à elle. Ce soir-là, j'avais quitté le quartier de Sheung Wan pour retrouver un photographe allemand au Foreign Correspondent's Club où étaient exposés des reportages de guerre. Il m'avait appris la mort de Hugo Chávez à Caracas.

Depuis son arrivée à Mindin, cinquante ans plus tôt, Monne n'avait plus bougé, s'était enfermée. Pendant que son frère menait sa carrière et grimpait les échelons, devenait directeur d'hôpital, elle avait dispensé chez elle des cours particuliers. À Moissac, elle avait fait la classe pendant la guerre, avait quitté la ville avec ce viatique rédigé le 9 novembre 1945 : « La Directrice de l'École Genyer de Moissac a eu comme adjointe pour le Cours élémentaire, durant l'année scolaire 1944, Mademoiselle S. Deville. Elle n'a eu qu'à se louer du dévouement et de la conscience professionnelle de cette jeune fille. »

À Sorèze, elle s'était consacrée à la lecture des romans et aux bonnes œuvres, avait quitté la ville avec cet autre viatique, du 22 septembre 1951 : « Je soussignée, certifie que Mademoiselle Simonne Deville prête depuis 6 ans son concours bénévole aux sœurs de St-Vincent-de-Paul pour la distribution des repas aux bons vieillards de L'Entraide Sorézienne, cela toujours avec la même bonté et affabilité, avec un égal dévouement pour chacun d'eux, lesquels sont heureux de lui témoigner à l'occasion de son départ de Sorèze, avec leurs regrets, l'assurance de leur sincère reconnaissance. »

Elle s'était mariée sur le tard, jamais n'avait eu d'enfant, avait continué de vivre auprès de ses parents, était demeurée veuve dans la villa Turquoise dont elle avait choisi le nom, seule au milieu des meubles et des objets de ses parents morts et s'adressant à leurs fantômes, visitait le cimetière où reposaient trois de la petite bande des quatre qui l'attendaient. Elle m'avait demandé, se mélangeant dans les calculs, de ne pas oublier de renouveler la concession perpétuelle cinquante ans après sa mort. Je ne lui avais pas répondu que, même si je ne mourrais pas avant elle, la probabilité était faible que je lui survive cinquante ans. Elle ne quittait plus son bureau, deux tables et un canapé, la bibliothèque. Une vieille dame à cheveux blancs et lunettes à monture dorée emplissait des grilles de mots croisés, découpait des articles dans les journaux qui finissaient dans un lieu mystérieux où personne n'était entré depuis des années, qu'elle appelait « les pièces du fond », ou bien « au fond ». Elle était toujours la bonne élève de Sainte-Ursule à Dôle qui maniait le midi ses couverts en argent. Peut-être, de temps à autre, elle pensait au bel Espagnol de Bram.

À plus de quatre-vingt-dix ans, après qu'elle était tombée, s'était cassé des dents, que son visage s'était couvert d'hématomes, on l'avait promenée dans les hôpitaux de Saint-Nazaire, Paimbœuf, Pornic, finalement déposée au Lazaret de Mindin, où elle m'avait raconté son rêve avant mon départ pour l'Asie, c'était à Sorèze, un matin, son père était de retour de captivité, dans son uniforme, debout devant la porte, la prenait dans ses bras. À la lecture des archives, j'apprendrais que la scène n'était pas à Sorèze mais à Bram. Elle s'était laissée mourir, de rien, de lassitude, de savoir qu'elle ne retrouverait plus ni son bureau ni ses archives, ces « pièces du fond » qui étaient sa mémoire et son monstrueux hippocampe externe.

les archives

Quelques jours après notre arrivée à L'Océan, quatre mois après la mort de Monne, j'étais entré villa Turquoise. J'avais progressé dans ces trois pièces du fond avec la précaution d'un égyptologue, un peu penché en avant.

Après l'accumulation des dernières années, bouteilles de verre et de plastique en attente d'un éventuel recyclage, denrées de survie périmées, ustensiles et bocaux, vaisselle, couverts, boîtes de conserve et ampoules de Débrumyl, un psychostimulant contre les « troubles de la mémoire, de l'adaptation et de la vigilance », apparaissait un entassement de vêtements au rebut depuis des dizaines d'années qui remontait ainsi jusqu'à mon enfance, allongés dans des boîtes plates en carton mes petits costumes de carnaval, mon épée en bois de Chevalier noir puis les accoutrements des générations passées, robes, pardessus, chapeaux d'homme et de femme et tout au fond les malles dont le contenu était resté des années dans les coffres du Crédit lyonnais, ces archives de quatre générations jusqu'aux notes de gaz, aux cahiers d'école, pendant les trois dernières guerres que la France avait connues.

De l'immense capharnaüm, j'avais extrait au petit bonheur trois mètres cubes d'archives avec l'idée de les compulser un jour. Des cantines en bois conservaient des réserves de papier blanc, de carnets neufs, de blocs de papier à lettres, de papier buvard, d'encre, de stylos-billes, de crayons et de gommes, toute une papeterie destinée à consigner les journaux intimes d'une prochaine guerre, serrée aux côtés des litres d'huile de cuisine, des kilos de sucre, des bidons de lessive et des pains de savon, et sans doute Monne aurait préféré entasser tous ces trésors au fond d'un abri antiatomique enfoui dans les sables de Mindin comme les bunkers du mur de l'Atlantique.

Yersin m'avait aidé à entasser ces trois mètres cubes dans une salle de bains à l'abandon de la maison de L'Océan. Si j'avais survécu aux diverses munitions de guerre non percutées disséminées dans ce fourbi, je n'avais pu éviter la chute d'une rôtissoire qui m'avait entaillé le bras, ni l'explosion d'un poudrier, grande boîte métallique ronde que je m'étais évertué à ouvrir et de laquelle avait jailli un nuage de fumée rose pâle. La nuit suivante, j'avais commencé à saigner du nez et de la gorge pendant mon sommeil puis continué à genoux dans la baignoire. Le spécialiste nazairien qui m'avait reçu en urgence tentait de cautériser à l'électricité l'hémorragie. La première tentative avait échoué. Il m'avait renvoyé sanguinolent dans le salon d'attente au milieu des patients inquiets. À la terrasse du Skipper sur le port, devant le bel arrondi, j'avais retrouvé Yersin qui se marrait devant ma chemise maculée et mon teint livide avant que nous ne commandions des verres de quincy.

Taba-Taba

> À quoi pouvait-il bien rêver quand il restait immobile pendant des heures avec une folle activité dans la tête et un léger va-et-vient du buste ? Cela me donnait le vertige de l'observer et, tout à coup, je me mis à avoir une peur horrible de lui.
>
> CENDRARS, *Moravagine*

Lorsqu'il avait sorti de sa petite bibliothèque *Moravagine* pour m'en conseiller la lecture, l'histoire du fou à la jambe droite tordue, Loulou pensait-il à cette phrase, à Taba-Taba, à sa belle gueule de prophète, la tête d'un naufragé sur le radeau de *La Méduse* ? Après plus d'un an dans la coquille en plâtre, j'avais réappris à marcher au début des années soixante. L'opération du jeune chirurgien Bretonnière avait réussi mais l'articulation ne permettait que le mouvement en ligne et je ne pouvais écarter la jambe. Je m'asseyais auprès de Taba-Taba sur les marches de la porte monumentale.

Par la suite, et pendant des décennies, j'avais voulu voyager comme un fou de crainte de retrouver l'immobilité avant d'avoir épuisé tous les lieux de l'atlas. La greffe de l'enfance s'épuisait à me maintenir en équilibre. La jambe droite ne me portait plus. Les choses avaient empiré en Asie. Après avoir passé l'été à L'Océan, nous étions partis ensemble au Vietnam en décembre, étions descendus au Yasaka, dans cette ville de Nha Trang où Véronique revenait pour la première fois depuis vingt ans sur les traces de l'aïeul et sur ses propres petites traces. Nous avions nagé devant l'hôtel. Son bikini était bleu à motifs floraux. Une vague avait sorti de son bonnet son sein gauche. Je pointais du doigt le téton en plein air tout émoustillé d'eau froide :

« Tu ne me regardes pas alors je fais le clown », avait-elle dit en riant, les cheveux ruisselants.

Nous avions entamé une longue promenade le long du boulevard de mer et dîné dans un restaurant de poisson, le lendemain gagné Dalat par la route, puis Hanoï en avion. Nous étions descendus à Hô-Chi-Minh-Ville. Elle voulait se rendre au marché Yersin, y acheter des couteaux. J'avais suivi le haut ciseau des jambes infinies jusqu'au jardin zoologique où je m'étais assis sur un banc, épuisé. Nous étions rentrés en taxi vers la maison des hôtes du consulat général qui fut la demeure des amiraux de Saigon, seule villa demeurée debout, avec la petite maison de l'École française d'Extrême-Orient, au milieu des tours de verre. Au retour en Suisse, le repos dans le chalet n'avait rien changé.

Pris de frénésie, j'étais parti pour Athènes. Quelques jours plus tard j'avais dormi au palais Farnèse de Rome sans pouvoir aller plus loin que le Campo dei Fiori, avais pris un vol pour Barcelone comme une tournée d'adieu. Depuis l'appartement au sommet de l'Institut français j'étais descendu sur la Diagonale, avais acheté une canne dans une pharmacie. À Paris j'avais retrouvé mon éditeur qui avait appelé le docteur Gilbert Haas. Sur le conseil de celui-ci, le chirurgien Rougereau allait reprendre, cinquante ans après, le travail de Bretonnière.

Au milieu des examens préparatoires Yersin m'avait invité en Normandie et nous avions nagé. En mai nous avions laissé la Passat dans un garage de Quiberon, pris le ferry pour Belle-Île-en-Mer. J'étais tombé dans un escalier. Allongé nu la nuit sur le ciment, je tâtais ma boîte crânienne. Elle avait conduit sur le chemin du retour vers Saint-Nazaire. Nous avions pris un train pour regagner Paris. Le jour dit, elle m'avait accompagné à la clinique du Trocadéro. Nous remplissions les formulaires au secrétariat, assis devant une jeune femme en blouse blanche. Sans lever les yeux, celle-ci lui demandait si elle était informée des dispositions à prendre en cas de décès. Nous avions demandé cinq minutes, étions sortis dans le jardin fumer une cigarette. Je lui avais proposé de jeter mes cendres dans le bassin du port de Saint-Nazaire, devant le bel arrondi. Elle y avait souscrit. J'avais survécu. C'était juin. À mon réveil elle m'avait apporté des cerises.

Lorsque j'avais enfin reçu mon bon de sortie, elle était à Genève. Une prise en charge à l'arrivée était obligatoire et devait être constatée par l'ambulancier. J'avais appelé Jean Rolin qui avait accepté de réceptionner le brancard. Dans l'escalier en colimaçon du dernier étage, empêtrés des béquilles, sans doute évoquions-nous avec assez de précision, épaule contre épaule, un couple de généraux napoléoniens au soir de la bataille, disons Lannes et Pouzet à Essling, lorsque ce dernier prend une balle perdue et que Lannes, voulant le soutenir, reçoit un boulet qui lui arrache la jambe. Un mois plus tard j'étais autorisé à monter dans un train. Nous partions au chalet. J'avais marché avec des bâtons le long des bisses. Elle avait filmé mes premières foulées. Selon Rougereau, je devais maintenant pouvoir écarter la jambe. Le cerveau était incapable de commander ces mouvements inconnus depuis plus de cinquante ans. Restait à m'amputer de Taba-Taba.

Nous sommes le 21 février 2017. Vingt ans plus tôt, jour pour jour, j'étais arrivé avant l'aube au Nicaragua, m'étais installé à l'hôtel Morgut, étais descendu lire *El Nuevo Diario* du vendredi 21 février 1997 au snack-bar Morocco. J'avais décidé de commencer à écrire ce jour-là la vie de William Walker. Ce mardi matin, 21 février 2017, je suis seul dans ce studio du Building. Elle l'a quitté samedi et je l'ai accompagnée à la gare. Elle est au chalet. Dans un état de désarroi, en fin d'après-midi, je suis descendu sur le parking démarrer la Passat. J'ai franchi le grand pont sur l'estuaire en direction de Mindin. Je suis allé chercher Taba-Taba au Lazaret et l'ai ramené au Building.

Depuis longtemps je savais que, devant la distribution de Gauloises Troupes à tous les pensionnaires, l'hypothèse nicotinique ne tenait pas. Il n'était pas Tabac-Tabac. Après avoir lu *Tabataba* de Bernard-Marie Koltès, j'avais pensé qu'il était peut-être Tabataba. « Tu vois bien que cela ne servirait à rien de sortir, et de marcher dans les merdes de chiens des rues de Tabataba. » C'est la rumeur du vent qui rend fou. À l'été de 2015, lorsque Yersin était allée donner sa conférence sur l'*Art incendiaire* en Aubrac, nous y avions rencontré Jean-Luc Raharimanana et je l'avais interrogé, avais acheté plus tard son livre *Madagascar 1947*, dans lequel il cite le dictionnaire Malzac & Abinal : « Tabataba : rumeurs, grands bruits, émeute, terme par lequel on désigne l'insurrection de 1947. »

C'était l'hypothèse la plus romanesque. Les dates concordaient. Si une antenne psychiatrique accompagne aujourd'hui les soldats de Barkhane au Mali, ce genre d'attention était inconnu à Moramanga en 1947. Et cet homme perdu, assis à longueur de journée sur les marches de la porte monumentale, pouvait être un combattant rescapé des tueries malgaches, un criminel de guerre devenu fou, que les hasards des routes maritimes et des liaisons neuronales défaillantes avaient abandonné à l'échouage du Lazaret pour qu'il devînt mon camarade. Taba-Taba l'amnésique. Taba-Taba réduit aux deux syllabes comme au Crénom de Baudelaire, dont je ne saurai jamais ni le nom ni la naissance ni la mort.

J'avais étudié l'histoire de Madagascar, la vie des reines, celle de l'aventurier Jean Laborde devenu consul de France à Madagascar en 1862. Je l'avais ajouté à cette petite bande de Français éparpillés dont j'avais suivi les traces, Du Petit Thouars à Lima et à Tokyo, Antoine de Tounens qui fut roi de Patagonie et Mayrena qui fut roi des Sédangs, Jussieu à Quito et Puno, Caillé à Tombouctou et Cailliaud à Méroé, Bertin à Yokohama, tous ceux-là qui, pour le meilleur et le pire, avaient mis les peuples en contact. Je savais l'arrivée d'Alexandre Yersin, puis celle du général Gallieni, la colonisation de la Grande Île par les Blancs, les Vazaha, l'insurrection du 30 mars 1947. J'avais décidé de ramener Taba-Taba à Mada.

Dans cette ville de Tananarive devenue Antananarivo, mais on ne dit jamais que Tana, j'étais assis dans la grande maison de Denis Bisson dans la ville haute. Nous ne nous étions jamais rencontrés. Nous avons le même âge. Il n'entre pas forcément dans ses attributions d'attaché culturel de voir débarquer chez lui à trois heures du matin un cinglé dans cet état. Je lui ai demandé s'il avait du whisky, ai commencé à fumer des cigarettes. Il me disait que ça lui était interdit depuis peu mais qu'il avait conservé des cendriers.

La terrasse donne vers l'ouest et l'Afrique, à main droite vers le palais de la Reine édifié par Jean Laborde. À l'aube, des écolières en blouse bleue passent dans la rue pavée. Ce vendredi 10 mars 2017, le cyclone Enawo vient de balayer l'île, de faire des dizaines de morts et des milliers de sinistrés. La ville basse est inondée, envahie de grands nuages de libellules. Je suis assis au Café de la Gare, apprends sans surprise dans *La Gazette* et *Le Matin* l'extrême difficulté des Malgaches à obtenir un visa pour la France, et que le cyclone El Niño dévaste le Pérou. Cette petite gare désaffectée, devant laquelle stationnent des taxis 2 CV Citroën et 4L Renault couleur sable, ressemble à celle de Lima près du pont de Rímac, elle aussi d'architecture française, transformée en bibliothèque, que nous avions visitée à l'été 2015.

Je me demande ce que je fais là encore une fois loin d'elle, seul avec Taba-Taba, la revois lire au lit ses petits polars qui parfois déclenchent son rire et ma jalousie. J'aimerais savoir inventer des aventures palpitantes, *Six mecs au Mexique* ou *Cinq gars pour Singapour*. J'imagine écrire une bluette, *Ta nana arrive à Tananarive*, un petit roman d'amour dans lequel les dieux marionnettistes approchent peu à peu, au bout de leurs ficelles, un petit pêcheur de crevettes à Mindin et une grande gamine de la campagne genevoise. Je vais me libérer de Taba-Taba et filer la retrouver.

Aujourd'hui, 11 mars 2017, trente ans jour pour jour après la parution de ce livre chez Minuit que j'avais échangé contre celui de Vercors, Denis Bisson a trouvé pour moi une petite automobile sud-coréenne rouge vif et son chauffeur, monsieur Lanto. Nous prenons la route à l'aube, pour Moramanga plus à l'est en direction de l'océan Indien qui fut le cœur de ces ténèbres.

Je n'ai pas dormi depuis des jours malgré les somnifères et l'alcool et ce voyage est une ordalie au milieu des éboulements provoqués par le cyclone, des rizières ravagées, des collines, des forêts, des barrages de police où j'acquitte le prix du racket par poignées de billets de dix mille ariarys. Sur la route on déblaie des rochers et des arbres arrachés. Je vois des ponts sur des rivières dont je ne saurai pas les noms, des champs de taro et des bananeraies. Dès que la voie se libère Lanto accélère, descend des lacets en roue libre à vitesse folle.

Comme les Aztèques qui transportent dans leurs besaces des dieux véritables, je protège Taba-Taba au fond de mon cerveau et crains l'accident si près du but, demande à ce Lanto un peu trop rapido de lever le pied, tourne cette phrase si pascalienne de Proust, la peur de mettre sa vie en danger et des hommes qui « affrontent sans nécessité le risque d'un voyage en mer, d'une promenade en aéroplane ou en automobile quand les attend à la maison l'être que leur mort briserait ou quand est encore lié à la fragilité de leur cerveau le livre dont la prochaine mise au jour est la seule raison de leur vie ».

Après bientôt trois heures de cette folie nous nous garons devant l'école de gendarmerie inondée où j'ai rendez-vous avec l'adjudant Zo Rason. La caserne abrite un petit musée dédié aux massacres de 47. Les insurgés avaient assassiné ici à la sagaie le commandant français ainsi que sa femme et ses enfants. On avait envoyé la troupe à leur poursuite dans les massifs montagneux, la végétation équatoriale traversée de torrents. Les jeunes soldats apeurés pataugeaient dans la boue, vomissaient de dysenterie et de bilharziose. Ils avaient capturé 166 otages qu'on avait en représailles mitraillés dans un wagon. Les rescapés avaient été exécutés au bord d'une fosse. Dans la cour de la caserne, le vieux wagon sur ses bouts de rails est une reconstitution et je veux voir le lieu véritable.

L'adjudant nous indique la gare Madarail de l'autre côté du marché et nous met en garde. Hier encore des coups de feu ont été tirés. Je longe les étals de viande de zébu jusqu'au bâtiment de bois devant lequel sont assis quelques mendiants et traîne-savates. L'averse fait se lever dans les flaques toute une armée d'araignées de pluie. J'installe Taba-Taba auprès d'eux. Maintenant je vais essayer d'oublier le Lazaret et toi tu vas rester là, Taba-Taba.

table

DU MÊME AUTEUR

Cordon-bleu
Minuit, 1987

Longue Vue
Minuit, 1988

Le Feu d'artifice
Minuit, 1992

La Femme parfaite
Minuit, 1995

Ces deux-là
Minuit, 2000

Pura Vida
Vie & mort de William Walker
Seuil, 2004
et « Points », n° P2165

La Tentation des armes à feu
Seuil, 2006

Équatoria
Seuil, 2009
et « Points », n° P3039

Kampuchéa
Seuil, 2011
et « Points », n° P2859

Peste & Choléra
Seuil, 2012
et « Points », n° P3120

Viva
Seuil, 2014
et « Points », n° P4146

Minuit
« Points Signatures », n° P4652, 2017

RÉALISATION : NORD COMPO À VILLENEUVE-D'ASCQ
IMPRESSION : CPI FRANCE
DÉPÔT LÉGAL : AOÛT 2018. N° 138688 (3029228)
IMPRIMÉ EN FRANCE